JN093475

ミュージアムの教科書

深化する博物館と美術館

暮沢剛巳
Kuresawa Takemi

青弓社

Museum

ミュージアムの教科書——深化する博物館と美術館

目次

第3章　万国博覧会と美術の関係　73

第4章　MoMAと近代美術　100

第6章 デザインミュージアムとは何か 157

カバー装画――Qweek／E+／ゲッティイメージズ
装丁――北田雄一郎

はじめに

私はこれまでに『美術館はどこへ?』[1]『美術館の政治学』[2]『世界のデザインミュージアム』[3]の三冊のミュージアム論を出版した。本書は、このうち『美術館はどこへ?』と『美術館の政治学』の二冊を大幅に変更・再構成したうえで統合し、新たな一書にするものである。本書の執筆を構想した大きな要因は、両著とも出版から十年以上が経過して情報が古くなってしまったことに加え、出版後に国内外のミュージアムを取り巻く状況が大きく変化し、それに伴って私の考え方も少なからず変化したことだった。まずここでは、状況の変化について少しふれておきたい。

まず挙げておきたいのがグローバリゼーションである。膨大なコレクションを擁するミュージアムは、厳かな佇まいも相まって従来は神殿のようなイメージで語られることが多かったが、二〇二〇年代に入ってからは、世界的に著名なミュージアムには積極的な分館開館を仕掛け、多国籍企業のような活動を展開しているところもある。前著を執筆した〇〇年代以降に顕著になったこうした現象は、明らかに同時代の資本主義の動きとリンクしている。新型コロナウイルス感染症禍の昨今、海外のミュージアムを訪れることは残念ながら事実上不可能な状態になってしまったが、本書ではそれ以前の取材の成果を踏まえて、ささやかながらこの動向について言及することにした。

次に挙げるのはオンラインの動向である。『美術館はどこへ?』のなかで、一章を割いてバーチャル・ミュージアムについて論じた。これは、インターネット空間を活用したメディアアートの作品展示やデジタル・アーカイブについて、同書出版時点での最先端の動向を取り上げている。それから約二十年が経過した現在、バーチャルに関する試みは十分に浸透した感があるため、本書では再録はしないが、半面、当時とは異なる新たな動向に着目しないわけにはいかない。その一つが、オンラインによる作品展示である。

二〇二〇年、ほぼ全世界を覆った新型コロナウイルスのパンデミックの影響は深刻で、多くのミュージアムは長期休館を余儀なくされた。日本のミュージアムも例外ではなく、私自身もミュージアムに足を運べない時間を長く過ごすことになった。そして多くのミュージアムは、感染防止の観点から、活動再開後には事前予約による人数制限を導入した。上演・上映時間に合わせて会場に足を運ぶコンサートや演劇、映画とは異なり、開館時間内ならば会場に自由に出入りできることが展覧会鑑賞の利点だったのだから、この制限に不自由さを感じた者も多かったことだろう。その一方で、一部の作品のオンライン展示にも踏み切ったミュージアムもある。従来はオンライン展示の対象は先端的なテクノロジーを駆使したメディアアートに限られていたから、そうした展示を想定していなかった既存の絵画や彫刻をオンラインで鑑賞する体験は、新しい視覚の可能性を印象づけるものになった。作品を手に取って鑑賞するハンズオンという展示法も、今後は変化していくかもしれない。

ミュージアムの展示の対象が大きく拡大したことも挙げておかなければならない。絵画展や彫刻展などの従来からの展示に加え、昨今のミュージアムではデザインやファッションの展覧会などが開催されることも珍しくなくなった。マンガやアニメ、ゲームなどのポップカルチャーをテーマにした展覧会も激増し、国公立のミュージアムでこの種の展覧会を目当てにした客が長蛇の列を作る光景も見慣れたものになった。これらの展覧会の隆盛には、クールジャパン政策に代表される知財戦略、費用対効果を重視した動員対策、作家研究の進展など複数の要因を指摘することができる。ただし、紙幅の都合上、本書で論及する展覧会はデザイン展に限るが、これらのコンテンツがいずれも重要であることに変わりはない。

『美術館はどこへ?』『美術館の政治学』の内容を引き継ぎ、本書では、ミュージアムのなかでもとりわけ美術館に焦点を合わせていく。いうまでもなく、美術館とは美術作品を展示や収集の対象にする博物館のことだが、「美術」の定義自体が非常に広いため、本書で取り上げる対象も幅広い。デザインミュージアムを対象にした第6章「デザインミュージアムとは何か」も、アイヌ博物館を対象にした第10章「グローバリゼーションとＩＣＯ

M博物館定義――ミュージアムスタディーズの観点から」も、いずれも広義の美術館論として構想・執筆したものである。美術館の定義については、次の序章であらためて確認しておきたい。

注

(1) 暮沢剛巳『美術館はどこへ?――ミュージアムの過去・現在・未来』(廣済堂ライブラリー)、廣済堂出版、二〇〇二年

(2) 暮沢剛巳『美術館の政治学』(青弓社ライブラリー)、青弓社、二〇〇七年

(3) 暮沢剛巳『世界のデザインミュージアム』大和書房、二〇一四年

序章　ミュゼオロジーからミュージアムスタディーズへ

「はじめに」でふれたように、本書は『美術館はどこへ？』と『美術館の政治学』を統合して新たな一書としたものである。前者は海外の美術館、後者は日本の美術館をテーマとしたものであり、両者の統合によって国内外の動向を見渡す視野が得られるのではないか、と考えている。もちろん、著者が同じテーマについて書いたものではあっても、異なった時期に異なった事例に取材した二冊を一つにまとめるためには、全体を統合するための視点の導入が不可欠だ。本書ではそれをミュージアムスタディーズと呼ぶことにする。

日本では、一般に、ミュージアムを博物館や美術館と呼称する。そのため、ミュージアムを対象にした研究であるミュゼオロジーも博物館学や美術館学と訳されることが多い。しかし、本書が掲げるミュージアムスタディーズは、ミュゼオロジーとはアプローチを異にするものだ。両者の違いについては、研究上の常識を踏まえてはいるが我流に解釈した部分も含まれるので、まずその点について説明しておきたい。

ミュゼオロジーとは、美術館や博物館の法規や歴史について学ぶ概論を核として、経営論、資料論、展示論、教育論などの様々な各論によって構成されている体系的な学問であり、ミュージアムの「機能」や「役割」を理解し、追求することが研究の主体である。それに対してミュージアムスタディーズは、社会学、情報学、メディア論など他分野の成果を導入してミュージアム自体を分析することを目的にした学際的なアプローチである。研究の目的はミュージアムとの「使命」は何かを問うことにある、というのが適切だろうか。私自身の現在の関心もミュージアムの「使命」だったから、学際的なアプローチを選択するのは当然の流れだった。加えて博物館学や美術館学は、学芸員資格の取得を希望する大学生が履修する学科目というニュアンスを強く伴っていて、実際に多くの大学で博物館学や美術館学の講座を開設している。私自身も以前は大学でそうした科目を担当していたこともあるし、本書は学芸員志望の読者にとっても大いに有意義な内容であることは自負しているが、本来の執筆目的がミュゼオロジーが志向する内容とは明らかに異なることは断っておかなければならない。

何はともあれ、本書がミュージアムを対象にした研究であることは間違いない。研究対象であるミュージアムとは何か、まずその基本的な定義を確認するところから始めたい。

現在の日本で、ミュージアムの法的根拠になっているのが博物館法である。一九五一年に起草されたその条文では、ミュージアムは以下のように定義されていた。同法は二〇二二年に一部改正されたものの、骨子にあたる傍線部は変更されていないため現在でもほぼそのまま通用するものと考えていい。

歴史、芸術、民俗、産業、自然科学等に関する資料を収集し、保管（育成を含む。以下同じ。）し、展示して教育的配慮の下に一般公衆の利用に供し、その教養、調査研究、レクリエーション等に資するために必要な事業を行い、あわせてこれらの資料に関する調査研究をすることを目的とする機関（社会教育法による公民館及び図書館法（昭和二十五年法律第百十八号）による図書館を除く。）のうち、地方公共団体、一般社団法人若しくは一般財団法人、宗教法人又は政令で定めるその他の法人（独立行政法人通則法（平成十一年法律第百三号）第二条第一項に規定する独立行政法人をいう。第二十九条において同じ。）を除く。）が設置するもので次章の規定による登録を受けたものをいう。（第二条第一項）[1]

ここでいう「博物館」には、博物資料を対象にした博物館や美術作品を対象にした美術館のほか、文学館、科学館、歴史館など様々なタイプのミュージアムが含まれる。本書では検討の対象から外したが、動物園、植物園、水族館も博物館の範疇に含まれている。この定義に従えば、博物館とは、多くの作品や資料を収集し、展覧会をおこなうイベント会場であると同時に、研究や教育のための普及の施設と考えておけば間違いはないだろう。日本国内のこうした施設の歴史はそれほど古いものではなく、明治近代以降、欧米からミュージアムという概念を輸入・翻訳して成立した。また、百貨店の催事場など、この定義に当てはまらない施設で多くの展覧会が開催されてきた事実にも目を配って検討する必要がある。

では、ミュージアムが発祥した欧米での規定はどのようなものだろうか。一九四六年に創設されたICOM（国際博物館会議）は、ユネスコと協力関係にある諮問機関であり、国際的なミュージアムのネットワークである。ICOMの博物館定義（起草時は憲章）では、以下のように定義されている。ICOM博物館定義はその後幾度もの改正を経ているが、この骨子の部分に変更はない。

博物館とは社会とその発展に奉仕する一般に公開された非営利の恒久的な施設で、人々とその環境の有形および無形の証拠を研究、教育および娯楽のために収集、研究、伝達および展示をおこなうものである。(2)

ほとんどの欧米諸国はICOMに加入していて、したがって、この定義はそのまま多くの国のミュージアムの定義に当てはまるものと考えられる。そこに日本の博物館法の定義との違いはほとんどないといっていい。そもそも博物館法の条文がICOM憲章に依拠して起草されたものなので当然だが、いずれにしても、この一文の冒頭で言及している「公開」することを目的とすることはミュージアムの本質に深く関わっていて、それは次章以降で繰り返し検討する。

もちろん本書では、ただ法的な規定を追認するだけではなく、ほかの側面も様々な角度から検証していく。例えば、ドイツ文学者の松宮秀治による以下のような定義は考察に値する。

ミュージアムという概念が日本語において「博物館」と「美術館」に分極してしまったことによって、ミュージアムという巨大な束概念、統括概念がもつ内包領域を全体として理解する方向を閉ざしてしまった。つまり、その各部分の機能のみをご都合主義的に切り取ってしまう方向に進ませてしまった。たしかに、西洋のミュージアムという概念は分割可能なユニット概念であるが、またそれと同時にきわめて広領域を包括する概念でもある。つまり「ミュージアム」とは、それぞれの個別的な機能を独立させる一方で、無限に細分化していこうとするものに対して、一定の概念枠を与えようとする統括概念である。(3)

なるほど、ミュージアムに対応する日本語が「博物館」と「美術館」に分離されているのはなぜなのか、私も以前から大いに気になっていた。本書はおもに「美術館」を分析の対象にしているが、両者の分離には絶えず関心を払っていきたい。

他方、一九五〇年代から七〇年代の北米を代表するミュージアム研究者の一人であるキャロル・ダンカンの指摘も参照してみよう。

本書において私は、美術館とは、モノを保管する公平無私の場所でもなければ、たんなる建築デザインの産物でもない、という立場をとっている。美術館はしばしば伝統的な神殿や宮殿にたとえられる。神殿や宮殿は多彩な機能をあわせもつ複合的な存在だが、美術館もまた同じだろう。そこではアートも建築も、より大きな全体の一部でしかないのだ。私はそうした総体を、台本や楽譜、いや、もう一ひねりして、演劇的なものとしてとらえることを提案した。すなわち、美術館全体をひとつの舞台として見るのである。(略)このような観点に立つと、美術館は、ある特定の儀礼のシナリオをめぐってつくり上げられた空間として立ち現

れてくる。(4)

歴史的経緯を踏まえれば、ミュージアムが神殿や宮殿に例えられるのは当然のことだが、その一方で舞台に例えるというのはずいぶんと思い切った発想である。ダンカンは自らの提案を「神殿(テンプル)から舞台(フォーラム)へ」と称している。また、違った観点からミュージアムの可能性を探ろうと試みる動きもある。そうした論者の一人であるロジャー・シルバーストーンは、メディア論の観点からミュージアムに注目し、ミュージアムの空間的な特質を指摘する。

ミュージアムは現代のメディアのなかでもとりわけ、物理的、空間的に空間を具現化する。すなわち、ミュージアムのコミュニケーション様式を特徴づける、様々な空間的な関係性がもつ重層性を覆い隠すような地理的、建設的な環境を生み出すのである。(5)

ここでいう空間的な関係性は、一九九〇年代以降の社会学でしばしば言及される概念である。シルバーストーンはそれをいちはやくミュージアムに見いだしたのであり、その観点からもメディア論的なアプローチの重要性が実感される。

いずれにしても、今日ミュージアムを論じるにあたってはメディア論的な視座を欠くことはできない。日本でいちはやくメディア論的な考察を実践した研究者・村田麻里子は、①ミュージアムとは私たちの視覚や身体に関わる様々なメディア作用が起きている空間であり、同時に、二十一世紀になってその空間はますますメディア化しているため、それを捉える枠組みが必要であること、②メディア論という視点は、ミュージアムを、可変的な空間として捉えることを可能にすること、③メディア論という視点は、ミュージアムを考えるにあたって、マクロとミクロ双方の視点を持ち続けることを可能にすること、という三つの理由を挙げて、「総じて、ミュージアムをメディア論的に考察することは、「ミュージアムとは何か」という可変的で認識論的な問いに挑むことなのである」[6]と結んでいる。まったく同感である。

また、梅棹忠夫は日本でいちはやくメディア論の観点からミュージアムに注目していた先駆者の一人である。梅棹は、『メディアとしての博物館』[7]のなかで以下のように述べている。彼はその後しばしば博情報館や博情館なるもの（現在なら、メディアテークやメディアセンターと呼ばれるだろうか）について言及するようになるのだが、ここにはその原型が現れているといえるだろうか。

博物館は意味の収蔵庫であるといった。意味とは、情報である。博物館に収蔵されている品物は、物質として収蔵されているのではない。情報として収蔵されているのである。博物館は、情報の収蔵庫である。博物館がその展示を公開し、市民の観覧に供するというのは、その収蔵された情報を市民に伝達するということである。博物館は、一つの情報伝達装置である。[8]

私は『拡張するキュレーション』[9]で、情報の収集や加工という観点からキュレーションを論じたが、その立論は梅棹忠夫の『知的生産の技術』[10]から大きな示唆を受けたものだ。ミュージアムを対象にした本書でもその射程は依然として大いに有効である。このように、法的な規定をなぞるだけではみえてこないミュージアムのあり方を浮かび上がらせることも本書の意図の一つである。

ここで本書の構成についてふれておく。

第1章「ムセイオンからミュージアムへ」では、ミュージアムの語源として知られる古代ギリシャのムセイオンから、ヨーロッパの王侯貴族のコレクションを経て、近代的なミュージアムに至るまでの軌跡をたどる。

第2章「ルーヴル美術館の歴史と特徴」では、フランス・ルーヴル美術館の歴史にフォーカスを合わせる。王侯貴族のコレクションがフランス革命を経て一般に公開されるまでのプロセスを検討し、ミュージアムとは何かを考える一助とする。前世紀終盤の「グランルーヴル・プロジェクト」や近年開館したランス分館も検討の対象である。

第3章「万国博覧会と美術の関係」では、万国博覧会の歴史をたどりながら、そこで展開された展示やまなざしの問題が、近代のミュージアムと不可分な関係にあることを論証していく。

第4章「MoMAと近代美術」では、MoMA（ニューヨーク近代美術館）の開館以後の歩みにフォーカスを合わせ、近代美術館とは何かを考えていく。初代館長のアルフレッド・バー・Jrと建築部門のキュレーターだったフィリップ・ジョンソンという二人のキーパーソンにも関心を向ける。

第5章「オルセー美術館とポンピドゥー文化センター」では、フランス・オルセー美術館とポンピドゥー文化センターの動向にフォーカスを合わせる。個々のミュージアムの運営方針はもとより、ルーヴルを含めたパリのゾーニング事業や、後者のメス分館についても取り上げる。

第6章「デザインミュージアムとは何か」では、世界初のデザインミュージアムとされるイギリスのV&A（ヴィクトリア・アンド・アルバート博物館）を中心に、デザインミュージアムとは何かについて考えていく。国内の事例についても考察する。

第7章「上野公園の美術と記憶――ミュージアム・パークのゆくえ」は、東博こと東京国立博物館を対象にしたケーススタディーである。日本初の本格的なミュージアムである東博の検討を経て、ミュージアムという装置がどのように日本に定着していったのかを検証する。東博開館と同時期に構想された高橋由一の螺旋展画閣にも言及する。

第8章「思想としての日本民藝館」は、日本民藝館が考察の対象である。同館の創立者で初代館長である柳宗悦の軌跡をたどりながら、館創設のバックボーンである民芸思想についても考察する。大阪日本民芸館や式場隆三郎の活動にもフォーカスする。

第9章「セゾン美術館から森美術館へ――〈文化〉の転換と美術館」では、セゾン文化の橋頭堡として一時代を築いたセゾン美術館の活動を回顧し、あわせて日本に特有の百貨店美術展の歴史をたどる。森美術館をはじめ、セゾン美術館の遺伝子も検討していく。

第10章「グローバリゼーションとICOM博物館定義——ミュージアムスタディーズの観点から」では、近年のグローバリズムを概観する一方で、二〇一九年に京都でおこなわれたICOM総会を通じて、ミュージアムの定義について交わされた議論を追求していく。SDGsがここでの大きなキーワードになるだろう。

以上のケーススタディーを通じて、ミュージアム、とりわけ美術館とは何かを問うことが本書の目的である。章ごとに特定のミュージアムを取り上げ、その通史に沿って検討を重ねていくケーススタディーという形式は過去の著作に倣ったもので、取り上げた館の多くはこれまでの著書と重複しているが、本書では以前の記述を大幅に更新して、より発展させることをもくろんでいる。もちろん紙幅の制約があるために取り上げる対象や盛り込む情報には限りがあるが、いずれも重要な館ばかりであり、これらのケーススタディーを通じてミュージアムとは何かを問うことには一定の汎用性があると確信している。また著作の統合にあたって、様々な学際的なアプローチをおこない、ミュージアムの「使命」を問うという当初の目的はどの章節でも一貫させた。

なお本書では、制度や施設全般を指す場合にはミュージアムという言葉を用いるが、国内の諸施設に対してはもちろん「——博物館」「——美術館」という名称を使用し、海外の諸施設についても「大英博物館」「ルーヴル美術館」などの定着した呼称はそのまま用いている。いたずらに正式な呼称にこだわって機械的な統一を図るよりも、「使命」を問うことを重視した結果と思っていただければ幸いである。

注

（1）「昭和二十六年法律第二百八十五号 博物館法」「e-Gov 法令検索」（https://elaws.e-gov.go.jp/document?lawid=326AC1000000285）［二〇二二年一月十日アクセス］を参照。

（2）国際博物館会議「イコム職業倫理規程 2004年10月改訂」「ICOM JAPAN」（https://icomjapan.org/wp/wp-content/uploads/2020/03/ICOM_code_of-ethics_JP.pdf）［二〇二一年一月十日アクセス］、英語原文は「ICOM Code of Ethics for Museums」（https://icomjapan.org/wp/wp-content/uploads/2020/03/ICOM_code_of-ethics.pdf）［二〇二一年一月十日アクセス］を参照。
（3）松宮秀治『ミュージアムの思想 新装版』白水社、二〇〇九年、九―一〇ページ
（4）Carol Duncan, *Civilizing Rituals: inside public art museums*, Routledge, 1995, pp. 1-2.（キャロル・ダンカン『美術館という幻想――儀礼と権力』川口幸也訳、水声社、二〇一一年、一六ページ）
（5）Roger Silverstone, "The medium is the museum: on objects and logics in times and spaces," in Roger Miles and Lauro Zavala eds., *Toward the Museum of the Future: New European Perspectives*, Routledge, 1994, p. 171.
（6）村田麻里子『思想としてのミュージアム――ものと空間のメディア論』人文書院、二〇一四年、四八―四九ページ
（7）梅棹忠夫『メディアとしての博物館』平凡社、一九八七年
（8）同書四四ページ
（9）暮沢剛巳『拡張するキュレーション――価値を生み出す技術』（集英社新書）、集英社、二〇二一年
（10）梅棹忠夫『知的生産の技術』（岩波新書）、岩波書店、一九六九年

第1章　ムセイオンからミュージアムへ

1　ワイン倉庫を模した美術館

過去に二回、フランスの地方都市ボルドーにある現代美術館CAPC（Centre d'arts plastiques contemporains）を訪れたことがある。TGV（フランス国有鉄道SNCFが運行する高速鉄道）でパリと直結しているサン＝ジャン駅からもほど近い、川沿いの市街地にあるこの美術館は、「レネ倉庫」の別名のとおり、古いワイン倉庫をそのまま美術館に転用した施設で、正面入り口に掲げた小さな看板に目が留まらないかぎりは、そこが美術館とは気づかないまま通り過ぎてしまいそうな、地味な佇まいの建物である。

CAPCは、倉庫特有のゆったりとした空間を生かした大型インスタレーションの企画展によって知られた美術館で、国際的に著名なアーティストの展覧会を数多く開催している。私が同館を初めて訪れた一九九四年の十一月はあいにく展示替えの時期にあたってしまい展示を見ることができなかったのだが、ミュージアムショップのグッズやカタログを通じて、間接的にではあるが同館の企画展の雰囲気に浸ることができたし、ワイン倉庫を美術館に転用するアイデアにも、ワインのテイスティングを美術鑑賞と重ね合わせる巧みな文化戦略を見る思いがした。

　実際に訪れてはじめて知ったことなのだが、CAPCはおもに地元の小・中学生を対象にしたワークショップにも力を入れていて、それらの活動は常に大規模なインスタレーションやコレクションとも密接にリンクしているという。地域性を重視した堅実な活動は、フランスの美術館運営のなかでも異彩を放っているのかもしれない。

　ところでワイン倉庫を転用したこの美術館は、ゆったりとした高い天井、冷涼な室内、石や煉瓦が露出した内壁、薄暗いブルーとグレーを基調にした地味なカーペット、控えめな採光と照明といった具合に、ほとんど元の倉庫の雰囲気を保っていた。訪問から長い時間が経過したこともあってもはや細部はほとんど覚えていないのだが、美術館のあり方を考える本書の趣旨に即した場合、CAPCが最も示唆に富んでいる点は、そのユニークな運営方針や展覧会の数々以上に、実は室内環境であるように思う。というのも、この美術館の所在地であるボルドーは長らくワインの銘醸地・交易地として栄えている地方都市であり、この「レネ倉庫」にも当然そうした産業的な記憶が集積されているからだ。そしていうまでもなく、多くのコレクションが集積される美術館は、文化的な記憶が集積される場である。産業的な記憶が集積された施設を美術館として再生したより大規模な例としては、軍需工場を転用したZKM（カールスルーエ）や発電所を転用したテート・モダン（ロンドン）などが挙げられる。その意味では、ワイン倉庫を美術館に転用したこのレネ倉庫は、美術館というメディアにとって最も本質的な問題である「記憶」を、室内空間と歴史的経緯の二つの側面から問いかける存在といえるだろう。

2　ムセイオン――ミュージアムの起源

美術館や博物館にとって「記憶」がきわめて本質的な問題であることは、いくら強調してもしすぎることはないほど重要な前提である。そして、繰り返し確認しておく必要があるのが、平素われわれが「ミュージアム」の語源がムセイオン、すなわち、主神ゼウスと記憶の女神ムネモシュネの間にもうけられた九人の女神ミューズ（ギリシャ名：Μοῦσα［ムーサイ］）を祀った神殿の名に由来することだろう。その語源は、英語やドイツ語のmuseumやフランス語のmuséeなど、ヨーロッパの諸言語に明らかな痕跡をとどめているにもかかわらず、言い古されてきたために逆にしばしば忘れられがちなことでもある。

ムセイオンと呼ばれた神殿は歴史上いくつか存在するが、そのなかでも最も古くて大規模なのは、紀元前三世紀にプトレマイオス一世ソーテールがエジプトのアレクサンドリアに建設したとされるムセイオンだろう。幼いころにアリストテレスから教育を受けたソーテールは、当時アテネにあったアカデメイアをモデルにして講義室・食堂・宿舎・観測所・博物学のコレクション、そして膨大な蔵書を擁する図書館からなる総合研究施設を建設した。このムセイオンは、当時の世界で最高水準を誇ったヘレニズム文化のあらゆる情報が集積された「知の殿堂」として、その後数世紀にわたって知的機関として他を圧倒していた。ムセイオンという名は、「知の殿堂」に対して何とも似つかわしいものだったにちがいない。

現在、ムセイオンは跡形もない。アレクサンドリア戦（紀元前四八年）のさなか、ガイウス・ユリウス・カエサル（ジュリアス・シーザー）が放った火が引火したという説やキリスト教徒の暴動説など、その時期や焼失した理由については諸説あるのだが、いずれにしても、建設から数世紀後にムセイオンは炎上し、約五十万巻とも七十万巻ともいわれたパピルスの蔵書はすべて灰燼に帰したとされる。「される」と表現したのは、かつてムセイオンが実在したことを示す遺跡や遺物がこれまで一切見つかっていないからだが、プトレマイオス二世の治世下で正式な図書館になったこと、初代館長に任じられたゼノドトスがホメロス、ヘシオドス、ピンダロスなどの作品を研究していたこと、詩人でもあった司書カリマコスが作品タイトルをアルファベット順に配列する整理法を考案したことなど、ムセイオンの図書館の伝聞記録は、ムセイオンがかつてアレクサンドリアのどこかに実在していたことを示している。[1] 数多の書物が炎上した際に発した光輝と、膨大な知の集積が失われたことによって人類史上に生じた深い闇——二つのイメージはいかにも対照的だが、逆にいえば、ムセイオンの名はこの焼失によっていっそう神話化されるようになったのかもしれない。二〇〇一年八月、エジプト政府がユネスコの協力を経て開館に漕ぎ着けた新アレクサンドリア図書館も、この太古の神話の「記憶」によって誘発され後押しされたプロジェクトといえる。

私は「ビブリオテカ・アレクサンドリア・プロジェクト」（BAP）というプロジェクトに監修者として参加し、多数派の文化も少数派の文化も等しく重視する多元主義の観点から、重要と判断できる三十冊の書物を精選し、その書評の執筆や編集に深く関わったことがある。[2] このプロジェクトは、古代アレクサンドリアのムセイオンに範をとり、インターネット上に多様な知をもつ人々が共創する「多元創知の場」を作ることを目的として、多元主義の観点から重要と判断される古今東西の三十冊の書物を精選し、その書評を掲載するというものだった。三十冊の書評で論じた多元主義の範囲にはおのずと限りがあったとはいえ、アメリカの神学者ピーター・ラドウィグ・バーガーがヘレニズムに多元主義の先駆を指摘していることが象徴するように、「多元創知の場」を作ることというプロジェクトの目的には古代ムセイオンの理念との一致が強く感じられたことは断っておきたい。

先に記憶の女神ムネモシュネがゼウスとの間に九人の美神（女神）をもうけたことについてふれたが、この九人の美神はそれぞれ叙事詩、歴史、抒情詩、喜劇、悲劇、舞踏、恋愛詩、賛歌、天文を司る。すなわち、記憶の女神を母にもち、人間の身体の記憶の直接関わる営みこそが「芸術」として尊ばれ、人間の身体と間接的な関係しか有さない絵画や彫刻は、むしろ蔑みの対象だったのである（いまとなっては信じがたいが、古代では詩や劇や学問も朗読の対象であり、人間の五感や身体性に根差した営みとされ、その感覚が現在のようなものへと変質するのには長い年月が必要だった）。そのことは、今日の「芸術」の語源であるギリシャ語の「テクネー／Τεχν」、あるいはラテン語の「アルス／ars」が「手仕事」や「器用仕事」を意味していることからもわかるだろう。

一方、人間の記憶は遺伝子によって伝えられる「遺伝的記憶」、口承や文字によって伝えられる「言語的記憶」、モノのなかに残される「技術的記憶」の三種に大別されると唱えるフランスの先史学者アンドレ・ルロワ＝グーランの学説に従うなら、有形のモノのなかに記憶を残すことがこれらの「手仕事」の長所でもあるわけで、後年にはその長所をもった営みが「芸術」としての地位を確立するようになる。人間の身体的記憶に関わる「芸術（アルス）」を称賛するためのムセイオンは、作品のなかに記憶をとどめる「芸術（アート）」を鑑賞するための「ミュージアム」へと変貌していったのである。

3 ムセイオンからミュージアムへ——古代・中世

もちろん、ムセイオンからミュージアムへの変貌といっても一朝一夕に成立したものではなく、長い時間の経過が必要だった。時代ごとの代表例をいくつかピックアップしながら、そのプロセスを跡づけてみよう。

モノを収集、保存するというミュージアムの機能を考えたとき、そのルーツはやはり強大な権力を有していた王の宝物庫に求められる。その最古の例として、現在はドイツ・ベルリンの美術館にあるヘレニズム時代のペルガモン王エウメネス二世やアッタロス一世、二世のコレクションなどが挙げられるだろう（特に後者は、史上最古の美術コレクターとも称される）。古代ギリシャ・ローマ世界にムセイオンに匹敵する巨大な宝物庫を所有していた王の記録は存在しないが、例えばハドリアヌス帝の別荘には多くの美術品が収集されていたことが後世の発掘によって判明していて、後世のナポレオンなどを引き合いに出すまでもなく、権力と財力を有する王の収集癖が時代を問わないことがわかる。プリニウスの『博物誌』には、古代ギリシャ・ローマの神殿には、宝石や貴金属のような宝物に加え、動物の骨格のような珍奇な献納物も収められていたと記載されている。

俗説によると、ローマ人はギリシャを征服した紀元前二世紀以降に美術に親しむようになったという。五賢帝の一人ハドリアヌス帝がティボリに建てたヴィラには多くの彫刻が並べられていたというのもその一例だ。これらのコレクションの起源は、おそらく戦争に勝利して持ち帰った戦利品だったと推測できる。なかでも首都ローマには、ヨーロッパ各地のほか、遠くオリエント、アジア、アフリカからの戦利品が集まった。戦利品を略奪した王侯貴族がそれを自らのコレクションにする行為は、その後の歴史でも何度となく繰り返されることになる。

最高権力者の座が王からローマ教皇に移行した中世には、当然コレクションの主体もまた教会へと移行する。中世のヨーロッパでコレクションを所有する寺院としては、イタリア・ベネチアのサン＝マルコ寺院やフランスのサン＝ドニ修道院などがその代表格だ。また教会のコレクションには、神聖な器物や遺物のほか、巡礼者や伝道者、十字軍が外国から持ち帰った珍奇な遺物も交じっていた。ベネチアのサン＝マルコ寺院の大聖堂に収蔵されている宝物の九〇パーセントは、十三世紀に十字軍が持ち帰った戦利品だという。サン＝ドニ修道院には一角獣の角があったと伝えられる（もちろん一角獣は実在しないので、実際にはイッカクの牙ではなかったかと推測される）。ところで、これらの教会のコレクションは、その性格上、礼拝や祭事のときには信者に対して公開する必要があった。こうした王侯貴族のコレクションにはない公的な性格は、のちのミュージアムへと発展していった。

教会と並行して、同時代の多くの王侯貴族も引き続きコレクションに精を出したが、彼らの多くが重点的に収集したのが宝石や貴金属だった。これらの宝石や貴金属は平素は厳重に警備された部屋に収蔵されていたが、教会のコレクションに倣って、権力を誇示するために人前で公開されることもあった。ただし、宝石や貴金属を人前で誇示するという役割は次第に薄れ、日常的に使用されないものを貯蔵することが多くなっていった。収集という行為、すなわちコレクションそのものに意味を見いだすようになっていったのである。

4　キャビネットの誕生

十五世紀初頭以降、ヨーロッパ各地で公開を前提にしない王侯貴族の特徴あるコレクションが続々と形成された。それらのコレクションは、フランスでは cabinét de curiosité（珍奇陳列室）、イタリアでは studiolo や

図1-1　オーレ・ヴォームが描いた「驚異の部屋」（1655年）

gardoroba、galleria、ドイツでは Kabinett や Wunderkammer（驚異の部屋）、イギリスでは cabinet of curiosity などと呼ばれていたが、これらはいずれも世界各地の珍奇な品を集めた、閉ざされた空間を意味する言葉であり、本書ではそれらの空間に対応する諸国語をキャビネットと総称することにする。[3] 王侯貴族が教会から権力を取り戻したこの時代は、大航海時代やルネサンスの黎明期でもあった。各国の王侯貴族たちは、その権勢によって多くの珍奇な品の収集に熱中した。個々のコレクションがもつそれぞれの異なった特徴は、それぞれの王の趣味の違いを反映したものだったが、その珍奇なコレクションの多くは何ら実用的な機能をもたない、ただ鑑賞するためだけのものだった。その最も早い例の一つは十五世紀の初め、時のフランス国王シャルル五世の実弟ベリー公ジャン一世のコレクションに認められる。彼は美術の愛好家で、イタリアに使者を派遣して作品の収集にあたらせたほか、自然史についても収集していた。いずれも、また彼は、同様に大きなコレクションを形成していた実兄のフランス王シャルル五世ともども膨大な所蔵品の詳細な記録を残していた。彼らにとってコレクションは、領土的な野心と時間的な歴史の支配という二つの欲望の象徴であり、また教会に従属していた中世の封建的な領主から絶対主義の君主への変貌の象徴でもあった。

以後、各国で多くの王侯貴族が競うように珍品を収集するが、その結果、集めた品々を収蔵する専用の空間が必要になった。この空間こそがキャビネットである。貝殻や貴金属、動物の剝製や骨格、コインやメダル、武具、神像や仏像、各種工芸品などそのコレクションは多種多様な自然物と人工物の総体で、収集者の趣味に応じて様々な違いがあった。そうした雑多な収集を展示する部屋――Cabinét de curiosité（珍奇陳列室）とはよくぞいったものである。これらのコレクションはコレクターの個性や価値観によってそれぞれ異なる特徴を有していたが、エイドリアン・ジョージが指摘するように、やがて所有者とは別にコレクションを保守・管理する専門家が要請されるようになり、それが現在のキュレーターの前身になる。(4)

5　ルネサンスとバロック――キャビネットの展開

キャビネットの形成をルネサンス期（十四世紀末から十六世紀）とバロック期（十六世紀末から十七世紀半ば）に分けて考えてみよう。王侯貴族によって形成されたキャビネットの収蔵物は自然物（naturalia）と人為物（artifact）に大別される。自然物は神の世界である大宇宙（macrocosmos）、人為物は人間の世界である小宇宙（microcosmos）を表象するものとされ、キャビネットにはその両方が収蔵されたのである。前者の代表は動植物や鉱物の標本、後者の代表は美術品や機械類などであり、めったに入手できない自然物の希覯品は、大宇宙の特徴を表すものとして大いに珍重されることになった。

キャビネットとは本来は部屋や建物を指す言葉だったが、部屋のなかに設置された収納棚やケースを指す場合もあり、これをドイツ語で kunstschrank という。イタリア語の Studiolo は一人か少人数でコレクションを楽しむ場所を指し、対して theatrum は多くの人が楽しむ場だが、当然ながら、のちにミュージアムへと発展していくのは theatrum のほうである。

このように書くと、キャビネットとは王侯貴族の宝物庫を言い換えただけではないかと思われるかもしれない。実際、コレクションに注目するかぎりその指摘は間違いではない。キャビネットと宝物庫の差異はそれ以外の点、すなわちコレクションの目録にある。宝物庫の目録は財産価値を記した台帳にすぎなかったのに対し、キャビネットの目録は何らかの基準によってコレクションが分類されていた。分類の基準はどうやって定めていたのだろうか。それは、人文科学や自然科学など、ルネサンス期に確立された諸学問の成果に依拠するものが多かった。この基準の確立が、後世のミュージアムに大きな影響を与えることになる。

6　イタリアのキャビネット

まずルネサンスの中心地だったイタリア・フィレンツェのメディチ宮殿をみてみよう。コジモ・デ・メディチが十五世紀半ばに建てたこの宮殿は当時圧倒的な存在感を放っていたが、コジモ、ピエロ、ロレンツォと代々受け継がれたコレクションはメディチ家の威信を誇示する役割を負っていた。王侯ではなく商人出身の僭主だったメディチにとって、コレクションは自らの権威の正統性を示すための装置でもあった。代々の当主のなかでもコジモは鑑定家としての顔があり、またピエロはコレクションにことさら熱心だったという。古典・古代のコレクションを多くそろえたことが、古典回帰を志向するルネサンスの土壌になる。メディチ家は一時フィレンツェを追われるが、のちに君主として復帰してトスカーナ大公になった。コジモ一世は自然史の大きなコレクションを作り上げ、一五七〇年代に大きなキャビネットを形成した一方で、ジョルジョ・ヴァザーリらを宮廷画家として迎え、ミケランジェロの葬儀をおこなうなどの開明君主ぶりを発揮した。ヴァザーリはレオナルド・ダ・ヴィンチが描いた女性の肖像を『モナ・リザ』と命名したことで知られる。彼は『画人列伝』（一五五〇年）を著した美術史・美術評論の始祖であった。メディチ家が一七五五年に開館した物理・自然史のキャビネットのコレクションは現在のフィレンツェ科学史博物館へと継承されるなど、ここに「美術館」と「博物館」の枝分かれを認めることができる。

十六世紀後半のイタリアで形成されたほかの著名なキャビネットとしてはウリッセ・アルドロヴァンディ、フランチェスコ・カルチェオラリ、ミケーレ・メルカティ、フェッランテ・インペラートなどが挙げられる。これらのコレクションはいずれも自然史への強い関心と古典古代への強い憧憬を特徴にしていたが、なかでもアルドロヴァンディはボローニャ大学の教授であり自然史を教えて同大学に植物園を作っただけあって、大がかりなコレクションと充実した目録に特徴があった。一方、カルチェオラリとインペラートはナポリの著名な薬種商で、メルカティはローマ教皇庁の侍医であってまたバチカン植物園の責任者でもあった。またこのころには中世にはタブー視されていた解剖もおこなわれるようになり、『動物誌』にその所見が記載されるようになった。

この時代は大航海時代の黎明期でもあり、異世界の様々な自然物や人為物がもたらされた結果、長らく絶対視されてきたアリストテレスやプリニウスの説の誤りも徐々に認識されるようになった。蓄積されたその成果が下地になって、のちの帰納法によって自然を認識することで自然の支配を可能にするというベーコン主義や自然史趣味へと連なっていく。

キャビネットの主立った学者は、教育の一環として、自らのコレクションを徒弟や学生に見せることが多かった。特に熱心だったのがアルドロヴァンディで、当時の来訪記録によると、彼のコレクションを見に訪れた過半数が学者だったという。またそれと連動するようにして、ピサ大学に薬草園と薬学の講座が設けられ、パドバ、ボローニャ、メッシーナ、フィレンツェ、ローマの各大学の動物園が作られた。私的なコレクションが、自然誌研究の発展を促したのである。

ほかの都市にも目を向けてみよう。十六世紀から十七世紀にかけて構築されたキャビネットの代表格としては、ミラノのセッタラ父子、ボローニャのコスピ、ベローナのモスカルドなどが挙げられる。これらのキャビネットは、アルドロヴァンディのコレクションよりも人為物の比重が高かった。セッタラ父子の場合、父のロドヴィコは医師、息子のマンフレードは科学者だったから、そのキャビネットには時計や天文器具などを集めたほか、カタログの制作にも力を入れていた。コスピのコレクションには美術品が少なく、自然物と器具類が多かった。彼らのコレクションの名声はイタリア国外にまで及んでいて、多くの学者が訪れた。ジュゼッペ・オルミは「彼がキャビネットを作った理由の一つとして、キャビネットの権威によって社会の階層を上昇することが挙げられる[5]」という。

7　アルプス以北のキャビネット

前述のとおり、アルプス以北でドイツ圏の皇帝や領主によって構築されたキャビネットは「驚異の部屋」と呼ばれることが多かった。いくつか取り上げてみよう。

ドイツ・ドレスデンには、ザクセン公アウグスト一世のキャビネットが形成された。銀の産地だったザクセンは経済的に豊かな地域であり、アウグスト一世は鉱物学者ゲオルク・アグリコラの本を読んだことがきっかけで貴金属、宝物、数学機械、鏡、自然物標本、石細工、金銀細工などからなるコレクションを形成した。彼のキャビネットには解剖室、薬局、書庫なども整備されていて、天体観測で有名なヨハネス・ケプラーがここを訪れた記録が残っている。現在ドレスデンの国立古文書館に残されている文書「いかにしてクンストカンマーを設立するかについての考察[6]」によると、当時のコレクションは「後世における記憶」を重視していたという。一方、ドイツ・ミュンヘンのバイエルン公アルブレヒト五世のキャビネットは、自然物・人為物を手広く集めていることから「百科全書的」コレクションとして知られていた。アフリカ、中南米、スリランカ、ペルシャ、日本などヨーロッパ以外の地域からもたらされたコレクションが多いのが特徴でもあった。コレクションは三十年戦争などが原因で散逸したが、その一部は現在でもまだミュンヘンに残されている。カッセルのヴィルヘルム四世のキャビネットには、数学器具、測量器具、鉱物標本、彫刻、絵画、メダル、骨格標本、動物の剝製などが収められていた。ヴィルヘルム四世は天文学者でもあったため関連のコレクションが多く、ティコ・ブラーエもここを訪問した記録がある。ヴィルヘルム四世の工房で作られた器具の多くはドレスデンのアウグスト二世のキャビネットに収められるなど、キャビネット間でも交流があったことを確かめることができる。

アルプス以北といえば、名門ハプスブルク家のキャビネットも忘れるわけにはいかない。チロル大公フェルディナンド二世は人文主義に傾倒し、オーストリア・インスブルック近くのアンブラス城にキャビネットを設け、金銀細工、絵画、工芸品、鉱物標本、数学・天文器具、楽器、錠前、拷問具などをそろえた。十九世紀に一般公開が始まったオーストリア・ウィーンの自然史博物館と美術史美術館のコレクションには、フェルディナンド二世のキャビネットに由来するものが少なくない。

神聖ローマ皇帝ルドルフ二世のキャビネットも名高い。一五七六年にチェコ・プラハに設けられたキャビネットには美術品、時計、自然機械、数学機械などがあり、天文器具はブラーエやケプラーゆかりの品も含まれていた。三十年戦争で失われてしまったが、ウィーンの自然史博物館と美術史美術館にはこのキャビネットゆかりの品が含まれている。これらのキャビネットは王侯の威信を高め、外交のツールとして用いられる一方、華やかな宮廷文化の一部もなしていたのである。

現在の視点からは、これらのキャビネットには特に体系性がないようにみえる。もちろん、「驚異の部屋」というだけあって、奇想天外な品々が多数収集されていたことは確かだが、その収集がまったくの無秩序のもとに展開されていたわけではない。当時のキャビネットは、神秘思想や錬金術などとも深く結び付きながら、生物やモノの見本によって世界の縮図を提示しようとする一種の「小宇宙」を演出するものだった。近代以降の博物学的な体系性とはまったく異質なそのコレクションは、半面、その百科全書的な目的によって近代の合理主義へと道を開くものでもあった。

8　バロック期のキャビネット

ルネサンス期よりも少しあとのバロック期（十六世紀末から十七世紀半ば）のキャビネットもみておこう。この時代の代表的なキャビネットが、イエズス会のローマ学院にあったアタナシウス・キルヒャーのキャビネットである。ここでは実験と研究が結び付いていて、バロック期のキャビネットの特徴がよく表れている。キルヒャーはドイツ・マインツ出身のイエズス会会士であり、イタリアで数学や言語学を学び、エジプトのヒエログリフの読解にも挑んだ。その縁でエジプト関係のコレクションが彼のキャビネットの中心になった。彼のコレクションはイエズス会の活動を通じて拡大したが、研究熱心な彼は東洋言語学、天文学、磁気、自動オルガンなど様々なテーマについて研究した。その意味では前出のアルドロヴァンディのキャビネットに似ていたが、イエズス会士のキルヒャーには、自然界を神の栄光に満ちた神聖譜とみなす傾向があった。キルヒャーのキャビネットをはじめ、ルネサンス期以後にヨーロッパ各地で多くのキャビネットができたのは、古典古代の再発見や大航海時代の幕開けという時代状況に対応した動きでもあった。彼らは自らのコレクションを通じて、アリストテレスやプリニウスの説を書き換えようとしたのである。

十六世紀から十七世紀のイタリアのキャビネットには、収集・保存・研究のほかに展示の機能があったが、バロック期になると訪問者を対象にコレクションのデモンストレーションをおこなうようになった。デモンストレーションや絵入りのカタログの制作を通じて、彼らはキャビネットの支援者を募ろうとしたのである。

9　キャビネットの終焉

ルネサンス期からキャビネットはすでに宮廷文化の一翼を担っていて、コレクションは富や権力を誇示する手段だった。著名なキャビネットを保護することは、支援者にとっても自らの威信と権力の増大につながることだったのである。ルネサンスからバロックへの移行期にあたる十六世紀末から十七世紀半ばにはイエズス会が勢力を増大させつつあったので、ローマ教皇と神聖ローマ帝国（ハプルブルク家）という二つのカトリック勢力の文化圏で、イエズス会士だったキルヒャーのキャビネットは重要な意味をもっていた。ローマ教皇がキルヒャーのキャビネットを庇護したのは、自らの権威を補うためでもあった。バロック期のキャビネットはそのような役割を果たしたのである。

十七世紀は啓蒙思想と近代科学の時代だった。キャビネットはすでに自然史中心の傾向があったが、この時代に産声を上げた博物館の多くも自然史コレクションが中心だった。またアルコールによる標本の保存が始まったのもこのころだった（現在の主流であるホルマリンを用いた保存が確立されたのは十九世紀末である）。望遠鏡や顕微鏡による自然や天体の観察が盛んになる半面、キャビネットが形成する宇宙への関心は薄れていった。それに並行して、新たにキャビネットを設ける者も現れなくなっていった。

10　ミュージアムの成立

こうして古代から近代に至るまでの長い時間のなかで様々なコレクションが形成され、その内容や性格が変化していくプロセスをみていると、ミュージアムが成立するいくつかの条件がみえてくる。以下、それらについて手短に述べておこう。

近代以前の私的なコレクションと近代以降のミュージアムの最大の違いは、公開を前提にしているか否かということである。この点に関しては、すでに述べたとおり、教会や一部の王侯貴族が自らのコレクションを信者や領民に対して公開したことが大きな機縁になった。こうした行為によって与えられたコレクションの公的な性格は、国民の財産たるコレクションは国民に対して広く公開すべきというミュージアムの思想の出発点になる。

対照的に、キャビネットのコレクションは非公開だったために帯びることになった特性も備えていた。クシシトフ・ポミアンは、この特性を「一時的もしくは半永久的に経済活動の流通回路の外に置かれ、その目的のためだけに整備された閉鎖された場所で特別に保護され、自然物もしくは人工物の集合体」[7]と指摘している。これは、例えば教会が所蔵するキリスト像や聖遺物、儀式用の用具や食器、衣類などのコレクションが、すべて信仰とつながる意味を有していたのとは対照的で、どちらかといえば古書や古文書の収集と保存に近い。社会的な実利とは無縁に、ただ美だけを追求する芸術至上主義的な価値観を「芸術のための芸術 art for art's sake」というが、それはこのように鑑賞だけを目的にしたコレクションのあり方によって形成された側面があった。美術作品を対象にするミュージアム、すなわち美術館は、教会のコレクションの公共性と密室コレクションの art for art's sake とが結び付いて成立したといえるだろう。

またキャビネットの黎明期の特徴として挙げられるのが、長らく中世を支配していた教会に代わって、芸術家、学者、医者といった知的生産活動を担う階級が台頭したことだ。今日なら「知識人」や「文化人」に相当する彼らの庇護者は、コレクションを形成する王侯貴族とほぼ一致していた。また、彼らの多くは長らく中世に封印されていた古典古代への回帰を強く志向していて、そのアドバイスを受けて庇護者である王侯貴族が多くの古代遺物を収集したことが、文字どおりの文芸復興（ルネサンス）へとつながっていく。

もちろん、いくら強大な権勢と財力を誇る王や貴族といえども、ほしいものをすべて入手することなど不可能である。わずかなピースが欠けているために、理想のコレクションを完成させることができずに悔しい思いをしたことも多々あったにちがいない。そうした欠落を補完する役割を果たしたのが挿絵や複製である。そうした視覚表象による代替は、後述する博物学の発展とも軌を一にするものだった。

11　博物学の誕生

キャビネットの成立と発展は様々な学問的成果をもたらしたが、なかでも特筆すべきことは十八世紀以降に確立された博物学の成立だろう。カール・フォン・リンネやジョルジュ゠ルイ・ルクレール・ド・ビュフォン、エティエンヌ・ジョフロワ゠サンティレールらに代表される博物学は、様々な自然物を分類・記述する学問である。動物界・植物界・鉱物界の「三界」を対象にする研究領域は中国や日本の「本草学」とほぼ同一といっていいが、西洋の近代的な合理精神に根差した博物学は、体系化や秩序をより強く志向する性質をもっていた。

博物学の誕生によって、コレクションの記録の内容も劇的に変わることになった。博物学が誕生する前は、収集された植物は収集した者の主観を基準に美的要素や言い伝え、財産価値などが記述されていた。ところが博物学的な視点が導入された結果、生息分布やほかの植物との類縁関係などの科学的な厳密さや分類を伴った体系的な記述へと変わり、説明に添える図解もより精緻なものになっていった。必然的に、個々の趣味に立脚していた従来のコレクションの収集方針も変化せざるをえなくなった。博物学の誕生は、コレクションについての記述の変化を通じて、コレクションの収集方針、あるいは、それまでは所有者自身と彼と何らかの関わりをもつなどの少数の人間が閉鎖された空間でプライベートに鑑賞して楽しむものだったコレクションのあり方を大きく変化させることになったのである。

12　キャビネットとエピステーメー

キャビネットの発達によって人間の認識にどのような変化がもたらされたのかを理解するのに好適なのが、ミシェル・フーコーのエピステーメーという概念である。フーコーによれば、「十六世紀末までの西欧文化においては、類似というものが知を構築する役割を演じてきた」「世界はそれ自身のまわりに巻き付いていた。大地は空を写し、人の顔が星に反映し、草はその茎のなかに人間に役立つ秘密を宿していた。絵画は空間の模倣であった。そして表象は――祝祭であるにせよ知であるにせよ――つねに何ものかの模写に他ならなかった[8]」という。当時の知の水準では「自然物を認識することとは、それらを互いに接近させ連帯させている類似関係の体系を発見することであった[9]」ため、キャビネットは宇宙の縮図として隠された物相互の関係を読み取るために形成されたものと考えることができる。その意味では、「驚異の部屋」という呼称そのものが当時の知のあり方に対応したものといえる。

フーコーによれば、観察されるものと読まれるものを区別しない認識は十七世紀初頭に終わりを迎えたという。[10]フーコーは、例として両者を区分しない認識の産物であるだまし絵が、ちょうどその時期を境に廃れていったことを挙げる。キャビネットもそうした認識の産物とみなされ、近代的合理主義の確立後は、錬金術や神秘主義に依拠したキャビネットの知性は旧時代の遺物とみなされるようになった。もちろん、キャビネットに依拠した知性が時代遅れになったにしろ、そこに収蔵されたモノを見たいという人々の好奇心が退行したわけではなく、産業社会の到来による大都市の発達と都市に住む人々による市民社会の形成によって、キャビネットの品々を見たがる人々の数は激増していった。自由な出入りを求める者が増大した結果、一部の王侯貴族が独占していたキャビネットを開放しようという発想が生まれ、ミュージアムの形成へとつながっていくのである。

ところで、キャビネットの開放によって生まれたミュージアムという空間は、その後いくつかのタイプへと分化していくことになるが、そうした分化の可能性をいちはやく看取したのがフランシス・ベーコンだった。一五九六年、ベーコンは女王エリザベス一世に宛てて四つの施設の設立を提言している[11]。四つの施設とは、①あらゆる時代と民族の写本と印刷本を集めた施設、②世界中の植物を集め、繁茂させた大庭園と空中、地上、水中に棲む動物を集めた施設、③人間の手で卓越した技術や機械を使って作り上げた物質、形式、運動などの点からみても珍しいもの、また珍事、偶然、事物の混合が引き起こすもの、または声明を欲し、維持されようと願う事物の性質から生まれたもの、それら一切合切が集められ分類された施設、④賢者の石も作れる宮殿のように、水車、実験器具、オーブンや釜を十分に備えた化学実験室のような施設、である。現在でいえば①が図書館、②が植物園・動物園・水族館に相当することは自明だろう。③と④はややわかりにくいが、③が自然史博物館、④は科学博物館や産業博物館ということになるだろうか。

このうち③と④が自然物と人為物を博物学の手法で分類するタイプのミュージアム、日本では「博物館」のマトリックスになるのだが、それと並行して、博物学の分類には含まれていないが、人為物としての美術作品を美術史や美術評論の知見に基づいて収集・分類するタイプのミュージアム、日本語では「美術館」のマトリックスも形成されていくことになる。イギリス・大英博物館に代表される博物館型博物館とルーヴル美術館に代表される美術館型博物館は、十八世紀後半の登場時には混然一体になっていたものの、十九世紀以降に分化が進行していくことになる。その再編はやがて規模を拡大し、非西洋のコレクションを巻き込みながら展開されていった。そのなかにはトルコのトプカプ・サライ、中国の故宮博物院、日本の正倉院御物なども含まれるほか、また近年では「エルギン・マーブル」に代表されるコレクションの帰属問題も取り沙汰されるようになった。本書では、次章以降でおもに美術館型博物館へと注目していく。

13 ミュージアムの形成

こうして古今東西のミュージアムの前史をたどっていくと、その語源がムセイオンにあることは確かだが、それは必ずしも現在のミュージアムの直接の祖先というわけではないことがわかる。前節でふれた美術館型博物館に関していえば、例えばヨーロッパには、絵画館（pinacothek）や彫刻館（glyptotek）と呼ばれる施設がある。前者はミュンヘンに存在する三つの時代別の絵画館やミラノのブレラ絵画館やボローニャ絵画館、後者はミュンヘンの彫刻館やデンマーク・コペンハーゲンのニイ・カールスベルグ彫刻館などが代表格だ。また、フィレンツェのウフィツィ美術館やロシア・モスクワのトレチャコフ美術館のように「ギャラリー」と呼ばれる施設もある。これらの施設は総じて大規模で、また現代美術を対象にするミュンヘンのピナコテーク・デア・モデルネを除いてはいずれも長い歴史があり、美術作品を収集・展示する施設の呼称が必ずしも「ミュージアム」には限定されないことを示している。それにもかかわらず、博物資料や美術作品を収集・展示する施設について大半の人がミュージアムを真っ先に連想するのは、やはり十八世紀後半に博物館型博物館と美術館型博物館として最初に成立した大英博物館とルーヴル美術館の影響力が絶大だったことが挙げられるだろう。この二つの巨大ミュージアムはいずれも図書館の機能を有していたことに加え（世界初の

写真1-1　ニイ・カールスベルグ・グリプトテク美術館

大規模な公共図書館であるボドリアン図書館がオックスフォードに開館したのは、ベーコンの提言から間もない一六〇二年のことだった)、議会の議決を経た「コレクション公開の原則」を開館当初から打ち出してきた。ミュージアムはやはり記憶の問題と公開の原則を抜きには考えられないのである。

最後に、ミュージアムの語源であるムセイオンが本来は九人の女神ミューズを祀る神殿であり、そこではあらゆる芸術に関わる記憶が何よりも重視されていたことをあらためて思い起こしておきたい。イタリアの哲学者アントニオ・ルッシは、「普通の記憶の場合は、想像される感覚はそれに対応する現実の感覚で代替されるが、美的記憶はどこまでも記憶であった、それが意識に差し出す感覚は現実の感覚をどれだけ糾合してみたところで、これに代わることはできないのである」[12]と、諸感覚の統合によって成立する普通の記憶と、美術や音楽などの芸術が固有の場で機能することによって成立する美的記憶を区別している。もちろん、日常生活のほとんどの局面がわれわれに要請するのは普通の記憶であり、美的記憶が作用するのは周囲から隔絶され、一つの作品や資料に没入できる空間に限られる。ミュージアムがそうした空間であることに、もはや異論はないだろう。作品のなかに込められた過去の記憶を呼び覚まし、それを現在に再構成して未来へと投影すること……三つの異なる時間を往還できる文化施設の呼び名として最もふさわしいのは、やはり「ミュージアム」をおいてほかにありえない。

写真1-2　ウフィツィ美術館

注

（1）根本彰『アーカイブの思想――言葉を知に変える仕組み』みすず書房、二〇二一年、九九―一〇〇ページ

（2）「多様化する世界を読み解く――「多元主義」を理解するための諸書」（http://www.bibalex.jp/Site/build/index.html）［二〇一八年四月一日アクセス］（現在はリンク切れ）。なお、現在その内容は「ビブリオテカ・アレクサンドリア（BA）」プロジェクト、暮沢剛巳／清水知子監修『「多元主義」を理解するための30冊――多様化する世界を読み解き、生き抜くために 新版』（エコシスラボ、二〇二一年）にまとめられている。同書にはKindle版とオンデマンド版がある。

（3）本書で取り上げるキャビネットの事例は、おもに高橋雄造『博物館の歴史』（法政大学出版局、二〇〇八年）に依拠する。

（4）エイドリアン・ジョージ『THE CURATOR'S HANDBOOK――美術館、ギャラリー、インディペンデント・スペースでの展覧会のつくり方』河野晴子訳、フィルムアート社、二〇一五年、一一ページ

（5）前掲『博物館の歴史』六六ページを参照。

（6）同書六八ページを参照。

（7）クシシトフ・ポミアン『コレクション――趣味と好奇心の歴史人類学』吉田城／吉田典子訳、平凡社、一九九二年、二二ページ

（8）Michel Foucault, *Les Mots et les choses: Une archéologie des sciences humaines*, Gallimard, 1966, p. 33.（ミシェル・フーコー『言葉と物――人文科学の考古学』渡辺一民／佐々木明訳、新潮社、一九七四年、四二ページ）

（9）*Ibid*, p. 33.（同書四二ページ）

（10）*Ibid.*, p. 65.（同書七六ページ）

（11）前掲『ミュージアムの思想 新装版』一四六―一五九ページを参照。

（12）マリオ・プラーツ『ムネモシュネ――文学と視覚芸術との間の平行現象』高山宏訳、ありな書房、一九九九年、七一―七二ページ

第２章　ルーヴル美術館の歴史と特徴

１　世界三大美術館

　市販の美術館ガイドでは、世界三大美術館という常套句を目にすることが多い。ざっと見たかぎりでは、ルーヴル美術館、アメリカ・メトロポリタン美術館、ボストン美術館、ロシア・エルミタージュ美術館、スペイン・プラド美術館、イギリスのロンドン・ナショナル・ギャラリーなどを挙げてあることが多い。他方、似たような言葉で世界三大博物館も用いられることがあり、こちらは大英博物館、アメリカ・スミソニアン博物館、故宮博物院などが挙げられることが多い（故宮は、北京と台北のどちらを挙げるべきかが悩ましいのだが）。

　もちろん、この種の常套句に正解があるわけではない。どのような基準を設定するか、誰が選出するかによってその回答は様々に変動するだろうが、ほぼ確実に選出されるのがルーヴル美術館だろう。年間来場者数約八百万人、展示作品数約三万五千点、総床面積六万平方メートルといずれも世界最大級の規模を誇るこのミュージアムの画期的な意義に迫ることが本章の目的である。

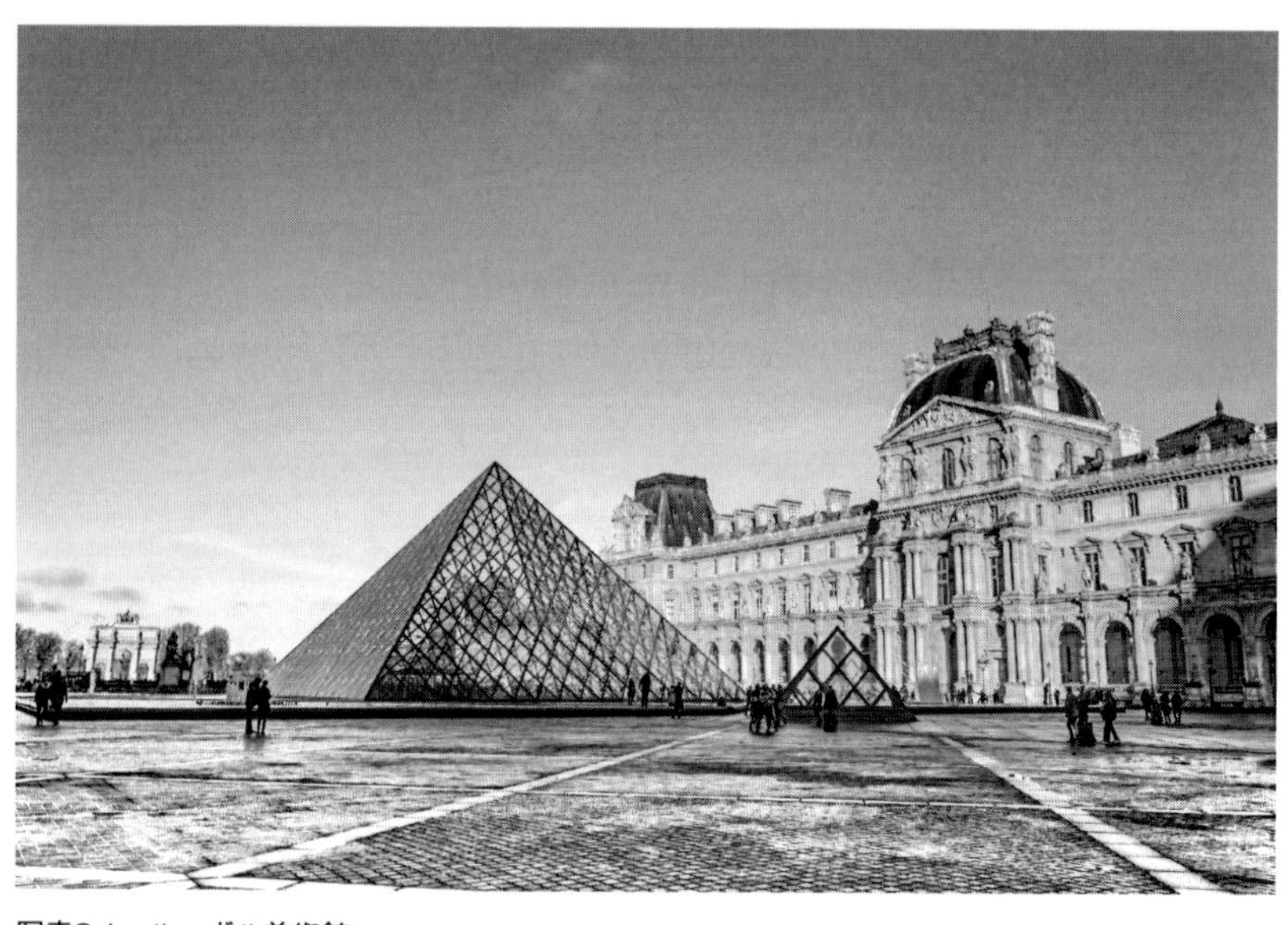

写真2-1　ルーヴル美術館

フランス革命直後の一七九三年、パリ市内に共和国美術館（ミュゼ・ドゥ・ラ・ルピュブリック）（正式にはフランス共和国中央芸術博物館）という名の美術館が開館した。時期といい名称といい、あたかも革命の勝利を寿ぐかのように誕生したこの美術館こそ、現在のルーヴル美術館の前身である。

開館して二百年強というその歴史は、ヨーロッパの文化的伝統を思えばそれほど長いものではないし、また事実、ヨーロッパ各国には王侯貴族のコレクションを継承したルーヴル以上に長い歴史を有する美術館も点在している。そのなかには、ドレスデンのアルテ・マイスター絵画館やロシア・サンクトペテルブルクのエルミタージュ美術館のような重要なものも含まれる。だがなぜか、美術館史のなかでもルーヴルの存在は別格視され、ルーヴルの存在を無視した美術館の通史など想像することさえできない。もちろん、フランス革命の成功によって出現した市民社会が要請した、文化遺産の公共化を実現した初めての施設だったという史実は疑いがない。だが、それだけですべてが説明できるものでもないだろう。なぜルーヴルは、美術館の歴史で特権的な地位を占めているのか――以下、本章の議論はこの疑問に対する自分なりのささやかな回答である。

2　複雑な歴史的経緯

議論の端緒として、まずルーヴルの重要な側面を二点ほど挙げておくことにしよう。
その一方は、この共和国美術館がある日突然市内の更地に出現した建物ではなく、めまぐるしい変遷の末にようやく美術館として使うことに落ち着いたという複雑な歴史的経緯である。ルーヴルの起源は、古くは約八百年前にまでさかのぼり、以後、現在に至るまでルネサンス期、王政期、そして共和政期と、政体に即応するかのように王宮、人民救済委員会本部、監獄とその様相を様々に変化させてきた。その意味では、あたかもアーカイブのように、様々な時代の記憶が蓄積されたこのルーヴルは、それ自体いかにもムセイオンの後裔と呼ぶにふさわしい性質を備えている。これがまず一つ目の側面である。[1]

現在のルーヴルの礎は、一一八〇年から一二二〇年ごろにかけてフィリップ・オーギュストによって、パリを防衛するための要塞として建てられたという。ルーヴル（Louvre）という言葉は、要塞や監視塔を意味するlowerというサクソン語か、オオカミを意味するラテン語luparaやluperia（当時この一帯にはオオカミが住んでいたことからそれがそのまま地名になったという）が語源といわれているが、いまとなっては定かではない。要塞の遺跡は現在も方形の広場の底にあり、一九八四・八五年の調査では宝物や古文書などを収容していた主塔の痕跡も発掘された。だが王国の基盤は不安定で、百年戦争の末に、イギリス王ヘンリー五世によって占拠されてしまう。イギリス人である彼がフランス王をも名乗ったのは十五世紀のことだった。

十六世紀、ルーヴルをフランス人の王の下に取り戻したフランソワ一世の手で役割を終えた主塔が取り壊されるなどして、要塞は華麗な王宮へと生まれ変わる。芸術の庇護者でもあったフランソワ一世は、王宮の改築をピエール・レスコに、内部装飾をジャン・グジョンに命じた（その改築は、彼一代では終わらない大事業であり、ヴァロワ朝から十八世紀のブルボン朝の諸王へと継承されていく。結局、完成したのは美術館開館から半世紀後、十九世紀半ばの第二共和政時代だった)。ブルボン朝最初の王アンリ四世は、四十年近くにわたったユグノー戦争からの復興に尽力し、ルーヴルに画家や彫刻家を住まわせた。その間には古典主義的なファサードや回廊が増築され、パレ・ロワイヤルと呼ばれていた時期もあった。西隣にチュイルリー宮殿が増設されたのもこのころのことである。

ルイ十三世や十四世の時代には、王だけでなく枢機卿でありルイ十三世の宰相になったリシュリューと、彼に才能を買われて枢機卿になった優れた政治家のマザランや財務総監コルベールなどの廷臣も美術品の収集に努めた。現在ルーヴルにリシュリュー翼と呼ばれるスペースが設けられているのは、彼がルーヴルに美術品を寄贈したからである。またマザランも「フランスへ美術収集のウイルスを持ち込んだ」と称されるほどコレクションには熱心だった。重商主義経済の推進者だったコルベールは自国の美術の振興にも熱心で、一六四八年に王立美術アカデミーを設立した。ローマにある優れた美術品の複製を命じ、また六六年にはローマ分校を設立するなど、フランス美術をイタリア美術と同等の水準まで引き上げることに尽力した。

一六七八年、ルイ十四世はルーヴルとチュイルリーを離れ、新たに建設されたヴェルサイユ宮に移り住む。当時ルーヴルはアンリ四世が構想した「グラン・デッサン(大計画)」の真っ最中だった。王の廷臣の多くはルーヴルに別宅を構え、またアカデミー・フランセーズをはじめとする学術団体の多くがルーヴル宮に拠点を置いていた。九九年には科学アカデミーがルーヴルに本部を置き、多くの芸術家たちがアトリエを設けるようになった。そのなかにはニコラ・プッサン、ジョルジュ・ド・ラトゥール、フランソワ・ジラルドン、ジャン・シメオン・シャルダン、ジャン゠バティスト・グルーズ、ジャン・オノレ・フラゴナール、ユベール・ロベール、アンヌ゠ルイ・ジロデ゠トリオソンなどの著名な作家が含まれていた。

当時のルーヴル宮には多くの露店やアトリエ、美術学校が軒を連ね、そこに住んでいた貴族たちが自らのコレクションを展示した。アカデミーの会員など、ごく一部の特権階級は王のコレクションを詳細に見学することができた。ルイ十四世の在位は七十年以上に及んだため、その間にコレクションは増殖していった。一七一〇年の財産目録によると、絵画とデッサンだけで二千三百七十六点に達したという。

ルイ十四世在位中の一六九九年、絵画アカデミーグランド・ギャラリーの一部を使ってはルーヴル宮で初の展覧会を開催する。以後は展覧会が不定期に開催されるようになり、一七二五年から宮殿のサロン・カレで開催されるようになった展覧会は「ル・サロン」（院展）と呼ばれるようになった。「ル・サロン」は王も視察する大規模な展覧会であり、同展に出品を果たすことは多くの作家の目標だった。その会場は画商たちのマーケットであり、また評論家によって多くの展覧会評が書かれた。なかでも、ドニ・ディドロが五〇年から八一年まで定期的に寄稿していた「ル・サロン」の展覧会評は現在でも読まれる機会が多く、美術評論の先駆として位置付けられる。

無計画なまま巨大化したルーヴル宮は適切に管理されているとはいいがたい荒れ果てた状態であり、しばしば火災が発生して、一部のコレクションや施設が失われた。こうして、長らく中断されていたアンリ四世の「大計画」が再考されるようになり、ルーヴルに多くの美術品を集中させようという構想が動きだす。これは、ルーヴルに集めた美術品をアカデミーの会員や若い芸術家が見られるようにしようというリシュリューやコルベールの意向を反映したもので、一六八一年にルイ十四世が宮殿内にグラン・ギャラリーを設立したことがスタートだった。ただこの時点では、作品の公開はあくまでも限られた者に対して王が与える「恩恵」であって、のちの一般公開とは明らかに違う発想に基づいていた。その後、一七三四年にローマにカピトリーノ美術館が開館するなど状況が変化し、また王のコレクションの一般公開を待望する怪文書が飛び交うようになった。五〇年には週二回のペースでルイ十五世のコレクションが公開されるようになったが（ただしその会場はリュクサンブール宮だった）、七七年にはルイ十六世の一存で中止された。

十八世紀の後半には、美術品を一般に広く公開せよという主張が、一部の芸術家や芸術愛好家ばかりでなく学者たちからも発せられるようになった。一七六五年、ディドロらは『百科全書』第九巻に「ルーヴル宮の名誉回復」という項目を設け、そのなかで以下のように述べている。

かくも華々しく豪華な、この威厳ある大建造物の落成がずっと待ち望まれている。私たちが願っているのは、たとえばこの建物の一階部分を掃除して、本来の柱廊に戻すことである。そしてこれらの柱廊に王国所有のなかでも最も見事な彫刻を並べたり、あるいはもう誰も散策しなくなった種々の庭に散在し、風雨にさらされたり、季節の移り変わりに消失したり、ひどい損傷を受けてしまったこれらの貴重な作品を取りまとめることができる。南側に位置する部分には、いまは誰も見ることのできない大戸棚にすべてがまじりあって詰め込まれている国王所有の絵画をそっくり置けるのである。北側は、障害物が何もなければ、地図の陳列室に充てられる。同様に自然博物学展示室とメダル展示室をこの宮殿のどこか別のところに移せるであろう。建築物のないサン・ジェルマン・ロクセルワ教会側ではこの比類なき美しい作品である柱廊が見られるため、市民は感嘆し外国人も見物に来るにちがいない。別のアカデミーはここにある部屋に集められ、その部屋は現在アカデミーが使用しているものよりずっと相応しいものになる。最後に、アカデミー会員や芸術家たちの住居として多数の続き部屋を作ることができるだろう。この広大な建造物を以上のようにすれば素晴らしいものになるはずである。そうでなければ二世紀後にはもはや残骸でしかなくなるであろう。(2)

この意見に呼応するかのように、一七七六年にはアンジュビエール伯爵が王族のコレクションを一般公開することを提言し、八〇年には画家ユベール・ロベールと彫刻家オーギュスタン・パジューに主導された委員会がグラン・ギャラリーを美術館に改称することを再度提唱、それに先駆けて六一年からは絵画・彫刻アカデミーがアポロン・ギャラリーの修復に着手したが、八九年に革命が勃発して作業は中断された。

革命の結果、実権を失った国王ルイ十六世をはじめ教会や海外に逃亡した貴族の財産が続々と接収され、それらの財産のなかから美術品を集めて展示する計画が立てられた。一七九一年五月二十六日、「統合されたルーヴルとチュイルリーは国王の住居並びに科学と芸術分野のあらゆる記念碑的作品の収集、そして国民教育の基本的施設を目的にした公的記念建造物である」という政令が採択された。

翌一七九二年に成立した国民公会は、これらのコレクションをルーヴル美術館、国立自然史博物館、パリ工芸院に設置することを決定し、九三年八月十日の布告によって、ルーヴル美術館（正式名称はフランス共和国中央芸術博物館）が正式に開館した。くしくも、ルイ十六世の廃位一周年の日だった。このとき展示されたのは絵画五百三十七点、造形品百四点だった。死刑判決を受けていたルイ十六世は一月二十一日に処刑されていた。王の処刑後に王政の象徴だったルーヴルが人民に開かれた施設になったという史実を踏まえてか、作家のジョルジュ・バタイユは「近代的博物館の起源はギロチンと関係している」と述べている。

開館当時のルーヴルは、フランソワ一世によって開始され、ルイ十四世によって大幅に増やされたコレクションを主体としていた。フランソワ一世はイタリア美術の愛好者だった。ラファエロ・サンティ『聖家族』はその当時からのコレクションであり、またダ・ヴィンチの『モナ・リザ』はフランソワ一世がダ・ヴィンチの庇護者だった縁でルーヴルに収まることになった。革命軍の度重なる勝利は、そのコレクションをさらに豊かにすることに貢献した。のちにその意向はナポレオンへと継承されていく。

やがて革命軍が国境を越えて遠征するようになると、他国の美術品がフランスに流入した。革命政府は世界を圧制と絶対主義から解放することを使命とし、フランスに美術品などの財産を集中させることをその一環とみなした。なかでも熱心だったのがイタリア美術の接収で、『ベルヴェデーレのアポロン』『ラオコーン』『瀕死のガリア人』、ラファエロ・サンティ「キリストの変容」などがコレクションに加えられた。この接収の陣頭指揮を取ったのが、将軍ナポレオン・ボナパルトであり、一七九八年にナポレオンが多くの美術品を伴って凱旋したときには国民は歓喜してこれを迎えた。

十九世紀初頭にナポレオンは帝政を敷き、皇帝になった。皇帝ナポレオン一世はルーヴルをナポレオン美術館（館の名称はその後王立美術館、国立ルーヴル美術館と変遷する）に改称し、エジプト遠征によって獲得した多くの「戦利品」（そのなかには、のちに大英博物館へと持ち去られるロゼッタストーンが含まれていた）を持ち帰って展示した。この遠征は軍事的には失敗だったが、多くの展示品がエジプト学やアッシリア学の礎になる。その中心になったのがナポレオンによって館長に任命されたヴィヴァン＝ドゥノンであり、彼はまたルネサンス以前のイタリア美術の収集にも尽力した。美術品を流派別や作家別に並べる展示法もドゥノンの考案だった。それまでは、色や画面の大きさに従って並べていたのである。

他方、ナポレオンは、ルーヴルに滞在していた芸術家や寄宿舎を追い出し、ルーヴルとチュイルリーを一体化する構想を打ち出した。この構想は、アンリ四世の「大計画」の再開といってもいい。工事は途中で中断されたものの、十九世紀半ば、ナポレオン失脚後の王政復古政権も倒されて成立した第二共和政の政権下で再開され、ナポレオン一世の後継者を自任し、人民投票で皇帝になった甥のナポレオン三世の時代に完成された。ルーヴルの工事はオスマンが手掛けていたパリの大改造計画にも入れられていたので、その結果ナポレオン広場が巨大な館前に出現した。

話は前後するが、ナポレオン一世が失脚してブルボン王朝が復興したあとも、ルーヴルは発展しつづけた。ルイ十八世やシャルル十世も、ナポレオンに劣らずルーヴルには熱心だった。一八二一年にはエーゲ海の小島ミロス島近海で出土した『ミロのヴィーナス』が加わり（出土時は六つの石塊だったミロのヴィーナスは、修復の結果女神像としての姿を取り戻した。修復後も欠損したままの左腕は、台座の上のリンゴを握りしめていたのではないかと推測されている）、二六年にはエジプト部門が設けられ、ヒエログリフの解読者として知られるジャン＝フランソワ・シャンポリオンが部長に着任した。四七年にはアッシリアやバビロニアを扱うオリエント古美術部を設置して、九六年には『サモトラケのニケ（勝利の翼像）』が加わった。このように、王政復古後の歴代のフランス王に重視されたルーヴルだが、そのために権威の象徴とみられることもあり、四八年の二月革命で第二共和政が成立したときには、過激な一派がルーヴルに火を放とうとして制止されたことがある。ルーヴルは七一年のパリ・コミューンでも参加者たちの過激な行動によって危機に瀕したが、このときにルーヴルを救ったのが当時は国立美術学校の代表だったギュスタブ・クールベである。五五年には、パリ万博と連動するようにして、それまで日曜日だけに限られていた一般公開が平日にも実施されるようになった。同じキリスト教圏でありながら、安息日である日曜日に博物館の一般公開がなかなか実現しなかった同時代のイギリスとは対照的である。

また、ルーヴルの歴史を考えるうえで欠かせないのがその教育的機能である。多数の名作を所蔵するルーヴルは美術学生にとっては生きた教材の宝庫で、ルーヴルは開館以来美術学生にコレクションの模写を認め、美術教育に大きく貢献した。エドガー・ドガ、ピエール＝オーギュスト・ルノワール、ポール・セザンヌ、エドゥアール・マネ、オーギュスト・ロダンらはみな画学生時代にルーヴルでの模写を経験している。多くの美術品を集めたばかりでなく、多くの美術家を輩出したルーヴルは、フランスの国家的シンボルになった。ドゥノンの「ルーヴルが必要とするものは、国家が必要とするものだ」は実に言いえて妙なのである。

一九一一年八月、『モナ・リザ』が盗難にあう。一時期は詩人のギヨーム・アポリネールが誤認逮捕されるなど捜査は難航、結局二年後に窃盗犯のイタリア人が逮捕され、フィレンツェで発見された『モナ・リザ』は無事ルーヴルに帰還するのだが、盗難の責任によって理事は罷免され、これを機にルーヴルの管理体制はいっそう強化されることになった。二一年からは入場料を徴収するようになり、古代エジプト美術、古代ギリシャ・エトルリア・ローマ美術、東洋古美術、アジア古美術、絵画とデッサン、彫刻、工芸の七部門に分けられ、三六年には『サモトラケのニケ』がドゥノン翼の階段室に備え付けられた。開館時六百五十点だったルーヴルのコレクションは十三万五千点に達していた。ナチスによってパリが占拠されたときには、避難計画に従って多くの作品が地方に移送されて一時的な活動停止状態に陥ったものの、美術館自体は大きな被害を免れた。第二次世界大戦後は、東洋美術や印象派の絵画が他館に移され、またオルセー美術館やポンピドゥー文化センターの開館準備が進められるなど、そのコレクションの対象を十九世紀前半までに限定することによって、ルーヴルは古典美術の殿堂として位置付けられるようになったのである。

3　グラン・ルーヴル・プロジェクト

以上のように、十二世紀末にそのひな型が形成されて以来、ルーヴルのコレクションは増えていき、またその建物は幾度となく増改築が繰り返されてきた。そのため、当然のことながらその内部のサーキュレーションはきわめて複雑だった。クロード・ルドゥー、エティエンヌ・ブーレー、ジャン＝ジャック・ルクーといった開館当時の代表的な建築家がいずれも単純な形態デザインを好んでいたことから考えてもルーヴルの複雑極まりない構造は異例だったし、また実際に、作品の収蔵や展示、あるいは観客の動線などの美術館の機能という観点から、その複雑な構造は大きな障害として立ちはだかるようになってしまった。ニコラ・フィリベール監督の映画『パリ・ルーヴル美術館の秘密』（一九九〇年）を見ると、その複雑な構造の一端がよくわかる。この複雑さに象徴される視線の重層化こそ、本章で考察したい二つ目の側面である。

一九八一年五月十日にフランス大統領に就任したフランソワ・ミッテランはその年の九月二十四日に「グラン・ルーヴル」プロジェクトを発表する。これは、ルーヴルの停滞した状況を一新し、文字どおり世界最大の美術館として再生することを目標にした大規模なプロジェクトであり、最大の目玉は当時北翼に位置していた大蔵省をルーヴルの外部に移転させてルーヴル宮を美術館専用施設にすることと、シュリー館（東翼）・ドゥノン館（南翼）・リシュリュー館（北翼）の三館に囲まれたナポレオン広場の地下に二層、約五万平方メートルのスペースを確保することだった。この空間を起点にして美術館全体のサーキュレーションを構築し、三館・八部門からなるルーヴルのコレクションを秩序立てて配列して、観客がスムーズに館内の隅々にまで到達できる動線を確保しようとしたのである。二代前のポンピドゥーが文化センターの建設を、前任のヴァレリー・ディスカールデスタンがオルセー美術館の建設を提唱したように、第二次世界大戦後のフランス大統領には大規模な文化プロジェクトを手掛ける伝統があるが、ミッテランはオペラ・バスティーユや国立図書館新館を主導するなど、文化事業には熱心であり、なかでもルーヴル再生は彼の代名詞的な大型プロジェクトだった。このプロジェクトの構想は極秘裏に進められ、正式発表以前からその内容を知っている者はルーヴルの関係者にもほとんどいなかったという。プロジェクトの実務を担ったのは、ジャック・ラング文化相とミッテランが直々に指名した三人の補佐の四人だった。

これだけの大型プロジェクトなら、設計を手掛ける建築家は国際的なコンペティションで選出されるのが一般的である。ところがこのプロジェクトではコンペは実施されず、中国系アメリカ人のイオ・ミン・ペイがミッテランから直々に指名を受けた。ペイはアメリカのシラキュース大学エヴァーソン美術館、デ・モイン・アートセンター、ハーバード・F・ジョンソン・アートセンターなど多くの美術館を手掛けた実績がある建築家で、なかでもワシントンのナショナルギャラリーの拡張では小さなガラスのピラミッドによって複数の通路をめぐらせた地下ホールへと採光するルーヴルの改造を先取りするかのような提案をおこなっていた。[3] 大統領就任前からそのことを知っていたミッテランは、ルーヴルにも同様のデザインを期待し、ほぼ独断で彼にグラン・ルーヴルの設計を任せたのである。

ルーヴルの再生にあたって、ペイはナポレオン広場の地下に巨大なホールを造り、そこに底辺三十四メートル、高さ二十一メートルのガラスのピラミッドを配置することを提案した。ちなみに、このピラミッドの五一度という傾斜角はあのクフ王のピラミッドと同じである。ペイによれば、このガラスのピラミッドはエジプトの古代建築からよみがえったもので、幾何学と記憶を結合させ、中心と交差の場を作り出し、特定の様式をもたないことによってその存在をいっそう際立たせるが、その一方でクフ王のピラミッドのような死のモニュメントでは断じてないという。またこのピラミッドの印象はきわめて鉱物的だが、このピラミッドの全体は濃紺の花崗岩によってできた七つの三角形の池の中央に位置していて、そのほかに三つの小さなピラミッド、シュリー翼、リシュリュー翼、ドゥノン翼の三方に置かれ、三つの見学コースの入り口を示しながら地下ホールへの光も取り込んでいる。またプロジェクトにはルーヴルと隣接するチュイルリー公園の再整備も含まれていた。総額三十億フランと見積もられたこの提案には賛否両論あったものの（反対の多くは、ルーヴルの再生を外国人であるペイに委ねることへの感情的な反発だったようだが）、ミッテランはペイ起用の意向を譲らなかった。ルーヴルでは一九八四年三月から遺跡発掘の工事が始まっていたが、それと並行するようにして翌八五年一月一日からグラン・ルーヴルに向けての工事が始まった。革命二百周年の節目である八九年三月に終了した。

一九八九年三月四日、ピラミッドが完成した（この年ピラミッドを訪れた者は三百八十万人だったという）。その二カ月後に再選を果たしたミッテランは七月に開催された先進国首脳会議の際に各国首脳をルーヴルへと案内したのである。もっとも、最終的な完成は革命二百周年には間に合わず、リシュリュー翼や公園近くの整備が完了したのは開館二百周年の九三年のことだった。

ペイ自身は、このプロジェクトで一種の「調停」を試みたことを強調している。伝統的に、パリ市民にとってセーヌの右岸と左岸は対立するものとみなされてきたが、正面の広大なイタリア式広場を昼も夜も自由に往来できるようにしたことで調停を試みたのだという。グラン・ルーヴルは、セーヌ右岸と左岸の「調停」という長年の悲願を現実のモノにする格好の機会でもあった。(4) ガラスのピラミッドの下には六万平方メートルもの広大な空間が広がっている。このピラミッドは地下に豊かな光を取り込み、また入館者はガラスのピラミッドを下りて複数の通路から思い思いの展示場所へとアクセスすることができる。このピラミッドを建てるのに用いた建材は総計百八十トン、複雑で繊細な構造計算には七カ月もの日時を要したという。

4　ルーヴルの現在

さて、「グラン・ルーヴル」以前のルーヴルはどうだったのか。三万平方メートルの床面積、二百四十六の展になっている。

示室を有し、規模こそ世界屈指だったものの、年代的にもテーマ的にも一貫性を欠いていた。だが、工事終了後のルーヴルは五万平方メートルと床面積がほぼ倍に拡張された一方で、各フロア、各翼、各室では体系的な展示になっている。

以下、美術館のフロアマップに従ってその展示を追っていこう。

ピラミッドからのエスカレーターは案内所や受付、チケット売り場などがある地下二階の広場へと通じていて、ここからリシュリュー翼、シュリー翼、ドゥノン翼へのアプローチが伸びている。チュイルリー公園側には地下鉄のパレ＝ロワイヤル・ルーヴル美術館駅があり、広場までスムーズに移動することができる。

次いで地下一階だが、リシュリュー翼には「プチ・ギャラリー」という企画展用の小スペースや十七世紀のフランス彫刻が、シュリー翼には「時計のパビリオン」というルーヴルの歴史を紹介するスペースが設けられている。ドゥノン翼には六世紀から十六世紀のヨーロッパ彫刻やオリエント美術、イスラム・エジプト美術が展示してあるほか、内部の奥まったスペースには二つの版画室がある。

次いで○階（日本の一階）だが、リシュリュー翼にはフランス彫刻のコーナーがあり、またシュリー翼にまたがって古代オリエント美術が展示されている。展示は古代エジプト美術、古代ギリシャ美術と続き（『ミロのヴィーナス』はここに展示されている）、ドゥノン翼には古代イタリア・エトルリア美術、古代ローマ美術を展示している。またドゥノン翼の奥にはアフリカ、アジア、オセアニア、アメリカの先史美術も展示してある。

次いで一階だが、リシュリュー翼からシュリー翼にまたがってヨーロッパの装飾美術が展示され、シュリー翼には○階から引き続き古代エジプト美術、古代ギリシャ美術の展示、ほかにこちらにはコレクション形成の歴史を物語る「時計のパビリオン」が設けられているのは前述したとおりである。ドゥノン翼の端には宝飾品を展示する「アポロンのギャラリー」があり、中世から十九世紀の絵画がイタリア（『モナ・リザ』はここに展示されている）、フランス、スペインと国別に展示してある。

最後に二階はリシュリュー翼からシュリー翼にかけて、北ヨーロッパの絵画とフランス絵画が展示されている。

先にふれたとおり、ルーヴルはイタリア美術の愛好家だったフランソワ一世のコレクションを礎にしている。フランソワ一世はイタリア美術との対比で自国の美術の劣位を強く意識し、その地位の向上を強く望んでいたともいわれる。この階のフランス美術の展示は、そうした意向を引き継ぐものかもしれない。

どの部屋にどの作品が配置されているのかを見るのも興味深いが、それに劣らず関心を引くのがシュリー翼の地下一階、一階、二階にまたがって設けられた「時計のパビリオン」と呼ばれるスペースである。これはそれぞれルーヴルの歴史、コレクションの歴史、最新情報を紹介するためのスペースで、なかでも地下一階のパビリオンは、要塞から宮殿を経て現在の美術館へと至った歴史を遺構や模型を通じてたどり、方形広場の下に設けられた中世のルーヴルを展示するコーナーへと達し、そこで工事中に発掘された地下道やフィリップ・オーギュストの要塞や主塔の残骸を見ることができるようになっている。

5 視線の重層化と不特定の主体

前章でも指摘したとおり、ルーヴル以前の美術館の展示は「珍奇陳列室」としての側面が強かった。このような空間にあるものは、戦利品として収奪され、また売買されてきた王侯貴族のコレクションの集積であり、その背後には支配者／被支配者という二元的構造や侵略した地へのエキゾティックな関心が潜んでいる。ルーヴルの場合も、もちろん前身の王朝時代のコレクションには同様の性格を指摘できるが、少なくとも一七九三年の一般公開開始以降は、それまでとはまったく異なる原理にのっとってコレクションを体系化・分類し、新たな「ミュージアム」像を確立しようとした。その指針がどのようなものだったのかは、国民公会の議員としてルーヴルの設立にも深く関与したジャック＝ルイ・ダヴィッドの「総覧的な展示はかつての「キャビネ・デ・キュリオジテ」の延長でしかなく、「公衆教育と共和国を代表する芸術家の育成」のためには、国どうし、作家どうしの比較が重要であるとし、それにはコレクションは流派ごとに分割し、時代順に配列されなければならない[5]」という主張に明らかだろう。

ここで注目したいのは、現在のミュゼオロジーの出発点ともいえそうなダヴィッドの主張に、従来の王侯貴族／支配者に代わる「主体」が、言い換えれば「公衆教育と共和国を代表する」近代的な国民・市民という「主体」の存在が含意されていて、美術館にはまさしくそのアイデンティティを強化する役割が期待されていることである。要するに、ルーヴルで編成された「視線」の主はほかでもない近代的な国民・市民であって、それは先に重要な側面として提起したルーヴルの重層化された視線という遠近法的な性格とも不可分の関係にあるものなのである。

もっとも、このような書き方は誤解を招きかねない。説明を加えておこう。ここで遠近法的な性格という例えで語ろうとしたのは、ルーヴルが新たに編成した「視線」の問題を、不特定の「主体」が中心に設定された立体的な空間認識との関連で考えることを意図したものである。だから、べつにアルベルティ＋ブルネレスキ以来の「正統遠近法」や「カメラ・オブスキュラ」に即した知覚図式を検証しようというのではない。具体的には、『言葉と物』でフーコーが緻密に分析してみせた、単にモデルを描くのではなく、（作者自身がモチーフとおぼしき）画家が中心の位置を占めることによって、画面のなかに「主体」とそれを取り巻く遠近法的な空間構造を作り出したディエゴ・ベラスケスの『ラス・メニーナス』のような空間構造を思い起こしてもらえばいいだろう。別の言い方をするなら、それはフーコーが呼ぶところの「エピステーメー」とほぼ同義のものと思ってもいい[6]。

繰り返すが、ルーヴルがキャビネットと一線を画していたのは、なんといってもその「視線」の構造による部分が大きかった。ルーヴル以前の美術館の空間が単に支配者／被支配者の二元構造を反映しているだけなのに対して、遠近法／エピステーメーの認識構造を組み込んだ「主体」が導入されたルーヴル以降、美術館の空間ではいっそうその階層化・体系化が推進されていく。ルーヴルでは、美術作品はもとより、古代・中世もしくは異文明の祭事品など、美術館に陳列されている展示品の多くは、それが活用されていた本来のコンテクストを剝奪され、美術館によって別のコンテクストを与えられて、社会から隔離したような展示になっている。来館者は、うやうやしく陳列されているこれらの展示品が明らかに自分の文化圏では異質なものであることを実感させられたうえで「主体」を強く意識するようになるのだし、また実際に国民・市民の啓蒙やナショナル・アイデンティティの構築といった「ミュージアム」ならではの役割は、この「主体」の形成によってはじめて可能になったことだった。ここで、ベラスケスの『ラス・メニーナス』を精緻に読み解いたフーコーが、『監獄の誕生』[7]ではこれまた一種の社会的遠近法とでも呼ぶべき「一望監視装置（パノプティコン）」という概念を導入し、監獄での隔離や収容のメカニズムについて緻密に分析していたことを思い出してみよう（この構図は、監獄を美術館に、囚人を来館者にあてはめて考えることができる。ルーヴルがかつて監獄だったことは決して偶然ではないのだ）。近代的な「ミュージアム」がまさしくフランス革命の盛期に産声を上げたことは、ほかの社会的機構との関連で考えても十分な必然性があることなのであり、そしてそれはまた——ミューズと遠近法という——私がここで提起したルーヴルの二つの画期的な側面の出会いをも要請することでもあったのだ。

6　博物館と美術館

視点を変えてみよう。本書ではルーヴルに関しては一貫して「美術館」と表記している。この呼称は単に慣例に従っているにすぎないのだが、「美術館」という表記が、そこに収集・展示してあるものは美術作品であるという前提のもとに成り立っていることは間違いない。同様に「博物館」と表記することによって、そこに収集・展示されるものが博物資料や歴史資料の類いであると想定されることもまた確かである。歴史や規模からいって、ルーヴルが「美術館」の代表だとすれば、「博物館」の代表が大英博物館であることに大方の異論はないだろう。

本来であれば、大英博物館の歴史は別個に一章を費やして詳述すべきテーマなのだが、残念ながらそれだけの紙幅はないので、ここでは概略を述べるにとどめる。大英博物館は、アイザック・ニュートンの後任として王立協会の会長を務めたハンス・スローンのコレクションを起源とする。スローンは博物館をつくることを条件に自らが所持していた蔵書・手稿・版画・硬貨・印章など約八万点のコレクションをイギリス政府に譲渡、政府はこれをほかの蔵書とあわせて収容する博物館を建設し、一七五三年に開館、五九年には一般公開された。その後、十九世紀に図書部門が大英図書館として独立したことに伴って、館は博物資料や歴史資料を収集・展示する「博物館」としての性格を強め、現在そのコレクションは総計八百万点にも達するが（実際に展示されているのはそのうち約十五万点とごく一部にすぎない）、エルギン・マーブルに代表される帝国主義的な問題も絶えず取りざたされている。コレクションの性格は違うものの、その歴史にはルーヴルとも共通する面が少なくない。

「美術館」も「博物館」も英語やドイツ語では museum、フランス語では musée であり、日本語のような区別は存在しないが（美術館の場合は Art Museum や Museum of Art と補足する場合が多い）、ルーヴルと大英博物館の性格の違いは歴然としているから、それを言い表すうえで「美術館」「博物館」という原語にはない日本語表記の区別は至って適切であるように思われる。これはいったいどういうことなのか、この謎に果敢に挑んだ意欲作として挙げておきたいのが、「はじめに」でも参照した松宮秀治の『ミュージアムの思想』である。

中世末期に王侯貴族が競うように珍奇な品のコレクションに熱中したことは前章で述べたとおりである。松宮はそれを王や皇帝の理想像が武人王からギリシャ的な哲人王、さらには「文芸王を愛する王」と変貌していくプロセスと位置付ける。(8) 多くの王がコレクションや学芸の庇護に力を入れたのはこのプロセスを通じてだった。この視点に立つと、キャビネットはまさに「文芸を愛する王」の成果ということになる。

前章ではキャビネットの変遷に注目したが、ここでは視点をコレクションそのものへと転じてみよう。収集された古器、美術品、宝飾品、メダル・コイン、武具などはドイツ語では Kunst、フランス語では Art と称された。Kunst も Art も現在は「美術」や「芸術」と訳される言葉だが、当時は「技術」「科学」「芸術」などが未分化の状態だった。独和辞典や仏和辞典で Kunst や Art という単語を引くと、未分化だった中世の名残があることがわかる。それを「科学による世界（自然）支配」という科学側の視点によって弁別を試みたのが十六世紀から十七世紀のイギリスの哲学者フランシス・ベーコンだった。前述の大英博物館の開館は、科学を至上のものとみなしたベーコンの図式によって説明可能である。もう一方の極である「芸術」に重きを置いたのがルーヴルであることはいうまでもない。この美術館型ミュージアムと博物館型ミュージアムの分化の事情は誰しも容易に理解できるだろう。だが問題はその先で、松宮は力業ともいうべき独自の議論を展開する。

「美術館」と「博物館」の区分を考えるとき、一般には前者は「美術作品に特化した博物館」とみなされ、後者のほうがより大きなカテゴリーだと考えられることが多い。ICOM博物館定義や日本の博物館法の規定もその前提に立っている。だが松宮によると、十九世紀から二十世紀にかけてミュージアムとして拡張したのは、むしろ前者のほうだという。その牽引役が、司祭や巫女の役割を担った美術史や美術評論だった。

ヴァザーリの『画人列伝』に始まるとされる美術史は、十九世紀のドイツで大学教育制度に組み込まれ、学問としての地位を確立した。また美術評論も、同時代に発達した新聞などのメディアで競って発表されるようになる（先に紹介したディドロの展覧会評は、最初期の美術評論の一例である）。そのときに主流を占めたのが制作年代、伝記的事実、様式などに即して作品を解釈する様式史の手法だが、一方で様式史的手法による作品の紹介は、芸術作品の発展を同時代の政治や社会の動向から切り離し、「芸術の自律性」「芸術のための芸術」を成立させる役割を果たすことになった。いうなれば美術史や美術評論は、「芸術の自律性」「芸術のための芸術（art for art's sake）」という神話を生み出した新たな神学であり、メディアを通じて様々な言説を発表する美術史家や美術評論家がその司祭や巫女というわけである。また美術史は過去の美術を研究対象にするため、「芸術の自律性」という神話が過去の美術作品にまで適用されることになり、政治や社会と不可分だった過去の美術の歴史も、「芸術の自律性」の歴史として書き換えられることになる。社会から独立して存在する芸術のありさまを「芸術の自律性」ということがあるが、美術作品を社会から隔離してうやうやしく展示する美術館は、まさに「芸術の自律性」を作動させる装置だった。[9]

松宮がいわんとすることは明快で、換言すれば、美術館で展示されている美術史は近代市民社会のイデオロギーが生んだ歴史観だということになる。とすれば、フランス革命の結果に誕生したルーヴルほどそれにふさわしい空間もないだろう。歴史的観点からこの時代のイギリスとフランスの国力を比較する際には、産業革命をいちはやく達成し、七つの海を支配下に置いたイギリスの優位性を強調する議論が多いのだが、公共財の活用という点ではフランスに一日の長があったという見解もある。私も同感だが、このような観点に立てば、ルーヴル美術館のほうが最初のパブリックなミュージアムだといえるだろう。

7　一国美術と広域美術

ここで、冒頭の世界三大美術館へと戻ろう。もちろん、この期に及んで「世界三大美術館は○○、□□、△△だ」などと決め付ける気は毛頭ない。ここでは、ルーヴルを筆頭に世界三大美術館の候補として挙げられる館の多くが、意外な共通点を有していることに着目したい。その事実に注目した佐藤道信の『美術のアイデンティティー』[10]を参照しながら議論を進めよう。

数多くの名品を所蔵するルーヴルだが、なかでも最も著名な作品といえばやはり『モナ・リザ』と『ミロのヴィーナス』だろう。ところが、『モナ・リザ』の作者レオナルド・ダ・ヴィンチはイタリア人だし、『ミロのヴィーナス』はエーゲ海からの出土品である。この両者はいずれもフランス美術ではないのだ。実際、先ほどフロアプランを確認したとおり、ルーヴルの展示は古代エジプト美術、古代ギリシャ・ローマ美術、イタリア美術、スペイン美術、オランダ・フランドル美術が多くを占めていることに気づく。フランス美術のコレクションももちろん大量にあるものの、全体に占める割合は必ずしも高くはない。ルーヴルの礎になるコレクションを築いたフランソワ一世がフランスの美術の振興を強く願っていたことを思えば、これは意外なことかもしれない。

世界三大美術館の候補として名前が挙がる美術館は、他館でも同様の傾向が認められる。メトロポリタン美術館は、総じてルーヴルと同じような傾向のラインナップになっているものの、東洋美術、アフリカ・オセアニア美術が数多く含まれていて、さらにコスモポリタンな性格が強くなっている一方、自国の美術が占める比率は非常に低い。またエルミタージュ美術館も、もとになったロマノフ王朝のコレクションの傾向を反映して、フランス美術が中心である。同じサンクトペテルブルク市内に自国の美術に特化したロシア美術館が所在することもあって、同館のロシア美術のプレゼンスはごく控えめだ。ロシアでは、首都のモスクワでも自国の美術を対象にしたトレチャコフ美術館と外国の美術を対象にしたプーシキン美術館による役割分担がなされている。

これと同様の傾向はプラド美術館（スペイン・マドリード）、ロンドン・ナショナル・ギャラリー、ウィーン美術史美術館、アルテ・ピナコテーク（ドイツ・ミュンヘン）など、ほかの大規模館にも認められる。それらの大規模なミュージアムが展示の対象にしているのはヨーロッパ美術であって、自国の美術ではないのだ。これに対して、故宮博物院、トプカプ・サライ、東京国立博物館などの非西洋圏の大規模なミュージアムが展示の対象にするものはあくまでも自国の美術であって、「アジア美術」や「東洋美術」の類いではない（例えば、東京国立博物館の場合、中国や朝鮮、東南アジアなど他国の美術作品は東洋館に別置されている）。この広域性は西欧圏のミュージアムに特有の現象であり、先の松宮の議論に従えば、このような展示が可能なのも美術史の「芸術の自律性」の成果ということになるし、また佐藤の議論に従えば、EU（欧州連合）統合にも通じるこの広域性はキリスト教という共通の基盤があってこそのものということになる。[11]

8　共同体の文化的基礎

現在のルーヴルは古代オリエントから十八世紀のヨーロッパ美術までをそのコレクションの対象にしている。

これは、開館当初は所蔵されていた民俗学関係の資料をよそに移転したのをはじめ、所蔵の対象や時代を徐々に限定していった結果である。いまのところ、十九世紀後半の美術のコレクションは一九八六年に開館したオルセー美術館の、また第一次世界大戦以降の美術に関しては七七年に開館したポンピドゥー文化センターの守備範囲だが、将来的には、二十一世紀の美術を視野に入れた抜本的な再編や大型美術館の新設もありえない話ではない。そして、地図を見ればたちどころにわかることだが、これらの美術館はいずれもパリ市内の要衝に配置されている。ここに、美術館を単独ではなく美術館相互の密なネットワークで捉え、また都市のゾーニングにも役立てようとするフランス政府の思惑をうかがうことは容易だろう。こうした都市のデザインは、十九世紀に大規模なパリの改造を計画したオスマン以来の伝統ということができる。

ベネディクト・アンダーソンは、「国民とはイメージとして心に描かれた想像の政治共同体（イマジンド・ポリティカル・コミュニティ）である」[12]と述べている。彼はそのイメージの源泉として新聞や小説などの印刷媒体を挙げているが、本書でここまで述べてきた論を踏まえて考察するならば、国家の様々な有形財産が集中される美術館もまたそうしてイメージの源泉の一つであることは疑いない。もちろん、これと同様のことは、一八八九年に東京・京都・奈良の三都市に帝国博物館を設置して「皇室の宝物収蔵局」としての役割を付与し、また実現はしなかったが、ナショナリズムの殿堂としての「国史館」や大東亜共栄圏の理想を展示するための「大東亜博物館」の建設を構想していた日本についても当てはまる[13]。近代的な美術館の形成と発展は、決して近代的な国民国家（ネーションステイト）との関係を抜きに語ることはできないのだ。

いうまでもなく、ルーヴル美術館は日本でも絶大な人気を誇っている。「ルーヴル美術館」展と銘打った展覧会が首都圏や関西圏で開催されると決まって長蛇の列ができるし、一九七四年に国家的プロジェクトとして「モナ・リザ」展が実現した際、たった一点の絵画を見るために百四十万人もの観客が押し寄せたことはいまなお語り草である。パリに行っても、ルーヴルを訪れない日本人観光客は少数派だろう。ルーヴルも、館内に日本語のパンフレットを常備したり公式ウェブサイトに日本語のコーナーを設けたり、フランス語や英語の不得手な日本人が日本語で鑑賞を楽しめるようなサービスを充実させている。大日本印刷がデジタル技術を応用したプロジェクトを推進し、一時期は東京・五反田にルーヴルの作品を優れた展示技術で紹介する「DNP Museum Lab」を運営していたことがあるなど、ルーヴルにとっても日本は上客なのだ。

9　ランスのルーヴル

「グラン・ルーヴル」プロジェクトの次の展開、すなわち二十一世紀の最も大きな変革がパリの外への進出、すなわち分館の建設である。この分館建設は、本書執筆の時点でフランスの国内外で一つずつ実現しているが、本章では国内の分館に注目してみよう。

フランスの地方都市にルーヴルの分館を建設しようという動きが本格化しはじめたのは二〇〇三年初頭のことである。ポンピドゥー文化センターの元館長で当時文化相の任にあったジャン゠ジャック・エラゴンと当時の館長アンリ・ロワレットの発案によるものだった。北部の数都市が候補地に名乗りを上げ、なかでもパ゠ド゠カレー県のランス（Lens。ノートルダム大聖堂やレオナール・フジタの礼拝堂で知られるマルヌ県のランス〔Reims〕とは別の都市）とソンム県のアミアンが有力視されたが、二〇〇四年十一月にランスに決定した。炭鉱が閉山してかつてのにぎわいが失われたランスは、観光による経済振興や新たな雇用創出を図るためにルーヴル誘致を積極的にはたらきかけたのである。次いで設計者を決定するコンペがおこなわれ、三組の最終候補（そのなかには、東京の新国立競技場の奇抜なデザインが話題を呼んだザハ・ハディドも含まれていた）のなかから、日本のユニットSANAA（妹島和世＋西沢立衛）の案が当選した。SANAAのシンプルで禁欲的なデザインは、当時分館のシンボル的存在だったビルバオ・グッゲンハイムのポストモダンな外観とは対極にあるものだった。当時フランスではほとんど無名だったSANAAだが、開館に先駆けて二〇一〇年にはブリツカー賞を受賞するなど国際的な評価を確立していたから、審査結果も妥当だったように思われる。

写真2-2　ルーヴル美術館ランス別館（筆者撮影）

ランスはパリからTGVで一時間強の距離にあるが、別館はTGVが停車するランス駅から徒歩十五分程度の平地に建てられることになった。かつては採鉱作業施設があったところだが、廃坑以来半世紀にわたって放置されていた。SANAAのデザインは、この土地の上にコンクリートと金属でできた低層階の白い建物を数珠つなぎに並べたものだった。そのデザインの意図について、妹島は「インターナショナルな美術館であると同時に、地域住民が占有できる地方美術館を創るという二つの要求にこたえることが重要でした。まずは歴史が残るこの場所に敬意を表す必要がありました。たとえその三角形の外観が実際の技術的困難を生み出そうとも、私たちはルーヴル＝ランスがこの地に完全に同化することにこだわったのです。人びとに押し付けるのではなく、人びとに開かれた美術館公園というアイデアはそこから生まれたのです(14)」と地域の歴史への敬意を重視したことを強調している。

分館の玄関はガラスの立方体であり、その周辺にチケット売り場、メディアテーク、小ホール、

写真2-3　ルーヴル美術館ランス別館の展示風景（筆者撮影）

カフェテリアなどを設置する。常設コーナーの「時のギャラリー」では、長さ百二十メートルの長方形の一部屋に約二百五十点の作品を配置し、約六千年（紀元前四〇〇〇年から十九世紀）の美術の歴史が一望できるようになっている。ルーヴルのコレクションから精選された絵画、彫刻、工芸など各ジャンルの作品は、五年のサイクルで入れ替えられるという。もう一方のスペースで開催される企画展は、数カ月程度の単位で入れ替えている。二〇一二年暮れの開館以来、私はこれまでに同館を二度訪れているが、個々の展示作品もさることながら、たっぷりと採り入れられた自然光の効果なのだろうか、「時のギャラリー」の空間が実寸以上に広大に思えたことをよく覚えている。またある研究会で同館の研究官のプレゼンに接する機会があったが、ギャラリーの展示は観客の九割が右回りに移動することを前提に順路を組み、また一部の作品を対象にアイトラッカーを活用した鑑賞実験もおこなわれているということだった。新型コロナウイルスの感染拡大で長期の休館を余儀なくされて以後、どのような活動に取り組んでいるのかも気になるところである。

そのプレゼンスを誇示するために、ルーヴルは今後も様々なプロジェクトを仕掛けるにちがいない。ジャック・ラングの以下の言葉には、ルーヴルを擁するフランスの矜持とでも呼ぶべきものがにじんでいる。

ある種魅惑的で不思議な魅力を放っているルーヴルは、その歴史や象徴的な役割をいまなお維持し続けている。そしていくつもの傑作や数多くのギャラリー（陳列室）、そして広大なスペースを管理することによってこの美術館への期待がますます高まり、その地位を確固たるものにしているのである。群衆のざわめきや団体客がささやく声が近くから聞こえてきても、ルーヴルでは、一人で気ままに作品鑑賞ができる。全面的に改装され、拡張され、充実し、セーヌ河岸、チュイルリ公園、パレ・ロワイヤル、コンコルド、シャンゼリゼといったパリの最も素晴らしい景観と目と鼻の先に位置しているルーヴルはみずからを中心として、オルセー美術館、オランジュリー美術館とジュ・ド・ポーム美術館、装飾芸術博物館、そしてジョルジュ・ポンピドゥー・センターを統合する卓越した美術館全体を率いる旗艦なのである。これほどの文化遺産を担った建造物というのが世界にあるだろうか？(15)

注

（1）本書のルーヴルの歴史記述は、おもにジャック・ラング『ルーヴル美術館の闘い——グラン・ルーヴル誕生をめぐる攻防』（塩谷敬訳、未来社、二〇一三年）に依拠した。

（2）同書三七—三八ページ

（3）日本国内でも、滋賀県の山中にあるMIHOミュージアムで採光を重視したペイのデザインを体験することができる。

（4）伊藤俊治『トランス・シティ・ファイル』（「INAX叢書」第七巻）、INAX、一九九三年、七二ページ

（5）吉田憲司『文化の「発見」——驚異の部屋からヴァーチャル・ミュージアムまで』（現代人類学の射程）、岩波書店、一九九九年、二七—二八ページ

(6)エピステーメーを遠近法の一バリエーションとみなす考え方は、例えばHubert Damisch, *L'Origine de la Perspective*, Flammarion, 1993 にうかがわれる。

(7)ミシェル・フーコー『監獄の誕生――監視と処罰』田村俶訳、新潮社、一九七七年

(8)前掲『ミュージアムの思想 新装版』四一ページ

(9)同書二一一―二二八ページ

(10)佐藤道信『美術のアイデンティティー――誰のために、何のために』(シリーズ近代美術のゆくえ)、吉川弘文館、二〇〇七年

(11)同書一二ページ。またクシシトフ・ポミアン『ヨーロッパとは何か――分裂と統合の1500年 増補』(松村剛訳〔平凡社ライブラリー〕、平凡社、二〇〇二年)では、ヨーロッパの共通基盤の形成要因として、時代順に「フランク王国」「絶対君主制国家」「近代の国民国家」の三点を挙げている。

(12)ベネディクト・アンダーソン『想像の共同体――ナショナリズムの起源と流行』白石隆/白石さや訳(社会科学の冒険)、リブロポート、一九八七年、一六ページ

(13)この問題に関しては、金子淳『博物館の政治学』(〔青弓社ライブラリー〕、青弓社、二〇〇一年)を参照のこと。

(14)引用は前掲『ルーヴル美術館の闘い』二五五ページ。

(15)同書二九二―二九三ページ

第3章　万国博覧会と美術の関係

1　万博とミュージアム

博覧会は、ミュージアムと深い関わりをもっている。万国博覧会に相応のページを割いて論じているミュージアム論は少なくないし、かくいう私自身も『美術館はどこへ？』や『美術館の政治学』で一章を割いて論じたし、すでに複数の万博論を出版しているほどだ。

考えてもみれば、世界中の珍奇な文物を一堂に集める万博というイベントの本質は、それを実現した主催者の権勢を示すという点でも、第2章で論じたキャビネットの延長線上にあるといえるだろう。また史上初のロンドン万博の出品物を恒久展示するために開設された産業博物館（現ヴィクトリア・アンド・アルバート博物館）をはじめとして、万博を機に設立されたミュージアムも少なくない。明治期の日本でも、ウィーン万博の出展準備のために開設された湯島聖堂博覧会がその後の東京国立博物館の礎になり、内国勧業博覧会のために建てられた施設がその後博物館に譲渡されるなど、博覧会の開催なくしては博物館が建設されない時代があったのである。

一方、実は博覧会はミュージアムに取って代わる役割を果たすと考える者もいた。誰あろうあのヴァルター・ベンヤミンもそうした一人であり、彼は一八五〇年から九〇年の間にその交代がなされたと指摘したのである（ちょうどこの時代は万博の黎明期から発展期に相当する）。つまり、両者の間には「イデオロギーの基盤の違い」があり、ゴシックやバロックの時代の価値観を体現していた博物館の「巨大なものとなってしまった室内」は、本格的な市民社会を迎えた十九世紀後半にその役割を担いきれず、展示物を室外に解放せざるをえなかったというのがその主立った理由である。[1] 確かに、広範な都市空間を舞台にした万博の非日常的な祝祭性は、作品展開の領域を外部と隔絶された建築の内部に限定するミュージアムでは決して演出しえないものである。

2 メディアとしての博覧会

いずれにしても、二〇二五年の大阪・関西万博の開催が迫りつつある現在、万博とミュージアムの関係について再考すべき好機であることは確かだろう。そのとっかかりとしてここで参照しておきたいのが、「メディアとしての建築――ピラネージからEXPO'70まで」と題された展覧会である。〇五年二月から五月に開催されたこの小規模な展覧会を実際に見た者、ましてやその内容を記憶している者は少ないだろうが、わずか一室の小規模な展示ながらもその内容は実に刺激的であり、とりわけ、博覧会の施設建築を一種のメディアとみなす視点は多くの示唆に富んでいたので、ここで取り上げることにする。[2]

いうまでもなく、メディアとは何らかの情報を含み伝達する媒体を意味していて、常識的にはまず活字や映像などが想起される。しかし、例えばビアトリス・コロミーナがアドルフ・ロースとル・コルビュジエの建築空間を対比して、それぞれ「公共的」「私的」と形容しうる異質な性格を明らかにしたことが示すように、[3] 実は建築もまたれっきとしたメディアであって、それは一般にはモニュメントや文明の記憶装置としての役割を果たしてきた。ところが同展では、建築のメディア的な性格を「一時的にしか存在しない仮設の構築物が、かえって情報の伝達者としての役割を強く担うことがあるのではないか」というまったく逆の視点から捉え返すことが強く意識され（なお同展の企画者である菊池誠は、それとはまた別に medium の複数形 media が「巫女」や「霊媒」を意味していることも意識していたようだ）、その結果、会期終了とともに跡形もなく消え去ってしまう万博のパビリオン建築に対してひときわ強い関心を寄せることになった。同展カタログにも引用されている著名な万博論の以下の一節は、万博建築のメディア的性格へと関心を寄せた本展の企画意図を物語るばかりか、それをさらに「メディアとしての博覧会」へと読み替えようとする本書の意図の説明にもなっているだろう。

> 万国博は十九世紀にはじまった、新しい情報メディアの場であり、世界であった。しかもその情報はものをもって主とし、文字・文章・図表によるものは従とする構造をもっていた。さらにそれらの情報は、十九世紀にそれぞれ体制を整備しつつあった国家、または近代的な企業を発信者とするものであった。（略）この情報メディアの場は、ある一定の期間のみに開かれるという非日常的な世界という性格をもっていた。[4]

ちなみに同展は「ROMA 1760 イマジネーションの遺構」「LONDON 1851 鉄とガラスの世紀」「PARIS 1889 鉄骨建築」「CHICAGO 1893 ホワイト・シティ」「PARIS 1937 30年代の怒濤の中で」「NÜRNBERG 1937 政治スペクタクルの桟敷」「BRUXELLES 1958 電子詩曲」「OSAKA 1970 情報化時代の祝祭の装置」の八部で構成されていた。一瞥してわかるように、ローマとニュルンベルクを除けば万博建築が占めていて、十九世紀から二十世紀の代表的な万博建築を時系列でたどりながら、そのメディア的性格を明らかにすることを主たる意図としていた。博覧会という巨大イベントのアイデアはフランス革命の直後に出現したもので、一七九八年にセーヌ川河畔のシャン・ド・マルスで開催されたのが史上初の博覧会だったとされている。先ほどのベンヤミンの指摘が示すように、ここには新しい社会構造を欲する社会の産物として出現したその由来をうかがうことができるだろう。

図3-1　第1回ロンドン万国博覧会（1851年）
（出典：「博覧会――近代技術の展示場」〔https://www.ndl.go.jp/exposition/index.html〕［2022年4月26日アクセス］）

そして、それから約半世紀後の一八五一年、ロンドンを舞台に国際的な大博覧会が開催される。正式名称をThe Great Exhibition of the Works of Industry of All Nations というこの大規模なイベントこそ、歴史上初の万博である。

ロンドンの当時の人口は約百万人、十九世紀当時は世界最大の都市だった。博覧会は約半年間の会期中におよそ六百万人の観客を動員した。イベント最大のハイライトは、何といっても会場のハイドパークに建設された「水晶宮」だった。建築技師ジョセフ・パクストンが設計した、総容積約三万三千平方フィート（約一万平方メートル）に達するこの巨大な構築物は、約十万点に及ぶ展示品を一堂に陳列することによって、華々しく「万博の時代」の火蓋を切った。この鉄とガラスで造られた巨大な構築物は、当時世界最高の国力を誇った大英帝国の権勢と最新技術を誇示したばかりではなく、建物全体を巨大なショーケースに見立てた透明なディスプレーの効果もあって、資本主義の冷徹な現実を余すところなく伝え、ベンヤミンが指摘するように「ヨーロッパのイメージをすっかり変えてしまう」ことになったのである。

吉見俊哉は、万博が「博物館や植物園、動物園などで発展してきた視覚の制度を、産業テクノロジー基軸とした壮大なスペクタクル形式のうちに総合した」[5]ことを指摘している。具体的には、本格的な大航海時代の到来とともに、古今東西の珍品がもたらされたこと、ジョルジュ・キュヴィエやリンネらによる博物学の確立が切り開いた新たな「まなざし」、またそれに伴う分類や整理の発達などを指すのだが、考えてもみればこれらの要素のことごとくは、先に検討した前近代的なキャビネットが近代的なミュージアムとして再編されていくプロセスともほぼ対応している。事実、「美術館」という美術作品の収集・展示に特化された施設に限らず、動物園、植物園、遊園地などの諸施設が産声を上げたのもこの時代のことだった。いうまでもなく、万博もまたこの同時代的な並行関係のなかから出現した装置の一つだったのである。

3　万博都市パリ

ロンドン万博の成功にいちはやく反応を示したのが、ドーバー海峡を挟んで対峙するフランスだった。十九世紀半ばのフランスは第二帝政が敷かれ、ナポレオン三世が実権を握っていた。彼はロンドン万博の成功に大いに刺激され、それを上回る国家的なイベントの開催を企画する。一八五五年にはパリで初めての万博開催へと漕ぎ着けた。このパリ初の万博はいかにも急ごしらえで、展示の内容はもとより話題性や集客力など多くの点で一八五一年のロンドン万博の後塵を拝した感が否めなかったが、ともかくもこの開催を機に、十九世紀のパリは本格的な万博都市の時代へと突入していく。

この展覧会では一八八九年と一九三七年に開催された二つのパリ万博に焦点を合わせているが、実はパリでは一八五五年、六七年、七八年、八九年、一九〇〇年、三七年と計六回（一九二五年の国際装飾博覧会と三一年の植民地博覧会を加えれば計八回）もの万博が開催されてきた。だから、十九世紀後半から二十世紀前半にかけての都市計画は、そっくりそのまま万博の歴史とも重なる。十九世紀当時の代表的な百貨店ボン・マルシェは、特売日のことを「エクスポジシオン」と称していたが、これは明らかに万国博覧会（exposition universaire）にちなんだ命名だし、またグラン・パレ、プチ・パレ、アレクサンドル二世橋、オルセー美術館、パリ市立近代美術館などの現在パリの名所として知られる施設の多くは、もともと万博の開幕に合わせて建設されたものだった。オスマン男爵による第二帝政期のジェントリフィケーション・プロジェクトをはじめ、パリの都市計画は都市空間の造形そのものが美術館に例えられることもある。(6) 万博が都市計画のための最重要な起爆剤として位置付けられていたことは誰の目にも疑いないだろう。

あらためてパリ万博へと戻ってみよう。大英帝国への強烈な対抗意識から着手されたパリの万博重視路線だが、一八五一年のロンドン万博を質・量ともに凌駕したといえるのは六七年の万博だろう。同じくナポレオン三世の治世下で実現した二度目の万博では、前回と同様にサン・シモン主義者のフレデリック・ル・プレが展示の統括を担当、前任時の反省も踏まえて、前回とは比べ物にならないくらい網羅的で合理的な展示を実現した。ル・プレは、博覧会の展示部門を美術、学術、家具、繊維品、機械、原材料、農業、園芸、畜産、特別展示の十部門に分け、また参加各国に、主会場の展示だけでなく独自のパビリオン建設を推奨したのである。

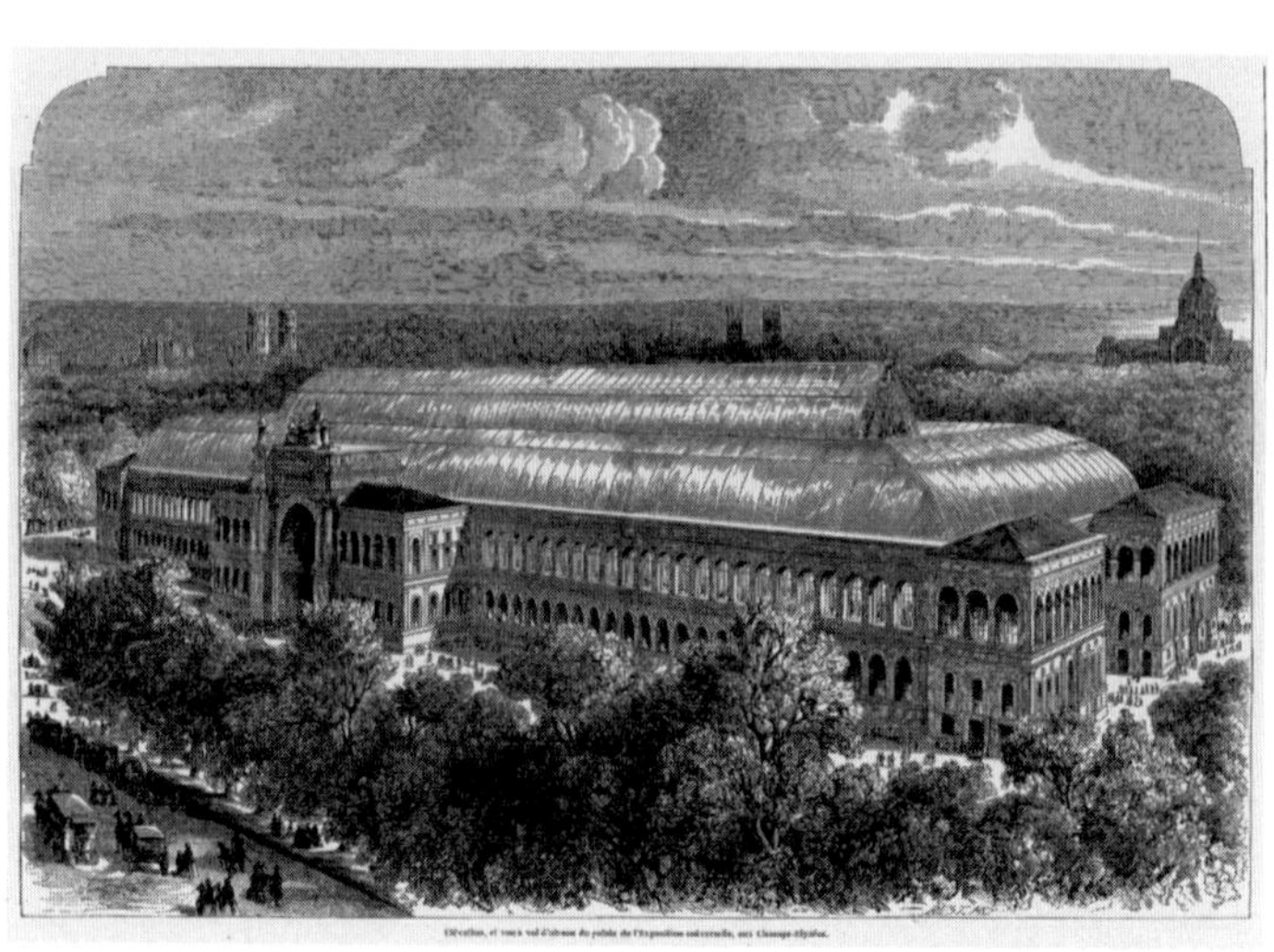

図3-2　第1回パリ万国博覧会（1855年）
（出典：同ウェブサイト［2022年4月26日アクセス］）

この措置は、万博会場の展示物と商品のディスプレーをそれ以前と比べてはるかに百科全書的なものにした。

VUE GÉNÉRALE DE L'EXPOSITION UNIVERSE
LE, PRISE DE L'ESPLANADE DES INVALIDES.

図3-3　第4回パリ万国博覧会（1889年）
（出典：同ウェブサイト［2022年4月26日アクセス］）

もちろん、展示の網羅性にミュゼオロジーとの親近性を指摘することはたやすい。半面、特に非ヨーロッパ圏の展示物のエキゾティシズムをも強く掻き立てた。それは、エドワード・W・サイードが当時の思潮として指摘する「オリエンタリズムの制度化」とも軌を一にしている。

こうして、四度目のパリ開催になった一八八九年万博ではエッフェル塔が最大の目玉になる。ドイツ系のフランス人技師ギュスタヴ・エッフェルの渾身の作品である高さ三百メートルを超える鉄塔もまた当時の技術の粋を凝らしたものだったが、一方でそれは会期終了後も長らく実用に供され、それまでは仮設が常だった万博建築に恒久設置というアイデアを導入することになる。当初は一九〇九年に取り壊される予定だったが、その後も現在に至るまで生き永らえることになったのは、新たに軍の通信機能を担ったことに加え、そのモニュメンタルな性格や観光資源としての役割がパリ市民から支持を得たことも大きかったのだろう。

一九三七年のパリ万博では、日本館パビリオンが、日本の伝統とヨーロッパのモダニズム建築を巧みに融合させたものとして高く評価されグランプリを受賞した。設計を担当したのは坂倉準三である。ちなみに、建築史家ヘンリー＝ラッセル・ヒッチコックは、この建物を「日本館では、初期のインターナショナル・スタイルを思わせる形式と、過去の民族的な形式を調和させようとしている。結果は極めて良好[7]」とその意義を高く評価している。彼はさかのぼること六年前の三一年、フィリップ・ジョンソンとの協働によって開館間もないニューヨーク近代美術館（MoMA）の「モダン・アーキテクチャー」展で、当時の先端だったヨーロッパの機能主義建築をル・コルビュジエ中心に「インターナショナル・スタイル」として再構成した人物でもあり、二九年に渡仏してル・コルビュジエに師事していた坂倉にもそれと通底する要素を見いだしたのだろう。もっとも、パビリオンの高い評価とは裏腹に、展示品はヨーロッパの劣悪な模倣が多くかなりの悪評だったらしい。

4　万博とファシズム

ちなみにこのときのパリ万博では、わずか数年後の第二次世界大戦を暗示するかのように、エッフェル塔の横でドイツとソビエト連邦のパビリオンが対峙していた。ドイツ館は直立するドーリア式の柱の上にハーケンクロイツと鷲を載せた古典様式の建物だった。この建物を設計し、またその室内にニュルンベルク党大会のための都市計画模型を設置したアルベルト・シュペーアこそ、アドルフ・ヒトラーに寵愛され、同年にニュルンベルクで開催されたナチスの党大会で歴史にも名高いあの「光のドーム」を演出した建築家だった。ちなみに万博では、この「光のドーム」に関しても独立したセクションを設け、十二メートル間隔で飛行場に並べられた百五十基のサーチライトから放たれた光の矢が一斉に天空へと向かって起立している、壮大で非現実的な光景を紹介している。『複製技術時代の芸術作品[8]』でベンヤミンは、ヒトラーの大衆操作を「政治の芸術家」と称していたが、この壮烈なスペクタクルは歴史的にみてもまさにその極点に位置する出来事だったといえるだろう[9]。

ところで、この時代の万博に言及するのならファシズムやナチズムとの関係を考えないわけにいかない。実はイタリアでは一九四二年にファシズム二十周年を記念するローマ万博（ＥＵＲ）の開催が予定されていたし、ドイツでも三六年のベルリン・オリンピックに次いで五十年の万博開催が構想されていたという。そして日本も、四〇年に紀元二千六百年博の開催を準備していた（詳細は後述する）。すなわち三国同盟の枢軸陣営の三カ国は実はいずれも万博の開催を構想していたが、どれも実現されることはなかったのである。

5　万博と植民地

また万博の黎明期から第二次世界大戦前、前述でちょうどベンヤミンが指摘した一八五〇年から一九四〇年の万博を考えるにあたって避けて通ることができないのが植民地の問題である。イギリスとフランスを筆頭に、この時代に万博を主催した国の多くは広大な海外植民地を経営していて、一八五一年の第一回ロンドン万博以降の万博では決まって植民地関連の物品が数多く出品されていた。例えば六二年に開催された二度目のロンドン万博では「大英帝国」「植民地」「外国」という三つの参加者区分が存在した。これは、世界が欧米先進諸国とそれらの諸国が所有する植民地で構成されているという認識を如実に示している。多くの万博で植民地関連の展示は人気を呼び、やがて物産の展示だけでは飽き足らず、十九世期末の万博では植民地の人間を展示する「人間動物園」というアトラクションが開催されるようになり、また一九三一年の国際植民地博覧会のように植民地の展示に特化した万博も開催されるようになった。近代化こそ西洋の後塵を拝したものの、二〇年代から三〇年代には朝鮮、台湾、満洲で盛んに博覧会を開催していた日本もまたその例外ではない。

6　第二次世界大戦後の万博の趨勢

　第二次世界大戦後、欧米諸国は万博に以前のような熱意を失ってしまう。過去六度万博を開催した実績があるパリにしても、第二次世界大戦後はただの一度も開催していない（いったん表明した二〇二五年の立候補も、前年の夏季オリンピックの招致に成功するとあっさり撤回してしまった）。交通手段が発達し、以前よりも格段に海外旅行が容易になったことに加え、アジア・アフリカ諸国が相次いで独立し、それまでの万博を支えていた「植民地」という枠組みが消失したことも大きな原因だろう。そんななか、一九五八年のブリュッセル万博では、ル・コルビュジエとエドガー・ヴァレーズのコラボレーションによる「電子詩曲」が登場して、「建築は電話機に、そしてパルテノンにある」「建築は時代を経て、「純粋なシステム」を遺した」「建築とは組織化である。あなたは組織者（オーガナイザー）になりなさい」などの言葉に象徴される、インターメディア的な性格が強調された万博建築が登場した。一方でこの万博では、当時ベルギーが所有していたザイール（現コンゴ民主共和国）という広大な植民地にちなんだ展示がおこなわれたが、これに追従する参加国は現れなかった。最後の植民地展示がおこなわれたという点でも、この万博が過渡期に位置していたことがわかる。

　きわめて大雑把な要約だが、この展覧会の構成はおよそ以上のとおりである。至って小規模ではあるが時系列に忠実なこの展示が明らかにしている一連の趨勢は、万博というイベントがもつメディア的性格をまざまざと物語っているだろう。まずもって万博とは、世界中の名品・珍品を大量に集めてみせた前近代的な「驚異の部屋」の大幅なバージョンアップであり、体系的な展示を可能にするディスプレーの発達を促す一方、そのような収集を可能にした開催国の権勢の誇示にもつながっていく。参加各国がこぞって自国の伝統と先進性を合わせて誇示し、両者が折衷された奇矯なアマルガムが現出するのもナショナリズムの高揚ゆえの事態にほかならない。また万博には大企業の見本市や公共事業としての側面もあり、会場には様々なテクノロジーを駆使した巨大ラボが林立し、いかにもユートピア的な未来都市が出現する。計八点の過去の未来像を凍結保存し、レトロ・フューチャーを浮かび上がらせたかのようなこの小さな展覧会が描き出した万博の見取り図は、かつて大阪万博をはじめ沖縄国際海洋博、つくば科学万博などを経験したわれわれにとっても十分に合点がいく。

7　大阪万博──未曽有の国家的イベント

万博の歴史については、制度の面からも簡単にみておく必要があるだろうか。空前の動員を記録したロンドン万博の成功は欧米諸国を大いに刺激し、その後各国の大都市で競って万博が催されるようになるのだが、乱立状態を回避するために一九二八年には国際博覧会条約が締結され、さらに三五年以降には、新たに発足した国際機関ＢＩＥ（博覧会国際事務局）から正式に認可された博覧会だけが「万国博覧会」を名乗ることを許され、博覧会の内実に応じて、大規模で総合的な一般博とテーマを特化した特別博とに区分するルールが確立された（この区分は、のちに登録博と認定博に改定されて現在に至っている）。このルールに従えば、日本で開催された万博は過去に大阪万博（一九七〇年）、沖縄国際海洋博覧会（一九七五年）、国際科学技術博覧会（一九八五年）、国際花と緑の博覧会（一九九〇年）、愛知万博（二〇〇五年）の五回である。そのなかでも、真っ先に言及すべきものはやはり大阪万博をおいてほかにないだろう。

大阪万博は一九七〇年、大阪郊外の千里丘陵を舞台に展開された未曽有の国家的大事業だった。このイベントには全世界から八十三カ国が参加し、会期中（三月十五日から九月十三日）の総動員数は約六千四百万人にも達した。二〇一〇年の上海万博まで破られることがなかった総入場者数がどれほど突出したものであるかは、国内外のほかの万博の動員数と比較すれば一目瞭然である。くしくも開催の前年には、アポロ十一号が人類史上初の有人月面着陸を達成したのだが、その際に持ち帰った「月の石」の展示はこの万博の最大の目玉の一つだったし、またさらにその前年にはホスト国である日本のＧＮＰ（ＧＤＰ）がアメリカに次いで資本主義圏で世界第二位になるという躍進を遂げていた。全共闘（全学共闘会議）運動やベトナム戦争の長期化、あるいは光化学スモッグをはじめとする公害問題などの不安の兆候も存在したが、少なくとも当時の日本が国内外ともに「開発神話」「成長神話」を実感させるだけの与件に満たされていたことは確かだったし、多くの国民がこのイベントを一九六四年の東京オリンピックに引き続く高度経済成長の因子として捉えていたことは想像に難くない。実際、各国パビリオンの多くは、当時の先端テクノロジーを駆使して多幸症的な近未来像を具現したものだった。

8　紀元二千六百年博の再来

ここでいったん、過去へと舞い戻ってみよう。大阪への万博招致が正式に決定したのは一九六四年十一月のことだから、イベントそのものの実質的な準備期間は五年強、招致活動期間を含めても十年程度のものだった。ところが、多くの関係者にとって、日本での万博開催はそれよりはるか以前からの長い悲願だったのだ。この悲願については以前もほかの著書で論じたことがあるが、本書でも繰り返しを恐れずにそれを要約してみよう。[10]

日本で初めて開催が計画されたのは亜細亜大博覧会である。これは西郷隆盛の弟だった西郷従道が内国勧業博覧会の規模を拡大して国際博覧会として開催できないかと提唱したもので、一八九〇年を目指して開催が検討されたそうだ。ちょうどこの年が明治になってから閣議で制定された「皇紀」の紀元二千五百五十年の節目にあたることにちなんだもので、もちろんアジアでは初の試みだったが、当時の日本にこの壮大な計画を実現できるだけの経済力があるはずもなく、構想はあえなく頓挫した。当時は紀元二千五百五十年を記念するイベントがほかにも数多く構想されていたのだが、橿原神宮の創建など、実現されたものはごくわずかにとどまっている。

図3-4　紀元二千六百年日本万国博覧会の絵はがき

次いで着手されたのが、一九〇六年に開始された日本大博覧会構想である。これは、日露戦争の祝勝イベントで、対外的には憲法発布二十年（一九〇九年もしくは一〇年）、明治天皇即位五十周年（一九一七年）などの時期で開催が検討されたが、これまた幻に終わってしまった。日露戦争に「勝利」したもののロシアから賠償金を得られなかったため、財源が確保できなかったのが最大の原因だった。

こうした幾度かの挫折を経て、関係者の万博熱はさらに募っていく。一九二六年には政・財界の要人らによって博覧会倶楽部が結成され、万博開催の悲願に向けて具体的な検討が開始される。当初、博覧会倶楽部では三五年の開催を目標にしていたのだが、徐々に四〇年開催という空気が支配的になっていった。ちょうどこの年が紀元二千六百年に相当することに加え、東京府が同じ年の夏季オリンピック招致に向けて活動していたこともあって、同時開催のほうが国内的にも対外的にも盛り上がり、奉祝イベントとしてふさわしいという判断があったためだろう。こうして、三四年には晴れて日本万国博覧会協会が設立されて、さらに三六年のベルリン・オリンピックに先立って開かれたＩＯＣ（国際オリンピック委員会）

総会では東京が次回大会の招致に成功したことから、今度こそ以前からの悲願が実現されるものと思われた。初期のオリンピックが万博の添え物扱いだったという過去があったことから、IOCはオリンピックと万博の同時開催に否定的だったため、日本の関係者は慎重にことを進めた。ところが、万博構想はまたしても流産してしまった。盧溝橋事件を機に本格化した日中戦争が泥沼化して財源難が深刻になり、軍部から強い反対の声が上がり、また国際連盟脱退などの影響で国際的に孤立し、参加国の減少が避けられなくなったからでもあった。結局、三八年七月十五日には紀元二千六百年博覧会の「延期」が閣議決定され[11]、戦時体制のいっそうの強化が進むとともに、万博開催の悲願はまたしても遠のいてしまったのである。「東西文化の融合」というテーマを掲げながら参加国は集まらず、また前売り券を販売したのに「延期」に追い込まれたことは、時の日本政府にとって何とも屈辱的だったことだろう。

以上の経緯を念頭に置くならば、過去三度の挫折の末にようやく実現された大阪万博がどれほど久しく待望されていたものだったのか容易に想像もつく。すでに述べたように、紀元二千六百年博覧会はあくまでも「中止」ではなく「延期」されたものだった。大阪万博の正式名称は日本万国博覧会だが、ロンドン万博、パリ万博など、開催都市の名を冠することが慣習として定着している万博にとって、これはかなり異例の事態である。だがこの「日本万国博覧会」こそ、実は「延期」を余儀なくされた紀元二千六百年万博の正式名称でもあった。この必然的な一致は、大阪万博が三十年もの「延期」のあとにようやく日の目を見た紀元二千六百年博の再来だったことを如実に物語っているだろう[12]。長年未使用のまま残っていた紀元二千六百年万博の入場券が、大阪万博の入場券としてそのまま使用できた事実もまた、そのことを傍証している。

第二次世界大戦後、万博はブリュッセル(一九五八年)、ニューヨーク(一九六四年から六五年。BIE非公認)、モントリオール(一九六七年)などの欧米の諸都市で開催されたものの、そのたびに決まって「万博の時代は終わった」とささやかれたものだ。しかし、そうしたなかにあって大阪万博は記録的な成功を収めることになった。この成功は東洋初・アジア初の万博という物珍しさや後進性、当時の日本を覆っていた多幸症的な「成長神話」

に加え、戦時中からの記憶＝負債を多々引きずった一種の国家総動員体制とでもいうような求心力がはたらいていたことが大きな要因だった。「万博芸術」の熱狂は、実は戦前から地続きのものだったのである。

9　万博美術展

ところで、大阪万博の会場内には美術館も設置されていた。後年に国立国際美術館としてリニューアルされ、二〇〇四年の取り壊しまで活動していた万博美術館である。会期中同館を舞台に開催されていた「万国博美術展」（一九七〇年）が記録した約百七十八万人の単館動員記録は、いまなお破られていない。これは、日本の美術展史上の最高動員数である。ミュージアム論である本書としても、この展覧会について言及しないわけにはいかない。[13]

大阪万博で美術展をおこなうことは基本構想の段階ですでに計画されていて、東洋美術と西洋美術の総合展示が決定された。最終的には原始美術、東西交流、宗教美術、自由、現代をテーマとする五部構成の展示に決まった。以下、各テーマを一つずつ順にみていこう。

第一部「創造のあけぼの――原始の魂・古代の声」ではインドや中東、あるいは日本の縄文遺跡などから出土した土偶やオーストラリアの古代絵画などが展示された。第二部「東西の交流――シルクロード、南蛮文化」ではシルクロードを通じた交流を技術、文様、主題の三つに分け、中国の青磁やイスラム陶器、ペルシアや中央アジアの文様などが展示された。第三部「聖なる造型――信仰への道」では、キリスト教と仏教の宗教美術を主体とする展示がおこなわれた。第四部「自由への歩み――人間・自然・社会」では、「近代的人間の生活、現実観察、個性の確立」を表現するために、中国の宋代以降、日本の鎌倉時代以降、西洋のルネサンス以降の絵画による展示がおこなわれた。第五部「現代の躍動」では二十世紀美術を第二次世界大戦以前、以後、現代の三つに分けた展示がおこなわれた。このうち現代で展示されたのはポップ・アート、ミニマル・アート、オプ・アートといった当時最先端の動向だった（ちなみに、アメリカ館にはアンディ・ウォーホルのポップ・アート作品やドナルド・ジャッドのミニマル・アート作品も展示されていたのだが、最大の目玉だった「月の石」に隠れ、ほとんど話題にならなかった）。

大阪万博は地球全域に目配りをしたイベントだったが、その一環だった万博美術展の展示を見ると、当時まだ国交を結んでいなかった中華人民共和国が不参加だったという事情もあって、日本と西洋に偏り、「南」半球各国のアートについてはほとんど視野に入っていなかった。美術館は西洋を、博物館は東洋を対象にするという暗黙の棲み分けが、この美術展にも存在したのである。あるいは、植民地展示から脱してそれほど年月を経ていなかった時代でもあったから、まだそれ以外に「南」を相対化する視点が確立されていなかったのかもしれない。

実のところ大阪万博は、それ自体が一つの巨大な美術展とでも呼ぶべき性格をもっていて、見るべきものはむしろ美術館の「外」に多く展開されていた。「具体」や「メタボリズム」（一九六〇年代の日本で興隆した建築デザイン運動。シンプルでダイナミックな造形を特徴とする）といった戦後の美術・建築を代表する動向がこの博覧会会場を舞台に最後の花道を飾ったのはよく知られるところだが、ほかにも音楽、映像、デザインなどの諸分野からそれぞれ第一線のクリエーターが参集して、きわめて多彩な実験を繰り広げていたのである。その多彩さは、岡本太郎、山口勝弘、武満徹、吉村益信、磯崎新、粟津潔といった各界の関係者の名を挙げれば理解されるだろうか。椹木野衣の言葉を借りるなら、そのインタージャンルな熱狂はまさしく「万博芸術」と総称するのがふさわしいものだった。

10　愛・地球博——二十一世紀の万博像

そして当時の記憶＝負債の多くは、二十一世紀を迎えて実現された愛知万博にも依然として強くにじんでいた。愛知万博、または愛・地球博の正式名称は二〇〇五日本国際博覧会といって大阪万博同様に国家の名を冠したものだし、また一九八八年夏季オリンピックの招致に失敗し、それに代わる都市開発事業として企画されたそもそもの経緯も、東京オリンピックとの地域バランスが最重視された結果で大阪が開催地に選定された七〇年の万博とオーバーラップする。だが一方で、行政サイドの一方的な主導による事業の遂行はもはや不可能で、なにごとも市民との対話が不可欠になった（その一端は、例えば二つの会場を結ぶゴンドラには、プライバシー配慮のため一部区間の運行中には窓ガラスを自動的に曇らせる機能を内蔵させていたことにもうかがわれる）。会場予定地の「海上の森」でオオタカの営巣地が発見されたあとの会場変更をめぐる混乱でも明らかなように、自然環境に対しても細心の注意が必要だった。かつて大阪万博で重要な職責を果たした手腕を買われて最高顧問に就任した堺屋太一（池口小太郎）は、市民のコンセンサスを経ないまま大阪万博で任にあたっていたときと同様にトップダウン型の手法で地域開発を強行しようとしたあげく、周囲の理解を得られず辞任に追い込まれてしまった。「人類の調和と進歩」と「自然の叡智」という二つの万博のテーマがはらむ差異は、三十五年という歳月を経てもほとんど変わらなかった行政サイドの発想とは裏腹に、市民の意識が大きく様変わりしてしまったことも示していたのである。

大きく様変わりしたのは、万博を取り巻く国際的な背景も同様だった。大阪万博が開催された一九七〇年当時、万博は一般博と特別博に区分されていた。大まかにいえば、前者は会期六カ月の大規模な総合博、後者は会期三カ月のテーマ博に相当する。ところが、大阪万博の終了後、小規模な特別博は何度か開催されたものの（そのなかには、沖縄海洋博〔一九七五年〕、つくば科学博〔一九八五年〕、花と緑の国際博〔一九九〇年〕と日本で開催された三つの万博も含まれている）、一般博の開催は九二年のセビリア万博の開催までなかった。つまり、二十年もの長い空白が生じたのは、大規模な一般博の開催に十分な大義名分がなかったからである。「万博の時代は終わった」といわれるようになるのは半ば必然的な事態だった。

そうした現実に危機感を抱いた博覧会国際事務局（ＢＩＥ）は、一九九四年の総会で、課題解決型万博への移行という方針を打ち出した。これは、七二年にローマクラブが「成長の限界」[14]を発表し、このままでは百年以内に地球の成長は限界に達するという提言をまとめたことや、同年に国連が「環境」と「開発」に関する最初の国際会議（通称ストックホルム会議）を開始したことなどを念頭に、今後の万博では社会問題への提言を前面に押し出そうという方針の転換だった。

二〇〇五年の愛知万博の基本構想は一九九七年の招致決定から十年近く前までさかのぼる。九四年に愛知県から示された最初の基本構想は、「技術・文化・交流――新しい地球創造」を開催テーマとし、大阪万博の約二倍の約六百五十ヘクタールの会場面積や予想入場者四千万人を想定し、「あいち学術研究開発ゾーン」と「新住宅市街地開発事業」の跡地構想を掲げるなど、その青写真はＢＩＥが打ち出した課題解決型万博とは程遠いものだった。その結果、九六年の立候補にあたっては、「新しい地球創造――自然の叡智（Beyond Development:Rediscovering Nature's Wisdom）」を開催テーマとし、会場面積を五百四十ヘクタールに、予想入場者数を二千五百万人に下方修正するなどの変更をして、九七年に正式に開催が決定してからも、メイン会場として予定されていた海上地区にオオタカの営巣地が発見されたことや、開催テーマの「新しい地球創造」について、会場の跡地利用として宅地造成の新住宅市街地開発事業や道路建設をセットで実施する計画が、ＢＩＥから「万博を隠れ蓑にした土地開発事業」と強く批判されたことで、開催テーマを「自然の叡智」に、メイン会場を愛知青少年公園に変更するなどの措置を講じることになった。招致決定から実際の開催に至るまでの間に生じた多くの混乱が、万博を取り巻く状況の変化に由来していたことは疑う余地がない。

とはいえ、開催前のダッチロールとは対照的に、肝心の展示自体は大阪万博の反復にみえなくもなかった。その印象は、会場風景だけではなく、万博に深く関与していた中沢新一、伊藤俊治、隈研吾といった当時の中堅世代の文化人がいつの間にかフェードアウトし、彼らに代わって過去の万博に携わった経験がある木村尚三郎、菊竹清訓、泉眞也といった年長者の名前が浮上してきた経緯によっても強められている。計百二十一カ国の参加国を地域別のグローバル・コモンに分配し、全体のサーキュレーションをグローバル・ループで確保する手法は確かにスッキリしていてわかりやすかったし、「マルチカルチュラリズム」「グローバリゼーション」といった言葉に象徴される現代性を浮き彫りにする効果もないわけではなかった。だが、小ぎれいな観光写真のパネルを壁にかけ、自国の特産品を陳列する各国パビリオンの展示手法に何ら目新しいところはなかった。これは、最新の高精細映像やハイテク機器を駆使した企業パビリオンについても同様である。会期終了後は瀬戸市の博物館に転用される予定だった谷口吉生設計の日本政府館の建設がとりやめになるなど振るわない話題も多かったし、目玉だった押井守の映像作品や藤井フミヤのカレイドスコープは、率直にいって期待はずれだった。澤田知子、ローリー・アンダーソン、ピピロッティ・リスト、アレハンドロ・ザエラ＝ポロらの興味深い試みこそ散見されたものの、開催から十五年たった現在、それらが回顧されることはほとんどない。大阪万博と同時期に開催され、まったく異質な価値観を提示したことによってその後も長らく語り継がれる「人間と物質」展（「第十回東京ビエンナーレ」、一九七〇年）のような強烈な対立軸も出現することはなかった。「月の石」が大きな目玉の一つになったことに至っては、ただ苦笑するばかりだった。

さらに一言、展示の発想や手法が大きく変わっていなかったのにもかかわらず、実は「環境」という視点とそれが導入される文脈が決定的に変わっていたことにもふれておきたい。周知のように、「自然の叡智」を開催テーマに掲げた愛・地球博では、「環境」は最も重要なキーワードの一つだった。そのため、会場である「海上の森」が名古屋市近郊とは思えないほど豊かな自然に恵まれていることがしきりに強調されてきたし、オオタカ営巣地発見後の会場変更やリニアモーターカーの導入に象徴されるように、自然保護対策には細心の注意が払われてきた。マスコットのモリゾーとキッコロにしても、明らかに森林をイメージしたキャラクターである。これは、多くの観客が各国の物珍しい物産や最先端のハイテク機器をすでに見慣れてしまっている状況では、あえて万博を開催する意義を強調するための苦肉の策と思えなくもなかった。もちろん、一九七〇年の大阪万博ではこのような事態はありえなかった。高度経済成長期のまっただなかに開催された大阪万博は、それからわずか二年後に出版される田中角栄の『日本列島改造論』[15]に象徴される開発至上主義を体現したイベントであり、そこには今日では重要になった「環境」問題が考慮される余地はほとんどなかったからである。

ここで再び、「環境」とは一九六〇年代半ば以降に流行した概念であり、それ以前にはほとんどの人に聞き慣れない言葉だったという椹木の興味深い指摘[16]を参照しておこう。大阪万博では、「環境」という言葉はある程度浸透していたとはいえ、いまとは明らかに違うニュアンスで用いられていた言葉だったという。その証明として引き合いに出されているいくつかの具体例のうち、建築家・浅田孝が万博の前年に出版した『環境開発論』[17]とかつての実験工房のメンバーが多くを占めた美術家集団エンバイラメントの会はとりわけ興味深い。椹木によれば、前者の「環境」は敗戦直後の広島で救助活動にあたったときの経験が大きく反映したポスト建築的な概念であり、一方の後者の場合は実験工房のインターメディア的な共同性を発展的に引き継いだ概念だという。それらのことを踏まえたうえで換言するならば、浅田にとっての「環境」は「復興」や「開発」と、エンバイラメントの会にとっての「環境」は「実験」とほぼ同義だと考えることができるのだ。すなわち、大阪万博を彩った多くの「万博芸術」の実験は、それ自体「環境」をめぐる多様な変奏だったともいえなくもないのである。「環境」はその後の低成長時代に今日の市民になじみ深いエコロジー的な概念へと変質していく。しかし、開発至上主義の象徴的存在であり、今日でいう「環境」問題とはほとんど無縁だった大阪万博が実はまったく別個の「環境」という問題を抱え込んでいたという逆説は、このイベントの記録的大成功の要因をさらにまた別な形態で明らかにしているのかもしれない。

大阪万博の会場だった千里丘陵は現在は万博公園として緑化され、地球温暖化やオゾン層破壊、酸性雨などの環境問題への積極的な取り組みを謳った空間として再生されている。ほとんどの関連施設は閉幕から間もなくして取り壊されてしまったが、「エキスポタワー」や「万博美術館（のちの国立国際美術館）」は二十一世紀初頭まで存在していたし、「太陽の塔」はいまなお健在である。当時を記憶している者のなかには、ここにかすかに残る万博の面影に、ヒトラーやシュペーアが第三帝国の最期に夢想した「美しい廃墟」と通じるものを見いだすのかもしれない。私にとってそれに準じる体験といえば、翌一九七一年に放映された『仮面ライダー』（原作：石森章太郎監督、監督：竹本弘一、NET〔テレビ朝日〕系列）の「死神カメレオン 決斗！万博跡」（一九七一年五月十五日放送）というエピソードで、仮面ライダーがナチスの財宝を狙う死神カメレオンと戦う場面を後年の再放送で見たことだろうか。

写真3-1　愛・地球博記念公園（モリコロパーク）の一角（筆者撮影）

二〇二〇年十一月下旬、私は愛・地球博記念公園を訪れた。ここを訪れるのは、万博が開催されていた〇五年以来のことだった。緑豊かな公園は憩いの場として多くの市民に親しまれているようで、また残念ながら「サツキとメイの家」は修復中のため非公開だったが、公園内には万博に際して建設された施設が予想外に多く残存していて、現在は別の用途に転用されているのを確認することができた。その一つだった旧迎賓館は愛・地球博記念館と改称され、万博の出品物の一部が展示されていた。当時の雰囲気を思い起こし、万博終了後にキッコロとモリゾーが森に帰った会場は速やかに原状回復されて良好な状態が維持されているという報道が正しかったことを実感すると同時に、「廃墟」が残らない宴のあとには希薄な印象しかなかった。「自然の叡智」という愛知万博の開催テーマは正しかったのだろうが、それが当時の万博でどれだけ実現され、また終了後どれだけその問題意識が継承されているのかについて、あらためて考える必要も感じたのである。

　愛・地球博の開会前から、多くの新聞や雑誌には「万博の時代は終わった」という言葉が躍っていた。これらの報道に接して、私は青島幸男東京都知事（当時）が前任の鈴木俊一が長年にわたって開催準備に努めてきた世界都市博覧会の中止を決定したときの騒動を思い出さずにはいられなかった（なお、世界都市博覧会はＢＩＥの認証を受けた万博ではなかった）。確かに、二十一世紀の日本でもはや開発と成長を前提にした万博が成立しえないのは間違いない。「万博の時代は終わった」という言葉自体はまぎれもなく正しい。[18] だがこの言葉が、単にかつての成長を懐古するような感情から発言されているのにすぎないなら、それはあまりに退行的だといわなければならない。多くの問題を投げかけた愛知万博を起点として何よりも考えなければならないのは、過去を懐かしむことでも現在を断罪することでもなく、ならばどのように豊かでグローバルな文化創造の芽を育てていくのかということだろう。それ自体が世界の再現＝表象でもある万博という空間的メディアのありようをどのように捉えていくのか。これは、ミュージアム論の観点からも重要な問題でありつづけている。

11 世博会博物館と大阪・関西万博

愛知万博からすでに十五年以上の歳月が経過している。以後も三度の登録博と三度の認定博が展開されるなど、万博は多様な展開を見せているが、ミュージアム論を扱う本書では二つに絞って取り上げたい。一つは上海で二〇一七年に開館した世博会博物館、もう一つが二五年に開催が予定されている大阪・関西万博である。

まず前者だが、世博会博物館は英語名を World Expo Museum といい、万博の歴史を一望できる、目下のところ世界唯一のＢＩＥ公認のミュージアムである。登録博・認定博を問わず、万博が開催されるたびにＢＩＥは必ず独自パビリオンを設置し、そのなかで万博の歴史の回顧展示をおこなっているため、この博物館の開館はその延長線上に位置するものと考えることができるが、そのための世界初の恒久施設が上海に造られたことは複数の意味で象徴的だった。

上海では二〇一〇年に万博が開催され、半年間の会期で約七千三百万人の観客を動員、それまで大阪万博がもっていた動員記録を大きく更新した。この万博は観客動員だけでなく参加国数、会場面積、事業経費などでも万博史上最高であり、ちょうどこの年に日本を抜いてGDP世界第二位に躍り出た中国の躍進を象徴するイベントとして位置付けられた。四十年前の大阪万博を模倣するかのような開発至上主義はBIEが掲げる課題解決型万博とは相いれない面もあったが、この万博の「成功」は万博での中国のプレゼンスを大いに誇示する結果になった。BIEが世界唯一のミュージアムの建設を中国に対して認めたことも、このプレゼンス抜きには考えられない。

写真3-2　世博会博物館（上海、筆者撮影）

二〇一七年五月に開館した世博会博物館は、上海万博浦西会場跡地にある。私は翌年八月に国際学会に参加するために上海に数日間滞在したとき、学会プログラムの合間を縫って同館を訪れた。四万六千六百五十平方メートルの大規模な施設は八つのセクションで構成されている。入場無料だが、入館者数は一日四千人以下に制限されている。展示スペースは八つの区画からなっていて、時代順に構成されている。

フロア一から三は歴史展示のコーナーで、史上初の万博とされる一八五一年のロンドン万博から二〇〇〇年代の万博まで時代順に紹介されている。各年代の万博に出品された多くのモノを展示し、年表で詳しく紹介しているほか、ロンドン万博の水晶宮をはじめ、パリ万博(一八八九年)のエッフェル塔、ブリュッセル万博(一九五八年)のアトミウム、シアトル万博(一九六二年)のスペースニードル、大阪万博の太陽の塔などは精巧なモニュメントによって再現されている。全体としてＢＩＥの公式見解に沿った歴史展示になっていて、取り立てて中国独自の主張は見受けられない。

フロア四から七は上海万博のコーナーで、大規模なジオラマをはじめ、多くの展示品や映像によって開催当時の雰囲気を再現し、自国のパビリオンでは展示品以外にスタッフのユニフォームなども展示していた。また多くの資料によって、開催に至るまでの経緯や会場の工事、開閉会式の様子が詳しく紹介されていた。

フロア八は上海以後の万博を紹介するコーナーで、ミラノ万博(二〇一五年)を中心に、麗水万博(二〇一二年)やアスタナ万博(二〇一七年)などの様子が紹介されていた。私が訪れた当日はまだ候補都市として紹介されるにとどまっていたが、その後大阪が二〇二五年万博の招致に成功したことは周知のとおりである。

以前『美術館の政治学』で愛知万博について「おそらく日本で開催される最後の登録博になるだろう」と書いた。周知のとおり、その予測はものの見事に外れてしまった。二〇一八年十一月二十三日、ＢＩＥ総会は二五年に開催される登録博の開催都市として、立候補していた三都市のなかから大阪を選出した。この勝利は、当初本命と目されていたパリの立候補辞退という幸運にも恵まれたものだった。新型コロナウイルスの世界的な感染拡大の影響を受けて二〇年秋に開催予定だったドバイ万博が一年延期になるなど、大阪・関西万博が当初の予定どおり開催されるかどうか現時点では不透明だが、ここでは開催計画にミュージアム論の観点から若干の検討を加えてみたい。

二〇一四年七月十四日の大阪府日本万国博覧会記念公園運営審議会で堺屋太一が二五年の大阪万博以降の招致の意向を表明すると、これを受けて橋下徹大阪市長(当時)が招致活動に取り組む意向を示し、具体的な検討がスタートした。大阪府が設置した国際博覧会大阪誘致構想検討会の「世界規模の人口爆発や超高齢化社会がもたらす諸課題などを踏まえ、一九七〇年の大阪万博を継承し、二〇〇五年の愛・地球博を発展継承させるような国際博覧会を二五年の新しいモデルとすべき」という見解に沿って、超高齢化社会に対する提案型の万博を目指すことになった。会場候補地としては、当初は万博記念公園や鶴見緑地（花博の会場）など六カ所が挙げられていたが、のちにリゾート施設の建設予定地だった夢洲が追加された。一六年六月十六日、大阪府は「人類の健康・長寿への挑戦」という構想試案と会場が夢洲に決定したことを発表した。夢洲はかつて大阪が〇八年の夏季オリンピック招致を目指していたとき、そのメイン会場として想定していた場所である。

これを受けて、経済産業省では万博構想をさらに検討し、二〇一七年四月七日に発表した「二〇二五年国際博覧会検討会報告書」では、開催テーマを「いのち輝く未来社会のデザイン（Designing Future Society for Our Lives）」、サブテーマを「多様で心身ともに健康な生き方」「持続可能な社会・経済システム」にすることを発表した。このテーマ・サブテーマは、国連が掲げるＳＤＧｓ達成への貢献と日本の国家戦略であるSociety5.0の実現を目標にするものだった。

後述するようにＩＣＯＭによるミュージアムの定義の変更はＳＤＧｓを念頭に置いたものだが、万博も、その開催計画を立案するにあたってＳＤＧｓを無視することはできなくなっている。少なくとも目標期限の二〇三〇年までその傾向は続き、もはや大阪に限らず、世界中のどの都市が万博の誘致を試みるとしても、開催計画にはＳＤＧｓの視点を盛り込むことになるだろう。ミュージアムは黎明期に万博の影響を大きく受けたものの、その後別個の制度として発展してきたが、いままたＳＤＧｓという共通項を通じて交差しようとしているのである。

注

（1）ヴァルター・ベンヤミン『都市の遊歩者』今村仁司／大貫敦子／高橋順一／塚原史／三島憲一／村岡晋一／山本尤／横張誠／與謝野文子訳（「パサージュ論」第三巻）、岩波書店、一九九四年、三八ページ

（2）私は同展の意義を以下の拙稿で再評価したことがある。暮沢剛巳「「メディアとしての建築」という問題提起」「建

築雑誌」二〇一四年十二月号、日本建築学会

(3) ビアトリス・コロミーナ『マスメディアとしての近代建築――アドルフ・ロースとル・コルビュジエ』松畑強訳、鹿島出版会、一九九六年、一四ページ

(4) 吉田光邦編『万国博覧会の研究』思文閣出版、一九八六年、五ページ

(5) 吉見俊哉『博覧会の政治学――まなざしの近代』(講談社学術文庫)、二〇一〇年、講談社、二六ページ

(6) 例えばThomas McDonough「漂流とシチュアショニストのパリ」(暮沢剛巳訳、「10+1」第二十四号、INAX出版、二〇〇一年)を参照。

(7)「現代建築」創刊号、現代建築社、一九三九年

(8) ヴァルター・ベンヤミン、佐々木基一編集解説『複製技術時代の芸術』(晶文社クラシックス)、晶文社、一九九九年

(9) ちなみにシュペーアは、この「光のドーム」を、「私の最も美しい空間創造であっただけではなく、時代を超えて生き残った唯一の空間創造でもあった」と述懐している。アルベルト・シュペーア『第三帝国の神殿にて――ナチス軍需相の証言』上、品田豊治訳(中公文庫)、中央公論新社、二〇〇一年、一〇八―一〇九ページ

(10) 暮沢剛巳「幻の紀元二千六百年記念万博――開催計画の概要とその背景」、暮沢剛巳/江藤光紀/鯖江秀樹/寺本敬子『幻の万博――紀元二千六百年をめぐる博覧会のポリティクス』所収、青弓社、二〇一八年

(11) ちなみに同日には、一九四〇年に開催予定だった東京オリンピックの「返上」も合わせて閣議決定された。この二つの国家的行事に合わせて構想されていた東京と下関を結ぶ「弾丸列車」構想は、戦後「東海道新幹線」と名を改めて六四年の東京オリンピックの開幕直前に実現される。

(12) この点については、椹木野衣の「大阪万博は、日本国にとって二重の意味で象徴的意義を持っていた。一つは、それが明治維新によって近代化を果たして以来、百年の計を総括する意味を持つということ(=近代化は成功であった、と明示すること)。第二に、紀元二千六百年博に挫折した万国博を「復興」することによって「敗戦」の事実を帳消しにするということ(戦前の帝国主義の栄光は回復された、と言明すること)、以上の二点である」という指摘が示唆に富む。椹木野衣『戦争と万博』美術出版社、二〇〇五年、一四八ページ

（13）同展の詳細に関しては、川口幸也「戦後日本が夢見た世界——万国博美術展、原始美術、太陽の塔」（佐野真由子編『万国博覧会と人間の歴史』所収、思文閣出版、二〇一五年）を参照した。
（14）D・H・メドウズ／D・L・メドウズ／J・ランダース／W・W・ベアランズ三世『成長の限界——ローマ・クラブ「人類の危機」レポート』大来佐武郎監訳、ダイヤモンド社、一九七二年
（15）田中角栄『日本列島改造論』日刊工業新聞社、一九七二年
（16）前掲『戦争と万博』七一ページ
（17）浅田孝『環境開発論』（SD選書）、鹿島研究所出版会、一九六九年
（18）多くの議論があるなかで、一貫して批判的な立場を堅持しながら、企画調整委員として愛知万博に関わった経験がある吉見俊哉の以下の指摘はきわめて的確で本質的なものである。「戦後日本における万博の歴史とは、第一に、知識人たちの理念がくりかえし博覧会協会のちぐはぐなシステムのなかで挫折してきた歴史であり、第二に、会場になった列島の丘陵部や沿岸部とその後背地が、ほかのプロジェクトと連動しながら開発され、その自然景観を変貌させられてきた歴史であり、第三に、そのようにして誕生した代わり映えしない未来都市に、膨大な大衆が自分たちの「豊かさ」を確認する舞台を見いだしていった歴史であった。しかし最後に、そうした歴史の周辺部で、この高度経済成長以来の幻想のシステムを内破していくポテンシャルをもった市民たちが、少しずつ育ってくるもう一つの歴史でもあった」。吉見俊哉『万博幻想——戦後政治の呪縛』（ちくま新書）、筑摩書房、二〇〇五年、二七五—二七六ページ

第4章　MoMAと近代美術

1　新しい美術館の誕生

近代美術館と称する美術館は日本国内だけでも十館以上、世界には数百館単位で存在するが、所在地を特定せずにただMoMA（Museum of Modern Art）とだけ言った場合、ほとんどの人が真っ先に思い浮かべるのがニューヨークの近代美術館のことだろう。一九二九年の夏に設立され、同年十一月八日に五番街のヘックシャービル内に開館したMoMAは、その当初からアートシーンの熱い関心を集め続ける一方、数回に及ぶ増改築を経てそのコンテンツを充実させていった。いまや所蔵作品数は十万点を超え、文字どおりデータベースと呼ぶにふさわしい膨大な量の情報がインターネット上でも公開されている。同館の存在は、近代美術とは何かという問いにも直結するものといえるだろう。

MoMAはどのようにして開館したのか、まずその経緯をたどってみよう(1)。

よく知られているように、MoMAを開館に導いたのはリリー・P・ブリス、コーネリアス・J・サリヴァン、ジョン・D・ロックフェラーという三人の女性である。この三人はいずれも近代美術への関心が非常に高いという共通点があった。一九二八年から二九年にかけてのある日、旅行先のエジプトでブリスとロックフェラーが出会って意気投合し、両者の間で美術館建設の話題が持ち上がる。次いでブリスが以前から面識があったサリヴァンを誘ったことで、美術館建設の話が具体化しはじめる。

三人は開館準備のための理事会を発足させる。理事会は活動資金の積み立て、五番街五十七丁目七百三十番地のヘックシャービル十二階のスペース確保などの準備を進めるが、焦眉の課題が館の運営を取り仕切る館長の人選だった。理事会のメンバーだったポール・ジョセフ・サクスは、アルフレッド・バー・Jrを初代館長として推挙する。バーは、アメリカ・ウェルズリー大学で准教授として教鞭を取っていた二十七歳の美術史家だった。バーでは若すぎるとして不安視する意見もあったが、将来性に期待するとして承認される。いずれにしても、この人物が初代館長に抜擢されたことはMoMAのその後の方向性を決定づけることになった。[2]

写真4-1　現在の MoMA 外観（筆者撮影）

2　初代館長アルフレッド・バー・Jr

アルフレッド・ハミルトン・バー・Jrは一九〇二年にデ

トロイトで生まれた。プリンストン大学と同大学院で美術史を学び、ピエロ・デ・コジモをテーマにした修士論文を仕上げたあと、一時期ハーバード大学で研究生活を送っていた際にサクスの知遇を得る。二七年に二十五歳の若さでウェルズリー大学の准教授に就任し、美術史を講じるかたわら調査旅行や小さな展覧会企画などをおこなっていた。美術史家としては中世や近代の美術を研究対象としてきたバーだが、同時にギャラリー２９１やアーモリー・ショーをはじめとするアメリカの同時代美術にも深い関心を寄せていて、アルフレッド・スティーグリッツ、ジョン・クイン、アルバート・バーンズ、キャサリン・ドレイヤーといった著名なコレクターを訪ねて回り、キュビスムと抽象芸術をテーマにした博士論文を執筆する計画を練っていた。館長就任の打診を受けたのもちょうどそのころだった。彼はこの打診を受諾した。

一九二九年七月、バーはサクスの推薦を受けて開館直前のＭｏＭＡの館長に就任する。就任するとすぐ設立構想の作成に着手し、いくつかの趣意書を発表した。その一つ「ある新しい美術館（A New Art Museum）」のなかには以下のような一節がある。

> アメリカの美術コレクターやパトロンたちの一グループが、重要でパーマネントな近代美術館となるべき施設がニューヨークに設立されることを発表した。五番街のギャラリーで二年間に約二十本の展覧会を開催することが彼らの主たる目的だという。これらの展覧会には、セザンヌから今日に至るまでの――アメリカとヨーロッパの――偉大な近代の巨匠の可能なかぎり完全な展示が含まれることになるようだ。委員会は、作家、コレクター、画商の協力によって、来るべき展覧会のために、第一級の絵画、彫刻、ドローイング、リトグラフ、エッチングが入手可能であることを確信している。その最終的な目標は、時間をかけ、寄贈や購入によって、最高の近代美術作品のコレクションを収集することである。[3]

バーは近代以前の美術がすでに多くの美術館で鑑賞できるのに、近代美術には鑑賞の機会が乏しいとして「近代美術に公平な主張の機会を与える最善の道」を与えるような美術館の必要性を強調している。当時はまだ少なかったが、古典美術と近代美術の補完関係が実現している例として、フランスのルーヴル美術館とリュクサンブール美術館、イギリスのナショナル・ギャラリーとテイト・ギャラリーなどの例を挙げている（日本の東京国立博物館と東京国立近代美術館にも同様の関係を指摘できるかもしれない）。これは、ＭｏＭＡと同じニューヨークにあって古典美術の殿堂として君臨し、バー自身が「偉大な美術館」と認めるＭＥＴ（メトロポリタン美術館）との補完関係を目指すという決意表明でもあった。そのためにバーは、ＭＥＴがコレクションや展示の対象にしてこなかった近代美術、具体的にいえば、セザンヌから今日に至るアメリカとヨーロッパの近代美術の巨匠（モダン・マスター）たちの完全な展示と最高のコレクションの形成をＭｏＭＡの活動目標として掲げたのである。

またバーは、「しばらくすると、ドローイングや版画、近代美術のほかの局面にささげられた部門を含むために、この美術館は絵画と彫刻という境界を拡張することになるだろう」[4]とも語っている。具体的には、「ささげられた部門」とは写真、映像、建築、デザインなどを指すが、従来の美術館がコレクションや展示の対象にしてこなかったこれらの部門を活動の対象に含めるこの方針は、バーがプリンストン大学での学究時代に接していたキリスト教美術について、作品だけでなく関連する資料をも網羅的に収集・分類する「キリスト教美術のインデックス」という考え方に由来するものと考えられる。[5]いずれにしても、バー自身がしばしば「多元的」と称し、また現在にまで継承されることになるＭｏＭＡの運営方針はこの趣意書の時点ですでに予見されていた。

一九二九年十一月八日、ＭｏＭＡは「セザンヌ、ゴーギャン、スーラ、ヴァン・ゴッホ」展によって開幕し、約一カ月の会期で四万八千人の観客を動員した。同展を皮切りに、バーが館長を退く四三年までに開催された展覧会は二百件以上にのぼり、そのうちバーは三十四件の展覧会カタログに寄稿している。このなかでも、館の方向性という観点から特に重要と思われるのが「キュビスムと抽象芸術」展（一九三六年）と「幻想美術、ダダ、シュルレアリスム」展（同年）である。一つずつみていこう。

3 「キュビスムと抽象芸術」展

まず「キュビスムと抽象芸術」展だが、同展のカタログに寄せたバーの緒言では、この展覧会はMoMA開館前の時期にヨーロッパで収集した資料に基づくものだという。絵画、彫刻、写真、建築、映画、ポスター、タイポグラフィなどの各種にわたるその資料は、移転した五十三丁目西十一番地のタウンハウスの会場の四層を埋め尽くすことになった。前述のとおり、バーはウェルズリー大学にいたころに「キュビスムと抽象芸術」というテーマでの博士論文を執筆する計画を立てていた。結局、博論は執筆されることはなかったが、この展覧会にはその構想が投影されていると考えていいだろう。

「キュビスムと抽象絵画」展は、印象派から端を発し、キュビスムを経て抽象芸術へと移行する近代美術の歴史を概観した展覧会である。そのために作成されたのが、過去半世紀の美術の動向をその流れに沿うようにして網羅したあの有名な美術史のチャートである。[6] 館長に就任する以前、バーはウェルズリー大学で「進歩的近代絵画展——ドーミエ、コローから後期キュビスムまで」と題する展覧会を開催したことがあり、この展覧会もそれと同じ意識に立つものと考えることができる。

同展の出発点は、抽象美術を自然との対比で考えようとする姿勢である。例えばカタログに登場する「「抽象的」は「自然」から遠ざかろうとするこの衝動の、より究極の結果を記述するために最も頻繁に使われている言葉である[7]」という一節にその姿勢への呼応を認めることができる。

バーは抽象美術を「純粋抽象」「準抽象」「疑似抽象」「近抽象」の四種に区分している。彼の区分によれば、カジミール・マレヴィッチやワシリー・カンディンスキーは「純粋抽象」、ピート・モンドリアン、ジャン・アルプ、パブロ・ピカソらは「近抽象」に該当するという。常識的には、例えば黒の縦軸と横軸、および白と三原色の矩形だけで構成されたモンドリアンの絵画は、その純度と抽象度の高さによって「純粋抽象」であるように思われるのだが、バーは「実際には海景に基づいている」ことを理由にそうした解釈を退ける。バーによれば、作家たちの自然に対する姿勢や距離が抽象美術としての性格を決定づけるのだという。バーの抽象美術に対するアプローチは、美術史的な解釈と原理主義的なアプローチの双方を含んだものである。この展覧会を組織するにあたってはどちらも不可欠だという意識があったのだろう。

4 「幻想美術、ダダ、シュルレアリスム」展

一方の「幻想美術、ダダ、シュルレアリスム」展は、抽象美術と並ぶ二十世紀美術の重要な動向であるシュルレアリスムの本格的な展覧会である。シュルレアリスムの前身にあたるダダは、第一次世界大戦のさなかにアメリカとヨーロッパでほぼ同時期に生成した動向であり、また一九二四年の「シュルレアリスム宣言」以後の動向も、三〇年代初頭にはアメリカに紹介されていた。従来、これらの動向紹介が作家やギャラリストの主観に依拠していたのを、バーはシュルレアリスムを学問的・実証的なものとして紹介する展覧会を企図し、計六百九十四点の作品と十六本の映画上映からなる圧倒的な数の作品をそろえた展示を実現した。

この展覧会ではカタログの出版が開幕に間に合わなかったため、バーは別刷りのパンフレットに「過去の幻想美術」「原罪の幻想美術と非理性的美術」「シュルレアリスム」「子供と精神異常者の美術」「結論」と五部構成の論考を掲載しているが、以下のとおり、その結論は抽象芸術論と比べて明らかにシャープさに欠け、歯切れが悪い印象が否めない。

われわれは現代の驚異的で非合理的な美術運動を描くことができるのだが、それを評価するには依然として

距離が近すぎる。明らかに、その運動は現在も進展していて、シュルレアリスムの名のもとに、ヨーロッパ、南北アメリカ、それに日本の総計十数カ国で活発に活動していて、装飾や広告のデザイナーといった運動の外部に位置する美術家たちにも影響を与えている。(8)

もっとも、「それが元来、色彩や線、光、影のコンポジションや構成を表現しているからこそ見る価値がある」というバーのシュルレアリスム観を考えれば、シュルレアリスムが合理性を欠いているように映るのも無理からぬことである。結局、バーは当初意図したように論理的な説明には徹することはできなかった。「キュビスムと抽象芸術」展が論理的で形式的な美術に対応しているとすれば、「幻想美術、ダダ、シュルレアリスム」展は非論理的で非形式的な美術に対応するものと考えるべきだろうか。「キュビスムと抽象芸術」展のチャートでシュルレアリスムは最先端に位置付けられていて、以後のバーはまだ本格的な研究に着手していなかった美術の領域へと足を踏み入れていくことになる。

ここで、バーが「キュビスムと抽象芸術」展で発表した美術史チャートについてあらためて確認しておこう。このチャートは一八七〇年代から展覧会の開催された一九三〇年代半ばに至る過去半世紀の近代美術の展開を射程に捉えたもので、縦構図のいちばん上の部分には、日本版画(浮世絵)、総合主義、セザンヌ、新印象主義の四つを近代美術の源流とみなし、それぞれの動向の代表作家にフィンセント・ファン・ゴッホ、ポール・ゴーギャン、セザンヌ、ジョルジュ・スーラの名を挙げている。次の段階では、セザンヌと新印象主義を出発点にする右側の流れは、一九〇〇年代後半でいったんキュビスムに収斂し、そのあとで未来派、オルフィズム、絶対主義、構成主義、ダダ、ピュリスム、デ・ステイル、新プラトン主義、バウハウスなどへと展開し、幾何学的抽象へと至っている。一方、ゴッホやゴーギャンを出発点にする左側の流れは、フォービスムから抽象表現主義(これは一九一〇年前後のミュンヘンの動向を指すもので、戦後のアメリカの抽象絵画の動向とは別物である)とキュビスムとが合流するようにしてシュルレアリスムへと展開している。このチャートのいちばん下は、右側が「幾何学的抽象」、左側が「非幾何学的抽象」の二つに分けて整理されているが、それぞれが「キュビスムと抽象芸術」展と「幻想美術、ダダ、シュルレアリスム」展に対応していることはいうまでもない。バーはこの二つの傾向こそ二十世紀美術の二大潮流と考えていたのであり、それから九十年近くたった現在、その考えがおおむね正しかったことはその後の美術史の展開によっても立証されているといっていい。だがこのチャートはきわめてユーロセントリックな歴史観に依拠していたので、自国の美術については捕捉できていない限界があった。ほかでもないバー自身がその限界を痛切に実感していたことは、以下の一文からもうかがわれる。

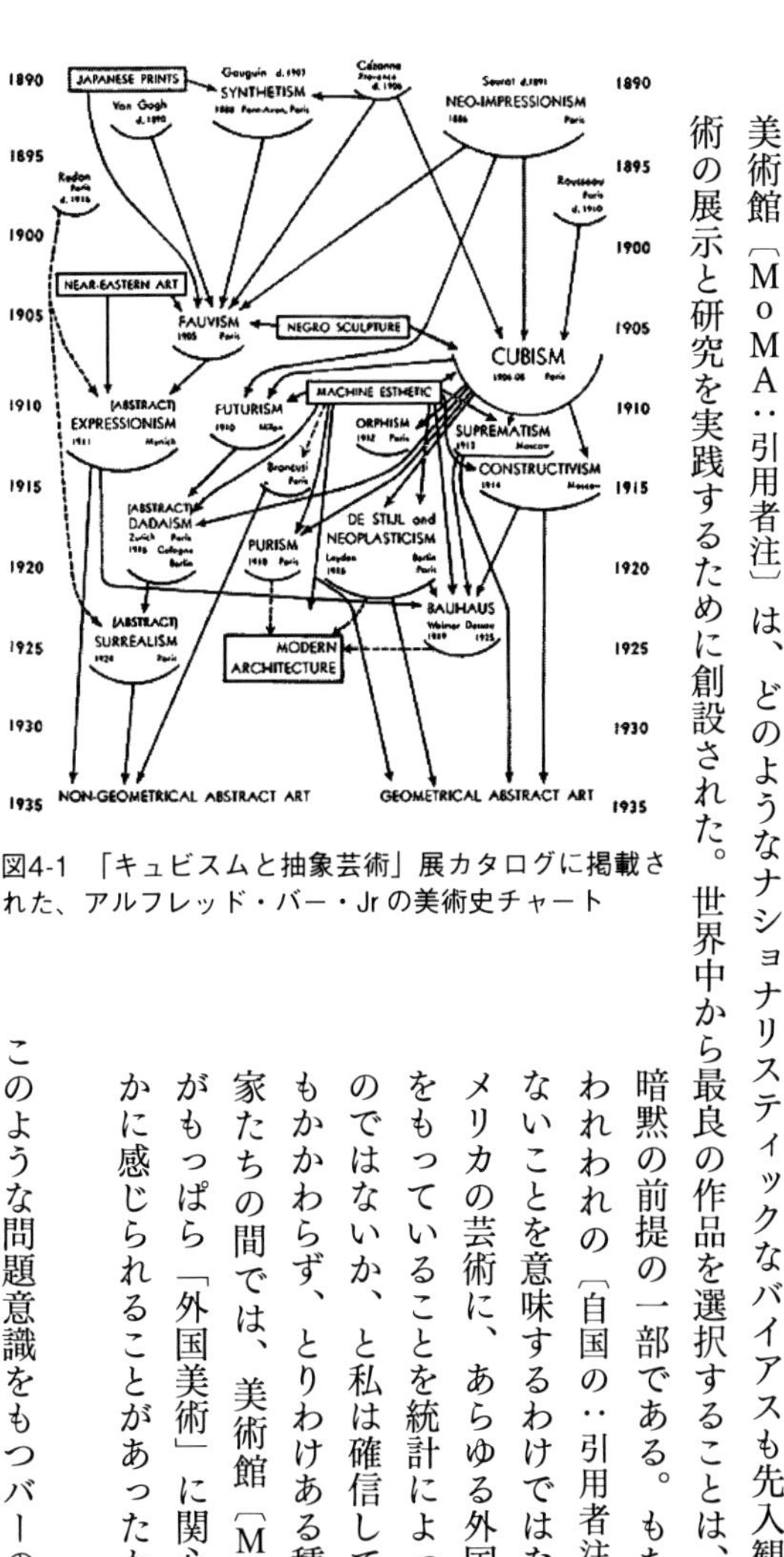

図4-1　「キュビスムと抽象芸術」展カタログに掲載された、アルフレッド・バー・Jrの美術史チャート

> 美術館〔MoMA：引用者注〕は、どのようなナショナリスティックなバイアスも先入観もなしに、近代芸術の展示と研究を実践するために創設された。世界中から最良の作品を選択することは、われわれの政策の暗黙の前提の一部である。もちろんこのことは、われわれの〔自国の：引用者注〕作品が重要ではないことを意味するわけではない。われわれはアメリカの芸術に、あらゆる外国の芸術以上に関心をもっていることを統計によって明らかにできるのではないか、と私は確信している。この事実にもかかわらず、とりわけある種のアメリカの芸術家たちの間では、美術館〔MoMA：引用者注〕がもっぱら「外国美術」に関心をもっていると確かに感じられることがあったかもしれない。(9)

このような問題意識をもつバーの次なる関心が自国

の美術、すなわちアメリカ美術へと移行していくのは必然的なことだったが、それが具体的な成果として実を結ぶのは第二次世界大戦後のことだった。

5 拡張するコレクション

ここで美術館のもう一つの柱であるコレクションに目を向けてみよう。ＭｏＭＡはもともとコレクションも財源もない、わずかな寄贈作品だけの美術館として産声を上げた。それから間もなく、一九三一年に創設者の一人ブリスが亡くなり、そのコレクションが遺贈される。現在は最大の目玉の一つに数えられるピカソの『アヴィニョンの娘』は、三九年にブリスのコレクションだったドガの絵画を売却した資金を元手に購入したものだった。バーが三三年に「コレクション構築のための長期計画」を起草し、三四年には初のコレクション展である「近代美術作品」展を開催、三六年には「パーマネント・コレクションの地位に関する近代美術館のポリシー」を起草し、美術館のコレクションの方向性を決定づけていく。しかし、アメリカ美術や美術館建築に対する考え方の違いからバーと理事会の間には徐々に波風が立ち始め、やがて理事会は公然とバーを批判するようになる。結局、第二次世界大戦のさなかの四三年九月にバーは理事会から館長と絵画・彫刻部門のキュレーターの解任を通告され、十一月にはこれを受け入れて館長を辞任した。かわって相談役に就任以降、バーは調査部長の肩書でコレクションに関与しつづける。ＭｏＭＡ開館当時、バーはこの新しい美術館の最終的な目的を「近代芸術の最良の作品群からなるコレクション」を形成することだと明言していた。もともとバーの最大の関心事は近代美術のコレクションの拡充にあり、館長から退いて多くの雑務から解放されたことによって、バーのコレクション活動はかえって活発さを増すことになったのである。

一九三一年の時点で、ＭｏＭＡが所有していた主たるコレクションは絵画、版画、素描計百十六点にすぎなかったが、それらのなかにはセザンヌの『入浴する人』『松と岩』『りんごのある静物』、ゴーギャン『月と大地』などが含まれていた。四〇年の時点で、ＭｏＭＡのコレクションは素描五百十九点、版画千四百六十六点、写真四百三十六点、映画千七百点、絵画百六十九点の総計二千五百九十点に増えた。その後コレクションは六〇年には総計一万二千点、バー退任後の八〇年の時点で総計五万二千点まで拡大した。さらに二〇一二年の時点では、ＭｏＭＡは素描六千点、版画・挿絵五千点、写真二万五千点、映画二万点、絵画三千二百点、建築デザイン二万四千点を所有するに至っている[10]。

現在のＭｏＭＡのコレクションの中核をなす作品の多くは第二次世界大戦直後に購入されたものであり、それらのなかにはアンリ・マティスの『青い窓』、ゴッホの『星月夜』、モンドリアンの『ブロードウェイ・ブギウギ』などが含まれている。それらの作品の多くは、ナチスの「退廃芸術」キャンペーンでヨーロッパから流出したものや、多くのアーティストやギャラリストのアメリカ亡命によってもたらされたものだった。この時代のヨーロッパを襲った悲劇は、皮肉なことにＭｏＭＡにとっては自館のコレクションを豊かにする幸運として作用したのである。

比較的近年でも、一九八九年にはゴッホの『郵便配達人ジョセフ・ルーラン』、九五年にはゲルハルト・リヒターの連作『１９７７年10月18日』、二〇〇三年にはジャスパー・ジョーンズの『Diver』などの作品がコレクションに加わっている。

ＭｏＭＡのコレクションの多くは、著名なコレクターからの寄贈や遺贈によるものだ。代表的なところではルイーズ・ラインハルト・スミス、フローレン・メイン・シェーンボーン、デヴィッド＆ペギー・ロックフェラー、エレーヌ・ダーンハイザー、アグネス・グンド、ロナルド・スティーヴン・ローダー、ウッドナー・ファミリー、リリー・Ｐ・ブリス、ウィリアム・ペレイ、ゴードン・ブンシャフト、シドニー＆ハリエット・ジャニス、メリー・シスラー、ジョン・ヘイ・ホイットニー夫妻、そして後述のフィリップ・ジョンソンらが挙げられる。

6　MET、ホイットニーとの協定と「近代美術」の拡張

ニューヨークには以前から古典美術の殿堂であるMETが君臨し、また一九三一年にはMoMAにわずかに遅れてホイットニー美術館が開館した。ホイットニー美術館はガートルード・ヴァンダービルト・ホイットニーによって開館した美術館で、アメリカ美術を中心のコレクションや運営方針にはMETともMoMAとも異なる特徴がある。戦後間もない四七年に新設のコレクションズ部長に就任したバーは、METとホイットニーとの間で相互協定を締結した。この協定は「棲み分け」を目的にしたもので、要点は以下のとおりである。

1、MoMAとホイットニー美術館が現存のアメリカ作家の作品の購入を続けること
2、MoMAとMETとの間で、相互協定関係が樹立されること
3、MoMAはMETに、MoMAのコレクションから、時代を経た絵画と彫刻作品を購入する選択権を与えること。METは交友の支払いを速やかに行うこと
4、MoMAは、もし希望するなら、その後十年間当該作品をとどめて置く権利を保持すること。その間に、METから受け取った代金を新しい作品購入のために使うこと
5、METは当該作品がMETコレクションに編入されたあとも、MoMAに、最初に当該作品を寄付した寄贈者の名前を同館の将来発行されるカタログに記載すること(11)

この協定に従ってMoMAはコレクションの一部をMETに売却し、その資金を自館の収集方針に即した作品の購入にあてることになる。だがこの方針は、一九五三年にMETとの協定が失効したことによって撤回され、

「MoMAはより近代的な作品を購入するための、古典的な作品のほかの機関への売却を中止し」「その代わり、近代美術館は十九世紀後半に始まる近代の名作を、公衆の知識と喜びのために恒久的に展示すること」へと変更される。なぜ変更したのか、その理由は公的なものとしては記録が残されていないが、以前の協定に従った運営では、現在のコレクションに含まれる多くの名作が時間の経過とともに館外に流出することを理事会メンバーが危惧したものと思われる。だがこの方針の変更は、MoMAの活動の根幹である「近代美術(モダン・アート)」の定義にも大きく関わってくる。結局、この方針の問題は五六年に「MoMA名作のパーマネント・コレクションのためのポリシー委員会」の決議文として最終的に決着した。その一部を抜粋すると、

1、MoMAの理事会は、近代美術の名作のパーマネント・コレクションの樹立を確認する。
2、名作のパーマネント・コレクションは、近代美術館の一般コレクションから選定された作品からなる。また理事会により、適宜、承認された作品を追加することができる。
3、一般に、名作のパーマネント・コレクションは、十九世紀半ば以前に制作された作品は含まない。
4、名作のコレクションは、この国の他の偉大な美術館のコレクションと同程度の恒久性を持つだろう。名作のパーマネント・コレクションへの寄贈作品として受け入れられた作品はもし従う条件があるとすれば、寄贈者により本来、明記されたその条件に従う以外、そこから排除されてはならない。
5、そのパーマネント・コレクションから、いかなる美術作品も排除されてはならない。また、美術館理事会の四分の三の承認、続く事務局の承認なしには、名作のパーマネント・コレクションに適用される諸々のポリシーに対して、いかなる実質的変更も与えてはならない[12]。

となる。この決議文によって、MoMAによる近代美術の定義は事実上「十九世紀半ば以降の美術」として固定されることになった。

また大きな問題になったのがアメリカ美術の扱いである。MoMAはもともとヨーロッパの近代美術を活動の核に据えてスタートした美術館だが、開館から十年あまりが経過した一九四〇年の時点での「作家の国籍によるコレクションの分類」では、アメリカ美術が半数近くを占めるようになった。自国の美術がコレクションの多くを占めるのは当たり前とも思えるが、厄介なことにこの現実は、ヨーロッパ美術を中心にする「キュビスムと抽象絵画」展や「幻想美術、ダダ、シュルレアリスム」展との矛盾をはらむものだった。これはルーヴル美術館の章で論じた「広域美術」の問題がまったく違った形態で出現したものでもあり、最大の比率を占めるアメリカ美術のコレクションをどう位置付けるかはMoMAにとって喫緊の課題だった。

第二次世界大戦終結から間もない一九五〇年代初頭、アメリカの東海岸を中心に抽象表現主義が台頭する。巨大なキャンバスや地と図の区別がない均質な画面などを特徴とするこの抽象絵画の動向の影響力はアメリカ一国にとどまらない大きなものだった。バーはかつて一〇年前後のミュンヘンの抽象絵画の動向を指していた言葉をこの新たな動向を示すものとして転用し、「幾何学的抽象＝第一の抽象」「シュルレアリスム／有機的抽象＝第二の抽象」に引き続き、この動向を「第三の抽象」とみなし、以後のMoMAの展覧会やコレクションの大きな柱の一つとして位置付けた。開館以来のヨーロッパ美術偏重の図式は、「第三の抽象」の出現によって一変したのである。バーの関心はさらに次の世代に向けられていて、一九五〇年代後半にはジャスパー・ジョーンズやフランク・ステラらの活動に着目しはじめる。これは後述するように、MoMAの施設の改築とも深く関わっていた。

一九六七年、バーは六十五歳にして三十八年間にわたって在籍したMoMAを退職する。その三年前に落成した新施設でおこなわれた絵画・彫刻の展示が最後の仕事だった。バーの退職後の一九七五年から八八年にかけてMoMAの絵画・彫刻部長を務めたウィリアム・ルービン（「二十世紀におけるプリミティヴィズム」の企画者）はバーを「天才」と形容し、その手腕を絶賛していた。とはいえ、バーが進めてきたコレクションは資金やコンセンサスなど様々な制約の下でおこなわれたため、多くの弱点や欠落をはらんでいた。その弱点や欠落は、在籍末期の六四年におこなわれたコレクションの常設展示によってようやく埋め合わされることになったのである。バー以後のＭｏＭＡの歩みは、ハードとソフトの両面で近代美術の定義を更新する試みになっているともいえる。

７　現代美術の司令塔

バーのキャリアをなぞるようにしてＭｏＭＡの足跡をたどってきたが、その活動はやはり第二次世界大戦の前後で大きく変化した印象がある。「キュビスムと抽象芸術」展や「幻想美術、ダダ、シュルレアリスム」展に代表されるユーロセントリックな視点は、戦後にはアメリカ美術を中心にする視点へと大きく再編成された。とはいえ、この両者の間に認められるのは「断絶」ではなく「継承」である。ジャクソン・ポロックやバーネット・ニューマンらが傑出した絵画的成果を実現し、またクレメント・グリーンバーグのフォーマリズム批評によって理論的擁護の後押しを受けた一九五〇年代の抽象表現主義は、まさに戦前のヨーロッパの抽象美術の継承者にあたるもので、であればこそ、バーはこの動向を「第三の抽象」と呼んだのである。質的にも理論的にも、同時代のヨーロッパ美術を凌駕していたこの運動は、まさしく「アメリカ美術の勝利」を象徴するものであって、前線基地であり総司令部の任を負ったＭｏＭＡの地位と影響力を高めるものだった。こういった認識が、多くの美術関係者の間で共有されていることは確かである。

だが、ことはそれほど単純なのだろうか。なるほど、フランス人の美術史家が、「第二次世界大戦後、美術の世界ではアメリカで前衛芸術が誕生・成長したことによって、数年ののちには西洋文化の中心地はパリからニューヨークへと移転することになった[13]」と断言するほどなのだから、この定説は確かに強固なのだろう。もちろんここで美術史上の「定説」を覆そうという大それた野心などないが、多くの点で画期的な美術館とみなされるＭｏＭＡの位置を明らかにするためには、ほかにも何本かの補助線を導入して考察する必要があるように感じられることもまた事実である。

ＭｏＭＡにはほかにもいくつかの画期的な性格が挙げられる。その一つが立地条件で、開館から三年後の一九三二年以降、現在に至るまでＭｏＭＡの拠点になっている五十三番街は、ニューヨーク市街のなかでも活気があるミッドタウンに属する地域である。美術館の建設が都市のゾーニング事業としての性格を強くもつことはすでに第2章でも検討したとおりだが、ＭｏＭＡの立地の選択は明らかに、セントラルパークの東端にあった古典美術の殿堂メトロポリタン美術館との「棲み分け」を強く意識した結果でもあった。区画が厳格に整理され、厳しい建築法規によって規制があったなど諸条件で制約を負っていたＭｏＭＡの立地は、別の必然性に基づいて意図的に選択されたものだったのである。

8　ジャンルの再構成

だが、ＭｏＭＡの独自性が最も強くうかがわれる側面としては、開館以来いまに至るまで一貫している独自の運営方針を挙げなければならない。「キュビスムと抽象芸術」展や「幻想美術、ダダ、シュルレアリスム」展についてはすでに検討を加えたので、ここではＭｏＭＡのもう一つの特徴である新しい領域についてみていこう。「キュビスムと抽象芸術」展のカタログに掲載されている独自の系統図（図4－1）を再度確認しておきたい。この図のなかで、四角で囲まれた五つの要素（JAPANESE PRINTS/NEAR-EASTERN ART/NEGRO SCULPTURE/MACHINE ESTHETIC/MODERN ARCHITECTURE）は、いずれも従来の美術館では展示の対象とされてこなかった表現領域であり、これらを新たな文脈として芸術の系統に編入しようとする意図には、ニューヨークを、ひいてはこの美術館を新しいアートの発信拠点にしようという強い意気込みが感じられる。

私は、ＭｏＭＡの先駆性は最後の MODERN ARCHITECTURE の部門で最も力強く発揮されていたように思う。ＭｏＭＡに建築・デザイン部門が設置されたのは開館間もない一九三二年のことで、もちろん美術館史上でも類例がない試みだった。以後、ＭｏＭＡは、斬新な企画に基づく展覧会を次々と打ち出して建築・デザイン概念の発信拠点としての地位をゆるぎないものにしていくのだが、なかでもとりわけ重要な例として挙げられるのが「インターナショナル・スタイル」である。この展覧会を検証するうえで、バーと並んで取り上げるべきもう一人のキーパーソンがフィリップ・ジョンソンである。

9　フィリップ・ジョンソン――もう一人の大立者

フィリップ・ジョンソンはＭｏＭＡのトップに立つことこそなかったものの、開館当初からバー以上の長い期間にわたってＭｏＭＡの活動に関わり、キュレーターとしてはもとより建築家、コレクター、果ては政治活動家としても知られている人物だ。その波乱に満ちた九十九年の生涯はフランツ・シュルツやマーク・ラムスターの浩瀚な評伝によっても知られるとおりであり、本書でもこれらの評伝を参照しながら議論を進めよう[14]。

ハーバード大学で哲学を学んでいたものの挫折したジョンソンは、次なる人生の目標を建築に定め、一九二〇年代の終わりにヨーロッパに古典主義建築を見聞する旅に出る。幸いにして父から譲り受けた株が高騰して巨万の富を得たために当面の生活費に不自由しなかったジョンソンは、ヨーロッパから戻ってきてほどなく、旧知のバーの誘いに応じて開館間もないＭｏＭＡに最初はアドバイザーとして、次いでキュレーターとして関わるようになる。

キュレーターになったジョンソンが初めて企画したのが、一九三二年の「モダン・アーキテクチャー」展である。これはＭｏＭＡにとっても初めての建築展だった。展覧会企画は『近代建築[15]』の著者だった建築史家ヘンリー＝ラッセル・ヒッチコックとジョンソンの共同で、バーが両者をサポートするようにして実施された。「モダン・アーキテクチャー」を代表する建築家としてジョンソンがリストアップしたのはフランスのル・コルビュジエ、オランダのヤコーブス・ヨハネス・ピーター・アウト、ドイツのヴァルター・グロピウスとミース・ファン・デル・ローエの四人のヨーロッパ人と、ノーマン・ベル・ゲッデス、モンロー&アーウィン・バウマン兄弟、レイモンド・フッド、ハウ・アンド・レスケーズ事務所、そしてフランク・ロイド・ライトの五組のアメリカ人だった。ミースの信奉者であると同時にアメリカ建築に対して批判的だったジョンソンの好みがよく表れた人選だが、工業デザイナーだったゲッデスを加えるなど、企画には意図の不明瞭な点も散見された。ヨーロッパの四人の人選からもわかるとおり、この展覧会はモダン・アーキテクチャーの核をシンプルさや禁欲的表現にみる試みだったため、アメリカ建築界を代表する大物だが、世代も上でステンドグラスを多用するなど作風が異なるライトを加えるかどうかで議論は紛糾した。結局、出品は認められたものの、ジョンソンとヒッチコックはカタログとは別にライトを除外した『インターナショナル・スタイル』[16]という本を出版してスタイルの一貫性を強調することで決着した。[17]展覧会終了後もこの本が販売されたことによって、後年は「インターナショナル・スタイル」という呼称が定着する。この展覧会によって写真、図面、模型などを展示する建築展のスタイルが確立され、展覧会終了後にMoMAに建築部門が設立される。その責任者はもちろんジョンソンだった。

次いでジョンソンが企画したのが一九三三年の「オブジェクト――一九〇〇年と今日」展である。これはアール・ヌーボーやバウハウスのオブジェクトを巧みに配置した展覧会で、満足な予算やコレクションもないなかで、自前のコレクションやロックフェラーのコレクションを借りて実現した。この展覧会の成功で理事の信用を得たジョンソンは、翌三四年に大規模な展覧会の実現に漕ぎ着ける。「マシン・アート」展である。

三月三日の「マシン・アート」展開幕初日、会場を訪れた観客の多くは唖然としたはずだ。会場に展示されていたのは、ビーカー、レジスター、丸鋸、ディクタフォン、香水瓶、鍋、バネ、オーブントースター、ワッフル・メーカー、望遠鏡、掃除機、歯科医用のX線機器など、常識的には美術館には展示されるはずがない品々であり、入り口には、アルミニウム製の飛行機プロペラを固定した大きな展示ケースを設置する念の入れようだった。マルセル・ブロイヤーのパイプ椅子など著名な作品もあったが、その大半はアノニマスな量産型の工業製品であり、この展覧会がそこに焦点を合わせていたことは「手作りの精神は機械技術にギアを合わせた時代にフィットしない[18]」というカタログの一文からも明らかである。

もちろん、これは単なる工業製品の展示ではない。美術館の展覧会で展示されることを前提にして、これらの品々は「美しい」がために選ばれたのである。機械に美をみる精神はイタリアの未来派などの先例が認められるものの、これだけ大規模な展示は前例がない。ジョンソンはヨセフ・アルバースの協力を得て作成したカタログに寄稿したテキストで、この展覧会がプラトンの『ピレボス』から着想したことを強調するなど、展示には様々な工夫を凝らし、美術館も広報に大いに力を入れた。当然のように展示は賛否両論を呼んだが、この展覧会を実現したジョンソンの手腕は高く評価された。

だがジョンソンは、いくつかの展覧会の成功によって築いた名声をあっさりと捨て去ってしまう。ヨーロッパ旅行中に立ち寄ったドイツで台頭しつつあったナチスの熱気にふれたジョンソンはそれに強く感化され、一九三六年にMoMAを辞職して政治運動に身を投じたのである。選挙にも立候補したが落選し、危うく難を逃れたものの、一時はFBIにも訴追されかけた。

政治に挫折したジョンソンは、建築家として再出発することを選んだ。古典主義的な建築教育を毛嫌いしていたこともあり、大学進学時には建築学科を選択しなかったジョンソンだが、一九四〇年になって大学院への入学を決意する。母校ハーバードが三六年に近代的なカリキュラム編成のデザイン大学院を設立し、翌三七年にヴァルター・グロピウスとマルセル・ブロイヤーを教授として招聘したことがきっかけだった。すでに社会的な名声を得ていたジョンソンにとって三十四歳での大学復学には複雑な思いがあっただろうが、結果的に復学によって得た経験や人脈が彼にとって後半生のキャリアの財産になった。建築家としてのジョンソンは、四九年の自邸「ガラスの家」を皮切りに多くの作品を発表し、七九年にはこの年から始まったプリツカー賞を受賞するなど多くの実績を上げるのだが、ここではMoMAとの関わりに絞ってみていこう。

大学院を修了したジョンソンは戦後になってMoMAに復帰する。辞職後もバーとの交流を継続し、定期的にコレクションを寄贈するなどで関係を保っていたことが功を奏したのだ。当時、建築部門の責任者はエリザベス・モックが務めていたが、ジョンソンは彼女と共同で一九四六年には早速、アメリカでは初めてになるミースの個展を企画した。その後、戦後のミースのアメリカでの代表作になるシーグラム・ビルの設計にも深く関与する。

一方、ジョンソンは、建築家としてもMoMAに関わり続けた。MoMAの建築の歴史を手短にたどりながら、ジョンソンがどのようにして関与してきたのかをあわせてみていこう。

前述のように、MoMAは一九二九年十一月七日、五番街五十七丁目七百三十番地のヘックシャービル十二階で産声を上げた。美術館のウェブサイトでも紹介されているが、このビルは何の変哲もない建物だった。それから間もない三二年にMoMAは現在の場所に移転したが、ジョンソンがMoMAの建築に最初に関わったのは三九年の増築時である。ミースの信奉者だったジョンソンはこの増築をミースに委ねることを熱望したが、理事会はその意見を受け入れず、増築はエドワード・ダレル・ストーンとフィリップ・リッピンコット・グッドウィンに委ねられた。この建物は大理石の外壁や展示室の採光のための大ガラス窓などが特徴の典型的なモダニズム建築であり、床面積にして約一万平方メートル、図書室やガーデンを有するなど、現在のMoMAの基幹部分にもなっている。ちなみに館長だったバーもまたこの建物を好まなかったことから批判的なレポートを発表、それが数年後の解任の遠因にもなった。

次のチャンスは一九五一年にめぐってきた。グレイス・レイニー・ロジャーク記念棟と呼ばれる部分の増築をジョンソンは自ら手掛けることに執着し、無報酬でこの仕事を引き受けた。鉄骨とガラスを多用したミース風のそのデザインは、同じ機能主義建築でありながら隣接するグッドウィン&ストーンのデザインとはまったく異質である。バーの悲願でもあった彫刻庭園が増築されたのもこのときだ。さらにジョンソンは、五九年に始まった開館三十周年基金調達運動を経て六四年に自らがデザインした東翼ギャラリー、東ガーデンテラス、ガーデン翼棟を増築する。

写真4-2　MoMA の彫刻庭園（筆者撮影）

多くの展覧会や二度にわたる増改築を経て、専用の事務所を館内に設けるなど、MoMA内部での権力基盤を固めたジョンソンだが、絶えず批判も付きまとった。やはり一時期ファシズムに深入りした過去に対する拒絶反応は相当に根強いものがあり、それを理由に作品の寄贈を断るコレクターもいた。にもかかわらずジョンソンが強い影響力を保っていられたのは、キュレーターや建築家としての手腕や実績に加え、彼が館に二千点以上の作品を寄贈した大口のコレクターでもあることが決定的だった。代表的な寄贈作品としては、オスカー・シュレンマーの『バウハウスの階段』、ジャスパー・ジョーンズの『階段』、ロバート・ラウシェンバーグの『ファースト・ランディング・ジャンプ』、アンディ・ウォーホルの『ゴールド・マリリン・モンロー』などが挙げられる。

盟友バーがMoMAを去り、時の流れのなかでジョンソンのポジションも少しずつ変化していった。一九七六年に決定された開館五十周年記念の増築では評議会の決定によってジョンソンは設計者から審査員に回ることになり、三組の最終候補のなかから彼が支持したシーザー・ペリが当選し、一九八三年に竣工した。現時点でのMoMAの性格の多くは、新館建設を柱にしたこのときの増築によって規定されている。企画展スペースが地階と一階、絵画・彫刻が二階と三階、写真・ドローイングが二階、建築・デザインが四階に振り分けられたこの施設は、展示面積にしてそれ以前の二倍に達する大規模なものだった。もちろん、フロアがセクションごとに振り分けられているからといって、総数十万点にも及ぶその膨大なコレクションが相互にディスコミュニケーションなまま死蔵されているわけではない。この新館には、設計者であるシーザー・ペリが導入したガラスのエスカレーター空間によって明るい採光が確保されていて、館内の展示物を見て回るためにこのガラスの空間を上下動する体験は、まさしく二十世紀美術の「過去」と「現在」の往還に例えられる。きわめて透明度が高く、しかも網羅的でオンラインによる検索が可能なそのディスプレーは、やはりデータベースと呼ぶのにふさわしいことが実感される。これは、MoMAが「展示価値」を最も典型的に体現した空間であるという当たり前の事実が再認識される瞬間ともいえるだろう。また実は、MoMAのライバル的存在であるポンピドゥーに関しても、施設のコンペで審査員を務めたときに当選したリチャード・ロジャースとレンゾ・ピアノの案を熱烈に推したという。

AT&Tビル（現ソニービル）でポストモダニズムの建築家としての評価（悪名）を決定づけたジョンソンが、MoMAのキュレーターとして最後の貢献は一九八八年に開催された「脱構築の建築展」だろう。「脱構築」とはフランスの哲学者ジャック・デリダが提唱した概念で、二項対立からの脱却などの様々な意図が秘められているが、当時の建築界ではこの概念を構成主義と組み合わせ、ポストモダンな建築デザインへと翻案する試みが盛んにおこなわれていた。若手理論家のマーク・ウィグリーのサポートを得て実現したこの展覧会にはピーター・アイゼンマン、フランク・オーウェン・ゲーリー、コープ・ヒンメルブラウ、ザハ・ハディド、レム・コールハース、ダニエル・リベスキンド、ベルナール・チュミが参加した。

ジョンソンは「トランプ・インターナショナル・ホテル・アンド・タワー」の改築時のファサードのデザインを担当するなど、実業家としても知られるドナルド・トランプ前アメリカ大統領の重要な顧客の一人でもあり、それもあって「アメリカの風景を薄っぺらにしたビジネスマン」と酷評されることになった。だが長年にわたってMoMAに関わり、二度の増改築と多くの展覧会企画を手掛け、多くの作品を寄贈した貢献は今後も長らく記憶されなければならない。

10　自国中心主義的な視点

ジョンソンの軌跡を一通りたどったところで、彼が提起した「インターナショナル・スタイル」についてあらためて考えてみたい。「インターナショナル・スタイル」は、ＭｏＭＡに建築・デザイン部門が設立されてからいちはやく提唱されたデザイン概念である。バーの命を受けて画期的な近代建築の展覧会を組織する必要に迫られたジョンソンとヘンリー＝ラッセル・ヒッチコックの二人は、一九二〇年代のヨーロッパで広く流行していた機能主義建築に注目し、そのエッセンスを「ヴォリュームとしての建築」「規則性」「装飾付加の忌避」の三点に見いだして、それをまったく新たなモダニズムのデザイン概念として再構成しようとしたのだった。総計十五カ国・四十人の建築家が一堂に会したこの展覧会は、正式には「モダン・アーキテクチャー――国際展」という名称が冠されていたが、いまではその主要コンセプトであり、また同時出版されたテキストの書名でもあった「インターナショナル・スタイル」のほうがより広く人口に膾炙している。[19]

「インターナショナル・スタイル」の提唱が見事な成功を収めたことは、以後の建築・デザイン史にこの概念が深く浸透していった様子からも容易に察することができるわけだが、そもそも気がかりなのは、なぜ二人がヨーロッパ生まれの機能主義建築を紹介するにあたって、既存のものとは別の文脈を用意し、それに「インターナショナル・スタイル」という名称を与える必要に迫られたのか、ということである。

その答えは、機能主義的なデザイン原理から社会的・政治的側面を極力排除して、純粋に形式的・美学的な分析として提唱された「インターナショナル・スタイル」の由来に潜んでいる。だからこそ、「インターナショナル・スタイル」はル・コルビュジエを中心にした編成のなかに、まったく異質なフランク・ロイド・ライトを組み込み、モダニズムと地域性の関係を希釈して、従来の機能主義建築とは一線を画そうと腐心している。こうして、「インターナショナル・スタイル」が志向した幾何学的秩序は、アメリカ発のデザイン原理として、その後も長らくモダニズム芸術観を支配しつづけることになった。ジョンソンとヒッチコックにこの展覧会企画を委ねたバーは、カタログの前文でル・コルビュジエ、ミース、グロピウス、アウトを中心にした建築家の顔ぶれに「いかなる国民的な特性」も見いだしがたいことと、彼らの建築が古代ギリシャ、ビザンチン、ゴシックなどと同様の独創性や世界的な広がりを有していることを指摘している。「国民的な特性」の欠落と「世界的な広がり」、まさしくこの二点はインターナショナル・スタイル＝国際様式の要諦といえるだろう。ある意味では、「インターナショナル・スタイル」のデザイン原理は、その直後に隆盛を迎えたファシズム建築と紙一重の関係にあるとさえいえるかもしれない。

ＭｏＭＡが近代建築展を開催した大きな目的は、建築ではアメリカが主導的な立場にあることを示すことにあったのは疑いない。絵画や彫刻でヨーロッパに後れを取っていることを自認していたバーは、まず建築で優位性を示し、それを絵画や彫刻にまで波及させようとしたのではないか。そう考えると「キュビスムと抽象芸術」のチャートに「近代建築」が居場所を確保している事実にも合点がいくし、その戦略は第二次世界大戦後にほどなく抽象表現主義が隆盛を迎えることによって的中する。

11　その後のＭｏＭＡ

ＭｏＭＡは現在に至るまで精力的な情報発信を続けている。近年の展覧会から二つ例を挙げておこう。一つは一九八四年に開催された「二十世紀におけるプリミティヴィズム――「部族的」なるものと「モダン」なるものとの親縁性」展である。サブタイトルに明らかなように、この展覧会は西洋の近・現代美術とアジア・アフリカの彫像や仮面を併置することで、両者の造形上の共通点を浮かび上がらせることを意図していた。展覧会を企画したウィリアム・ルービンはその共通性を親縁性（affinity）という言葉で説明していたが、会場にはゴーギャン、ピカソ、マティス、コンスタンティン・ブランクーシ、アルベルト・ジャコメッティ、ヘンリー・ムーアから戦後のランド・アートに至る約百五十点の近・現代美術と、アフリカやオセアニアの仮面や彫像約二百点が併置される壮観な展示が実現した。この展覧会は大きな議論を呼び起こしたが、人類学者のジェームス・クリフォードはアフリカ・オセアニアに数多ある造形のなかから近・現代美術に関連するものだけを抽出しようとしたことを指摘し、同展は「世界を自らのもとに収集しようという西欧近代の際限がない欲求と力を示すものにほかならなかった[20]」と批判した。確かに、美術作品のキャプションには必ず作者名や制作年代を明記しているのに、なぜ民族博物館の資料展示はそうではないのか。なぜ、非西洋圏のモダニズムは語られず、伝統に生きる人々の存在ばかり強調されるのか。クリフォードの批判はある種の「搾取」をあばき出すものだった。同展以後、類似した意図をもつ展覧会が開催されるたびに、この批判は繰り返し参照されることになる。同展から五年後の八九年にポンピドゥー文化センターで開催された「大地の魔術師たち」展もその一つだ。

一方、二〇一二年から一三年にかけて、「抽象を発明すること――一九一〇年～一九二五年」という展覧会が開催された。いうまでもなく、これは前述の「キュビスムと抽象芸術」展で示された抽象の枠組みを再考する試みであり、そのキーパーソンとして、展覧会から百年ほど前にヨーロッパの諸都市を拠点に活躍していたカンディンスキー、フランチシェク・クプカ、フランシス・ピカビア、ロベール・ドローネという四人の作家名が挙げられていた。抽象の系譜は、その後マースデン・ハートレー、マルセル・デュシャン、モンドリアン、カシミール・マレヴィッチと国境やメディアを超えて継承され、サブタイトルに謳っているように「どのようにして急進的な理念が近代芸術を変革したのか」が事細かに検証されていく。かつての「キュビスムと抽象芸術」展の問題提起を継承したＭｏＭＡならではの意欲的な企画といえるだろう。

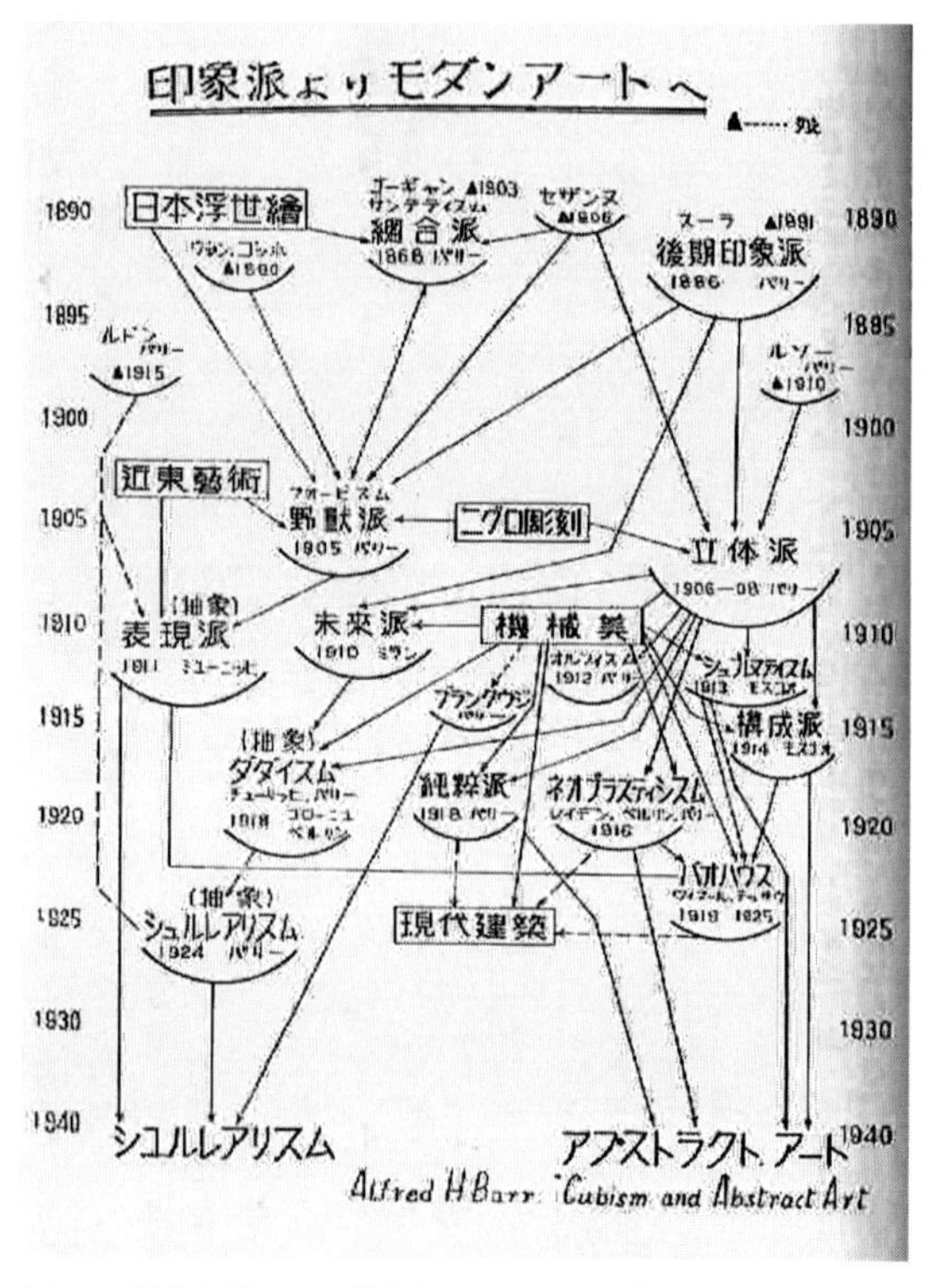

図4-2 岡本太郎による美術史チャートの翻案
(出典：岡本太郎、山下裕二／椹木野衣／平野暁臣編『岡本太郎の宇宙1 対極と爆発』〔ちくま学芸文庫〕、筑摩書房、2011年、357ページ)

12 データベースを体現する空間

このように、MoMAの全体像を検討するうえで建築・デザイン部門が担ってきた役割はきわめて大きなものだが、建築の重要性ということであれば、それはMoMAの施設そのものに対してもいえることである。

MoMAの施設がたどってきた変遷はすでに述べたとおりだが、目下のところ最新である四回目の大改築計画を手掛けたのが日本の建築家・谷口吉生であることはすでによく知られている。そもそもこの「エクスパンション・プログラム」の選考では、常に二十世紀美術をリードしつづけ、またグッドウィン&ストーンやシーザー・ペリらの建築を揺り籠としてきたMoMAの歴史に対してどのような敬意を示すのかが重要な評価の要素とされ、メタボリズムを髣髴とさせる良質なデザインによって、世界的なビッグネームが数多く名を連ねたコンペで、空間のサーキュレーションを重視した谷口の案が一等を獲得したのだった。

二〇〇五年に竣工したMoMAは、五十三番街に一万八千立方メートルもの巨大な空間を擁する巨大美術館である。西側に企画展スペースが、東側には資料室などのデータベース部分が配されている。そう遠くない将来、これに引き続く五回目の大改築が実施されることになるかもしれない。

ところで、本章で何度か言及したバーの美術史チャートだが、日本でこれにいち早くその重要性を認めた一人が岡本太郎だったと言えば意外に思われるだろうか。戦後まもなく出版された画文集『アヴァンギャルドの歴史』[21]のなかで、彼は欧米先進国の第一線で活躍している芸術活動がすべて前衛美術であることを強調し、そのいくつかの事例を挙げる目的でバーの美術史チャートを紹介している。岡本が翻案したそのチャートは、一部省略が認められるものの基本的にはバーのオリジナルに忠実なものといっていい。いまなおイロモノ扱いされることが多いうえに、滞仏経験が長かったこともあってアメリカ美術とは接点に乏しいと思われがちな岡本だが、その一貫した前衛へのこだわりはMoMAの活動の先駆性をいち早く見抜いていたのである。

注

(1) MoMAの歴史に関しては、館の公式サイト「MoMA」([https://www.moma.org/about/who-we-are/moma-history]［二〇二二年一月十日アクセス］)を基本に、複数の書物で情報を補う方針を取った。

(2) バーの基本情報については大坪健二『アルフレッド・バーとニューヨーク近代美術館の誕生――アメリカ二〇世紀

美術の1研究』（三元社、二〇一二年）に依拠した。

（3）Alfred Hamilton Barr, "A New Art Museum" in Alfred Hamilton Barr, Irving Sandler and Amy Newman, *Defining Modern Art: Selected Writings of Alfred H. Barr. Jr.*, Harry N Abrams Inc, 1986, p. 69.

（4）*ibid.*, p. 71.

（5）プリンストン在学中、バーはチャールズ・ルーファス・モーレーの指導の下で十五世紀のドイツ美術のチャートを作成しているが、これが後年の近代美術のチャートの原型になったものと考えられる。Sybil Gordon Kantor, *Alfred H. Barr, Jr. and the Intellectual Origins of the Museum of Modern Art*, The MIT Press, 2002, p. 22.

（6）Barr, "chart of modern art," in Barr, Sandler, and Newman, *op. cit.*, p. 92.

（7）Barr, "Cubism and abstract art," in *ibid.*, p.84.

（8）Barr, "A Brief Guide to the Exhibition of Fantastic Art, Dada, Surrealism," in *ibid.*, p. 96.

（9）Irving Thundler, "introduction" in *ibid.*, p. 15.

（10）ＭｏＭＡのコレクションの変遷に関しては、*MoMA Highlights 350 works from the Museum of Modern Art New York*, MoMA, 2004 を参照。

（11）前掲『アルフレッド・バーとニューヨーク近代美術館の誕生』二二五ページ

（12）同書二二八—二二九ページ

（13）Serge Guillbaut, *Comment New York Vola L'Idée d'Art Moderne*, Editions Jacqueline Chambon, 1993, p. 7.

（14）Franz Schulze, *Philip Johnson: Life and Work*, University of Chicago Press, 1996、マーク・ラムスター、横手義洋監修『評伝フィリップ・ジョンソン——20世紀建築の黒幕』松井健太訳、左右社、二〇二〇年

（15）Henry-Russell Hitchcock, *Modern Architecture: Romanticism and Reintegration*, Da Capo Press, 1993.

（16）ヘンリー・ラッセル・ヒッチコック／フィリップ・ジョンソン『インターナショナル・スタイル』武沢秀一訳（SD選書）、鹿島出版会、一九七八年

（17）同書でのライトの位置付けは、「インターナショナル・スタイル」において想定される教義に自分が敵対していることに意を介さない、フランク・ロイド・ライトのような、個性的な多くの建築家たちの作品も、グロピウスやル・

コルビュジエの作品と同様に、確かに近代建築に属している」（一九四ページ）と微妙なものである。
（18）前掲『評伝フィリップ・ジョンソン』一六三ページ
（19）なおこのうち「構造の文節」は、一九六六年に「装飾の忌避」へと修正されている。詳細は前掲『インターナショナル・スタイル』の「訳者あとがき」を参照のこと。
（20）James Clifford, *The Predicament of Culture: Twentieth-Century Ethnography, Literature, and Art*, Harvard University Press, 1988, p. 196.
（21）岡本太郎『画文集アヴァンギャルド』月曜書房、一九四八年。なおこのチャートは、岡本太郎、山下裕二／椹木野衣／平野暁臣編『岡本太郎の宇宙1　対極と爆発』（〔ちくま学芸文庫〕、筑摩書房、二〇一一年、三五七ページ）から採取した。

第5章　オルセー美術館とポンピドゥー文化センター

1　印象派の黎明

パリを代表する美術館といえば誰しもルーヴル美術館を連想するだろう。しかしこの世界最大級の美術館のコレクションの対象は十九世紀前半まで、より正確に記すなら二月革命が起こった一八四八年までとされていて、ごく一部の例外を除いては、それ以降の美術作品を見ることはできない。それ以降の美術を収蔵・展示するのは、オルセー美術館とポンピドゥー文化センターになる。本章では、この両館について考察する。

まずオルセー美術館からみていこう。[1] 一九八六年に開館したオルセー美術館が収蔵の対象とするのは一八四八年から一九一四年の美術であり、絵画、彫刻、装飾、写真、映画、素描など対象は多岐にわたり、その総点数は約十六万八千点を超える。この時代の美術の動向としては写実派やバルビゾン派、あるいは二十世紀初頭のキュビスムやフォービズムなどが挙げられるが、何といっても代表的なのは印象派だろう。

よく知られているように、印象派という言葉はもともと蔑称であり、美術館の収蔵にはふさわしくないと思わ

写真5-1　オルセー美術館

れていたのだが、マネの『オランピア』の出現で状況が一変する。一八六五年のサロンに出品されたこの作品は、公園に裸婦が佇む描写が物議を醸して、サロンに入選を果たしたものの買い手がつかず、一時はアメリカへの流出が危ぶまれていた。それに危機感を抱いたマネの盟友クロード・モネは、画家仲間との共同出資でこの作品を購入して国に寄贈することを思い立った。問題はその行き先である。モネはサロン入選作などの展示・所蔵先として知られていたリュクサンブール美術館が意中の行き先だったため、美術長官に宛てて「本当はルーヴルに飾られるべき名作ですが、「時期尚早だ」とおっしゃるなら、せめてリュクサンブールには入れていただけますよね」としたためた手紙を送った。この「恫喝」が効いたのか『オランピア』は晴れて九〇年にはリュクサンブール美術館のコレクションになった。こうしたいきさつもあって、リュクサンブール美術館にはマネやモネなど印象派のコレクションが続々と集まるようになる。とりわけ、九四年に画家にして著名な印象派のコレクターでもあったギュスターヴ・カイユボットが亡くなったときには、本人の遺志に基づいて三十八点もの印象派絵画が遺贈された。こうして、リュクサンブール美術館は印象派の拠点としての性格ももつようになる。

　とはいえ、リュクサンブール美術館だけでは、印象派絵画の受け皿としては不十分だった。そこで第二次世界大戦の終了から間もない一九四七年に、ルーヴル美術館分館としてジュ・ド・ポーム美術館が開館する。組織のうえでは、この美術館がオルセー美術館の直接の前身に相当する。ちなみにジュ・ド・ポームとはテニスの前身として知られる球技のことで、その名称は、この美術館がその小さな競技場の跡地に建てられたことに由来する。マネ、モネ、ドガ、ルノワール、セザンヌ、ゴーギャン、スーラといった印象派と後期印象派の名作がずらりとそろったジュ・ド・ポーム美術館は「印象派美術館」の別名で知られるようになったが、多くの来場者数に対して建物はいかにも手狭であり、もっと大規模な美術館の必要が喧伝されるようになった。

　加えて、後期印象派以降の多くの作品が行き場がなく、住所不定の状態に置かれていた。第二次世界大戦後、リュクサンブール美術館の作品の一部はパレ・ド・トーキョーの国立近代美術館に移され、また別の一部は開館予定のポンピドゥー文化センターに収蔵される予定だったのだが、その後ポンピドゥーが収集の対象を第一次世界大戦以降とする方針を決定したため、これらの作品は行き先を失って取り残されてしまったのである。さらにアカデミズム系の絵画はルーヴルに残されたままだった。すなわち、パリ市内の主立った十九世紀美術のコレクションは三つに分散している状態だった。これらのコレクションを統合する美術館の建設計画が浮上してきたのは、必然でもあった。

2　駅舎から美術館へ

　オルセー美術館については、コレクションに加え、建物についても来歴を知っておく必要があるだろう。よく知られているように、現在のオルセー美術館は駅として使われていた施設の地上部分を転用している。駅舎の前にはナポレオン一世が建てた王宮が立っていた。オルセーの名はこの王宮に由来するもので、古代ローマ風の王宮には会計検査院や国務院が入居していた。

一八七一年、パリ・コミューンの騒乱によってチュイルリー公園が焼き打ちにあい、オルセー宮は炎上する。ナポレオン帝政の負の遺産と誤解されたのか、王宮は復旧されないままに廃墟と化してしまうが、一九〇〇年までにここにオルレアンとフランス南西部を結ぶ鉄道の新駅を建設することを決定する。同年のパリで万博が開催されることに決まり、ターミナル駅のオステルリッツだけでは大量の乗客をさばけるか不安視されたため、新駅建設地として長年放置されていたこの場所に白羽の矢が立ったのである。ヴィクトール・ラルーが設計した鉄とガラスのモダンな駅舎がオープンしたのは、同年七月十四日の革命記念日のことだった。

完成したオルセー駅の駅舎は、当時の最先端の技術を結集した大型駅だった。かまぼこ形の屋根（トレイン・シェッド）は鉄骨とガラスの天井に覆われ、奥行き百三十八メートル、幅四十メートル、高さ三十二メートルの空間は当時世界最大級を誇っていた。スケールの大きさは、用いた鉄骨の量がエッフェル塔の二倍にも達したという逸話からもうかがえる。蒸気機関車がまだ主力だった当時にあって、オルセーは世界初の電気機関車専用駅でもあり、ピーク時には一日十線以上のホームに二百本もの電車が離発着したという。

だが、オルセーの駅舎としての寿命は短かった。鉄道の電化が進むにつれて車両の編成が長くなり、オルセー駅の短いプラットフォームでは乗客の乗り降りに不便を来すようになってしまったのだ。結果、一九三九年にはオルレアン鉄道の終着駅はオステルリッツ駅に戻され、近距離列車専用駅になったオルセー駅は大幅な縮小を余儀なくされ、やがてその機能さえも失われていく。再度廃墟と化しつつあった当時のオルセーの様子は、オーソン・ウェルズ監督・出演の『審判』（一九六三年）やベルナルド・ベルトルッチ監督の『ラスト・タンゴ・イン・パリ』（一九七二年）などの映画を通じて知ることができる。

とはいえ、都心の広大な一等地をいつまでも放置してはおけず、一九六〇年代には新ホテルのコンペがおこなわれる。あのル・コルビュジエが超高層ホテルを提案したが、最終的にはルネ・クロンとギヨーム・ジレの案が採用され、建設のゴーサインを待つばかりの状態になった。

ところが、一九七〇年代になって歴史的建造物の保存を求めるキャンペーンが展開されたことによって事態は急変し、七三年にはオルセーの駅舎も文化財として登録され、ホテル建設は中止される。この決定によって、フランス博物館局はこの駅舎を転用して以前からの懸案だった十九世紀美術の美術館へと転用することを提案した。この提案は、パリ市内に分散していた十九世紀美術のコレクションを統合しようというルーヴルの絵画部門ディレクターだったミシェル・ラクロットの構想を発展させたものだった。当時在任中だったポンピドゥー大統領も、また七四年に就任したヴァレリー・ジスカール・デスタン大統領もこの提案に賛成し、美術館建設のための予算が執行された。

設計者の決定にあたっては一九七九年にコンペが実施され、フランスの建築家グループACTが当選した。ガラス天井の大ホールをそのまま再現するなど、ラルーが設計した駅舎を最大限生かす方針のもと、ACTは当初温室のような雰囲気の建築を提案したのだが、翌年から内装担当としてイタリアのガエ・アウレンティが参加したことで計画は大きく変更され、内壁はすべて黄土石灰岩で覆うことになった（皇居周辺に立つイタリア文化会館も彼の作品だが、その外壁を見てもわかるとおり、彼は石の粒と光の効果に非常に自覚的なデザイナーである）。こうして、一九八六年十二月九日、晴れてオルセー美術館は開館の日を迎えた。

展示や収蔵に関しては、パリ市内に分散していた十九世紀美術のコレクションの統合という開館の目的に加え、ルーヴルやポンピドゥーの間というコンセプトを徹底し、一八二〇年から七〇年の間に生まれた作家の、四八年から一九一四年までの作品を対象にすることにした。もちろん多少の例外はあるが、この方針は前述のラクロットと初代館長のフランソワーズ・カシャンによって決定されたものである。

3　光の館オルセー

その展示をフロアごとにみてみよう。オルセー美術館は〇階（地上階）、二階、三階、四階、五階の五フロアによって構成されていて、このうち〇階、二階、五階に作品が設置されている。〇階はロマン主義や写実主義、オリエンタリズムの絵画などが展示されている。ジャン＝フランソワ・ミレーの『落穂拾い』や『晩鐘』、マネの『オランピア』や『ベルト・モリゾ』などが見どころだ。二階にはカミーユ・クローデルやロダンの彫刻、象徴主義やアール・ヌーボーの作品が多数展示されている。そして最上階の五階には印象派や後期印象派、ナビ派などの作品が展示されている。

オルセーといえば印象派の美術館として語られることが多いが、十九世紀の主流派美術でのちに忘却されたアカデミズム絵画（アール・ポンピエ）を多数収蔵・展覧し、その再評価につないでいることもこの美術館の重要な活動であることがわかる。また〇階→二階→五階→二階という立体的な順路を組んであるのも大きな特徴だ。これは会場を逍遥して多くの作品を鑑賞するのに、面積にして三千五百平方メートルにも及ぶガラス張りの天井から降り注ぐ光を最大限に活用するためだろう。実際に訪れると実感するのだが、この美術館の光の体験はほかに代えがたいものがある。

オルセー美術館の活動に関して、日本で最も精通している一人が美術史家の高橋明也だろう。高橋は一九八四年から八六年まで、文部省の在外研究員としてオルセーの開館準備室に在籍した経験がある。彼は自らの著作でも、その経験は後年自身が明治時代の建築を美術館として再生した三菱一号館美術館の初代館長に就任し、開館準備にあたったときにも大いに生かされたと回想を記している。(2)

近年のオルセー美術館の陣頭指揮を取っていたのがギ・コジュバルだった。二〇〇八年に五代目館長に就任し

写真5-2　オルセー美術館の展示風景

たコジュバルは館内の展示デザインを大きく改めたほか、ナビ派の展示を大いに充実させた。ポール・セリュジエ、ピエール・ボナール、モーリス・ドニらからなるナビ派は、近年になって再評価が進みつつある十九世期末の絵画の動向だが、これはコジュバルがナビ派を専門としていたことも大きな理由だろう。彼の方針を支持したアメリカのコレクターであるヘイズ夫妻からの寄贈を受けたこともあり、オルセー美術館のナビ派コレクションは世界最大級の規模へと拡大され、印象派やポスト印象派と並ぶ同館の目玉へと成長した。

二〇二〇年十二月二日、フランス共和国第二十代大統領のジスカール・デスタンが九十四歳で死去した。大統領退任後の余生は四十年近くに及ぶ長いものだった。彼は十九世紀美術館というオルセーの方向性を最終的に承認し予算化した大統領だったため、死後美術館の名称にジスカール・デスタン美術館を追加することが発表された(3)。前任のポンピドゥーが文化センターを、後任のミッテランがグラン・ルーヴル・プロジェクトを発案するなど、フランスの大統領には文化行政に深く関与する伝統がある。この措置もその一環とみなすことができるだろう。

4　新たな複合文化施設の登場

次いでポンピドゥー文化センターにも注目してみよう。一九七七年一月三十一日、パリ市内のボーブール地区に巨大な芸術文化施設が産声を上げた。文化施設の名はジョルジュ・ポンピドゥー国立芸術文化センター、通称ポンピドゥー文化センターである。[4]文化センターの名に恥じず、この施設には国立近代美術館（ＭＮＡＭ）だけでなく、建築やデザインをおもな対象とした産業創造センター（ＣＣＩ）、公立図書館（ＢＰＩ）、音響研究所（ＩＲＣＡＭ）といった諸部門の機能が集約されている。実際、外壁らしい外壁がない、通路やエスカレーターなどの動線が露出したスケルトン構造の建物の威容はそれだけでこの施設の多機能ぶりを物語っているし（所在地のボーブールは、もともとは隣接する商店街の駐車場として用いられていた地味なエリアだったから、この巨大施設の登場で周囲の景観が一変したことはいうまでもない）、また常に大きな話題を振りまく最上階（七階）のグラン・ギャルリの展覧会は、美術館がイニシアチブを握っているものの、基本的にほかの施設との共同事業として開催される。ポンピドゥー文化センターは、外観でも運営方針でも、従来の「ミュージアム」の定義には当てはまらない複合型文化施設（コンプレックス）なのである。

しかし、なぜこのような複合型文化施設の建設が構想されたのだろうか。とりあえずたどることができる来歴は、ポンピドゥー文化センターの建設が一九六九年に大統領だったジョルジュ・ポンピドゥーの強い意向によって決定されたこと、その最初期の段階から展示収蔵の対象を二十世紀美術とし、また単なる美術館ではなく複合型文化施設として構想され、立地もボーブールと決められていたこと、七一年に実施された国際コンペには総計四十四カ国、六百八十一人の応募が殺到し、そのなかからレンゾ・ピアノ、ジャンフランコ・フランキーニ、リチャード・ロジャースの共同プロジェクトが選出されたこと、また初代館長として、ＭｏＭＡで「マシン――機

写真5-3　ポンピドゥー文化センター（筆者撮影）

械時代の終わりに」展（一九六八―六九年）を手掛けたストックホルム近代美術館館長だったポンテュス・フルテンが辣腕を買われて抜擢されたこと、などである。このうち、ボーブールが立地として選出されたのには、すでにふれたようなルーヴルとの関係を重視した都市のゾーニング事業という側面が強いし、また従来の美術館とは一線を画する運営方針にも、ＭｏＭＡに象徴されるアメリカ美術界への強い対抗意識をうかがうのは容易だろう。だがここで何よりも注目に値するのは、ポンピドゥー文化センターという一施設が開設されたその経緯に、美術館をめぐる様々な文化的思索が蓄積されていることなのである。

5　幻の二十世紀美術館構想

文化的思索の蓄積という言い方が大げさに過ぎるなら、単に伏線、あるいは軌轍と言い換えてもいいだろう。建設が決定されるより少し前の一九六三年ごろ、実はフランスでは「二十世紀美術館構想」と称されるプロジェクトが準備されていたことがある。

当時、国立近代美術館館長だったジャン・カスーがル・コルビュジエと共同で発案したこの計画は、現代美術を過去五十年の規模で回顧し、大きな足跡を残した作家を本格的に紹介する一方、現代作家にも実験的な発表の場を与えることを意図していた。美術館は単に過去の伝統を収蔵・展示するだけではなく、現存作家の創造の場としても開かれていなければならない――これは長らくサロン展の拠点だったリュクサンブール美術館が一八一八年に開館して以来、フランスの美術館行政の根幹をなしてきた伝統的理念の一つでもあるが、「二十世紀美術館構想」はまさしく、この伝統的理念を施設建設によって体現しようとしたプロジェクトだったのである。

この構想そのものは一九六五年のル・コルビュジエの死去によって頓挫してしまうのだが、その理念はポンピドゥー文化センターへと引き継がれ、十二年後の開館をもって一応の実現をみる。未完に終わった「二十世紀美術館構想」を何らかの形で実現したいという意向が、ポンピドゥー大統領の決断を後押ししたことはほぼ間違いないだろう。

そして、この「二十世紀美術館構想」が胚胎していた原理はさらにさかのぼった検討が必要である。例えば、この構想を担った当事者の一人ル・コルビュジエが、それよりもずいぶん以前の一九二〇年代末に、「ムンダネウム」の構想を練っていたことは広く知られている。これは、ル・コルビュジエがベルギーの書誌学者ポール・オトレからの依頼を機にスイス・ジュネーブで建設を提案した大規模な文化センターで、世界の諸文化交流のために、世界図書館、世界大学、五つの展示館など（この多機能ぶりそれ自体が、すでにポンピドゥー文化センターの先駆とも考えられる）を、黄金分割に忠実に配置しようとした現代のムセイオンと呼ぶべき計画だったが、その中心でいちばん高い場所に位置していたのがほかでもない「世界博物館」だった。

ちなみに、この「世界博物館」はジッグラトのような台形状の形態で、来館者はいったんエレベーターで最上階まで昇ったあと、螺旋状のプロムナードを下って地上階へと降りるような構造になっていた。またこの順路には並行して三本の廊下が設けられていて、展示作品の歴史的・文化的な背景や地理的条件についても詳しく紹介することができるスペースが確保されていた。結果的に「世界博物館」は実現の機会を逸したのだが、このジッグラトと螺旋状の動線を組み合わせた空間構造がよほど気に入ったとみえ、ル・コルビュジエは以後、「パリ現代芸術センター」（一九三一年）や「無限に成長する美術館」（一九三九年）の計画案でもこのパターンのデザイン

写真5-4　チャンディーガル美術館（筆者撮影）

写真5-5　サンスカル・ケンドラ美術館（アーメダバード、筆者撮影）

を繰り返し採用している。

後者に関しては、図面や模型を見ると一目瞭然なのだが、螺旋状の動線が作り出すサーキュレーションは、まさに外部をもたない「無限に成長する」空間にはうってつけの構造だった。「無限に成長する」ために様々な記憶が無尽蔵に蓄積されていく「世界博物館」は、まさに二十世紀のムセイオンの継承者たらんとした計画であり、その見果てぬ夢は戦後の「二十世紀美術館構想」にまで引き継がれることになったのである。もっともその理念は、ル・コルビュジエの存命中はついにヨーロッパでは日の目を見ることはなく、インドのアーメダバード、チャンディーガル、そして東京というアジアの三都市で断片的に実現されるにとどまった。「断片的」というのは、いずれも小規模だったことに加え、最初に建てられて以後、その空間が発展していくことはなかったからである（国立西洋美術館の場合、展示面積の増床はル・コルビュジエ設計の本館の増築ではなく、新館建設と大規模な地下工事によっておこなわれた）。

写真5-6　「空想の美術館」を構想するマルロー
（出典：https://www.radiofrance.fr/franceculture/les-musees-imaginaires-d-andre-malraux-8144095〔2022年5月10日アクセス〕）

6　空想の美術館

また「二十世紀美術館構想」に大きな影響を与えた思索なら、ル・コルビュジエが亡くなったときに文化相という要職にあり、友人として葬儀委員長をも務めた作家アンドレ・マルローの「空想の美術館」を忘れてはならない。戦後間もない一九四七年に提唱されたこの理念[5]は、美術作品を収めた無数の写真によって膨大なアーカイブを形成し、現実には実現不可能なコレクションを「空想の美術館」として広く公開しようというものであり、スケールの大きな美術館論としてしばしば引き合いに出されると同時に、後年にはバーチャル・ミュージアムやデジタル・アーカイブをめぐる議論でもしばしば取り上げられることになった。

「空想の美術館」の概略をみて、往古のキャビネットを想起する者は少なくないだろう。「空想の美術館」は、写真というテクノロジーをフル活用して、古今東西のありとあらゆる「傑作」をそろえる試みではないのか、と。私も当初「空想の美術館」とはそのようなものではないかと思っていたのだが、マルローの考えはそれとはいささか異なるようだ。「空想の美術館」は、当然ながらその成立の前提として現実の美術館を必要とする。マルローによれば、『ロマネスクのキリスト磔刑図』はもともと彫刻ではなかったし、チマブーエの『聖母』も絵画ではなかったのだが、もともとあった場所から美術館へと移設されたことによって、本来の宗教的な意味を喪失し、観賞用の美術作品へと変貌したという。[6] 美術館は美術作品を「世俗の世界」に隔離するための空間であり、そのためナポレオンがシスティナ礼拝堂をルーヴルへ運び込めなかったように、ステンドグラスやフレスコ画、タペストリーの全体など「(宗教的な)全体に結び付いたもの」は展示できない、また個々の館の展示品は限られているため、そこで得られる体験は限定されたものでしかない(したがって十九世紀のヨーロッパでは、各地の美術館を訪ねて回る「美術旅行」が奨励された)、などの限界を免れない。

また、「空想の美術館」に収蔵される「傑作」もまた、現実の美術館とは少し違っているようだ。いうまでもなく、「傑作」とは長い年月の風雪に耐えて残る作品のことである。だがマルローによれば、十八世紀以前のヨーロッパではイタリア絵画と古代の彫刻が頂点に位置付けられていて、それと比較しても劣らないとされた作品が「傑作」とみなされていたという。一堂に集める作品の数が限られていたため、過去の偉大な伝統につながることができるかどうかが唯一の評価基準だったのだろう。

だが写真が登場したことによって、人々は自由に多くの作品を集めて対比することができるようになり、無数の対比のなかからこれまでとは異なる評価基準が生まれてきた。この評価基準には、従来は評価の対象ではなかったステンドグラスやフレスコ画、タペストリーなども含めて考えることができる。写真という精度が高い複製メディアの登場は、「傑作」という概念の内実に大きな変化をもたらしたのである。[7] マルローの卓見は、ヴァルター・ベンヤミンがいう「アウラ」とはまったく違ったものとして写真というメディアの本質を鋭く指摘している。

ここで、ル・コルビュジエの『電子の詩』を想起しておきたい。これは、一九五八年に開催されたブリュッセル万博の企業パビリオン・フィリップス館で上演された、「起源」「精神と物質」「暗闇から夜明けへ（黎明期）」「人工の神」「時はいかに文明を作るか」「調和」「すべての人類へ」の七つのパートからなる様々な映像にエドガー・ヴァレーズの音楽をかぶせた約八分間の「映像詩」だが、この作品には、「ユニテ・ダビタシオン」などの自作に交じって、アフリカの仮面や彫刻、キリスト像、フランシスコ・デ・ゴヤの『裸のマハ』など、マルローが愛好した多くのイメージが投影されていた。これらはいずれもマルローがいうところの「傑作[8]」であり、ル・コルビュジエは彼なりの流儀で「空想の美術館」への応接を試みたのかもしれない。

「空想の美術館」の開いた可能性が、その後様々に拡張されていったことはすでに指摘したとおりである。二十一世紀の現在、「空想の美術館」は、あらゆる記憶やデータベースが画像や情報として格納され、自在に切り取ったり組み合わせたりすることができるハイパーテキスト的な、デジタルな概念へと変貌を遂げ、現代的な「デジタル・アーカイブ」や「バーチャル・ミュージアム」への連続性を獲得した。

やや脱線してしまったが、しかし「世界博物館」にせよ「空想の美術館」にせよ、ポンピドゥー文化センターの理念にきわめて大きな影響を与えていることは疑う余地がない。例えば、ポンピドゥー文化センターの床面は約四十五メートル×百六十五メートルの長方形だが、驚くべきことに、この床面は柱が一本もないのである。建物の内部はただ、各階が架設の壁面によって仕切られているだけであり、空間のパーティションは展覧会のたびごとに自在に変更することができる。エンジニアのピーター・ライスが考案したゲルバー・システムという原理の導入によって可能になったこのフレキシブルな室内空間は、「世界博物館」とはまったく異質な一方で、床と柱と階段によって建物を構成する「ドミノ・システム」を髣髴とさせるなど、ル・コルビュジエの流儀を何らかの形で継承して「無限に発展する」空間を実現し、また多くの映像作品を上映して観客との対話を促すなどして、「空想の美術館」を実現しようとしているとはいえないだろうか。

また映像部門の充実ぶりも、ポンピドゥー文化センターをめぐってしばしば話題にされる。ポンピドゥー文化センターは開館以来映像部門に力を注いでいて、ＭＮＡＭ内にも写真と映像の二部門を設置しているほか、ビデオ・アートや実験映像、コンピューター・アートなどの諸分野も専門のキュレーターが業務を担当していて、CCIのメンバーも交えてコンピューターによる3D映像を対象にした「バーチャル・レビュー」と呼ばれるユニークな活動も展開している。これらもまた、「空想の美術館」を現実へと引き寄せようとするアーカイバルで横断的な活動、とはいえないだろうか。

7 「前衛芸術の日本」と「大地の魔術師たち」

さて、ポンピドゥー文化センターが開館に至った経緯にことさらに注目してきたのは、もちろん、開館以後に開催されたもろもろの展覧会がいかに独創的でダイナミックであり、多くの耳目を集めてきたかという事実の裏返しでもある。それは、「美術館は生命を爆発させる場所であり、生き生きとした変容する空間であり、墓場のモニュメントにしてはならない」という、開館に際して館長のフルテンが示したビジョンを証明することでもあった。すでにふれたとおり、このポンピドゥー文化センターの精力的な運営には、第二次世界大戦後にはもはや現代美術の中心地がパリからニューヨークへと移行してしまったという痛切な自覚の下、何としてもその覇権を奪還し、美術史の布置を自国中心のものに再編成しようとするフランス政府の「国策」も深く関与している。とりわけその意図は、「パリ＝ニューヨーク」（一九七七年）、「パリ＝ベルリン」（一九七八年）、「パリ＝モスクワ」（一九七九年）、「パリ＝パリ」（一九八一年）といった具合に、ほかの都市との総体比較によって「芸術の都」パリの威信を回復しようとする二都展のシリーズに顕著に表れていた。また一方では、開館記念の「マルセル・デュシャン」展（一九七七年）を皮切りに、二十世紀美術の重要作家に新たなスポットを当てようとする企画も途切れることなく展開された。加えて、グラン・ギャルリ以外の空間でも、デザイン、映像、文学などの諸分野で、きわめて興味深い展示が続々と開催されていった。

以後二十数年あまりにわたって重要な展覧会がいくつも開催されたわけだが、とりわけここでは二つの展覧会に、メルクマールとしての意義を見いだしてみたい。

一つは「前衛芸術の日本 一九一〇―一九七〇」展（一九八六年）で、当時ポンピドゥー文化センターに在勤し、この企画にコミッショナーとして関与した岡部あおみによると、同展は一部で実現が待望されていた「パリ＝東京」展の発展形態として、また日本の伝統的な時空間を紹介することに主眼を置いた磯崎新企画の「間」展（一九七八年。会場はパリ装飾美術館）に多大な刺激を受けたことによって発案され、以後四年の準備期間を経て開催に漕ぎ着けたという。[9] これは、グラン・ギャルリでは初の非西洋圏の美術をテーマにした展示であり、また「ジャポニズム」などのくくりを取り払い、あくまでも「前衛」という観点から日本の二十世紀美術を捉えようとする初の試みでもあった。

前例がないこともあり、企画趣旨の設定はもとより、作家・作品の選択、出品交渉、予算や会場面積の不足など様々な制約によって難航を極め、実現に至るまでに日仏両国の専門家間では調整のために膨大な対話が積み重ねられた。結果的にそれは、一九一〇年から七〇年までの様々な作品を網羅することになるのだが、河原温の「浴室シリーズ」や村上三郎の紙破り、暗黒舞踏や「もの派」の諸作品、果ては丹下健三の「東京計画X」など多領域な展示が、「前衛」の一語を媒介に一堂に集めているさまはさぞ圧巻だったにちがいない。

同展の趣旨では、「前衛」は安易な「日本的」様式性を超える表現、国境というローカルな枠組みを独創的な視点によって乗り越えようとしてきた潮流という意味を与えられている。同展の趣旨や展示は一部で酷評され、残念ながら日本巡回も実現しなかったが、同展の意義がきわめて重要であり、また先駆的だったことは間違いない。日本人キュレーターが日本の前衛美術を総括する展覧会はその後も長らく開催されなかったが、後述するように、二〇一七年になってようやく、同展への応答とも呼ぶべき「ジャパノラマ――一九七〇年以降のアートの新しいヴィジョン」展という長谷川祐子企画の展覧会が開催された。

もう一つは、それより少しあとに、正確にはポンピドゥー文化センターとラ・ヴィレットの二会場にまたがって開催されたジャン゠ユベール・マルタン企画の「大地の魔術師たち」展である。日本からは勅使河原宏、河原温、河口龍夫、宮島達男の四人が参加したこの展覧会は、西洋圏の著名なアーティストの「作品」と民族学博物館などに収蔵されていた非西洋圏の「資料」を「魔術」というキーワードの下に併置する試みで、すべての作品に同程度のスペースを与え、キャプションには同じ情報を記載するなど、「作品」と「資料」を徹底的に相対化したその展示は、国際的にも大きな反響を呼んだ。(10)

同展が開催されてから三十年以上経過した現在、あらためてその意義を回顧するとどのような見取り図が描けるだろうか。従来のプリミティビズムを更新し、現代美術を西洋圏の専有から解放しようとした点はまぎれもなく先駆的だった。逆に西洋圏の先端的な現代アートと非西洋圏の民族資料を対置したことによって、西洋圏に存在する伝統的な宗教や生活と結び付いた作品や、逆に非西洋圏にも存在する西洋式の美術教育を受けたアーティストの作品が排除されたことについてはある種のヒエラルキーの存在を指摘する意見も存在した。同展に寄せられる賛否両論の視点は、どちらも相応に「正しい」ものであるし、また双方の視点を踏まえれば、以下のようにいうことができるだろう。すなわち、「魔術」というキーワードを介した西洋と非西洋の併置は、冷戦の終焉という「歴史の終わり」にも対応するきわめてポストモダンな試みだった、と。要するに、その後のマルチカルチュラリズムにいちはやく先鞭を付けた「大地の魔術師たち」展は、ポスト冷戦期の文化的イニシアチブを確保して、アメリカが覇権を握る現代美術の地勢図に自分の存在感を強く印象付けようとした、いかにもポンピドゥーらしい企画だったわけである(同展が一九八四年にMoMAで開催された「二十世紀美術におけるプリミティヴィズム」展に強く触発されて構想されたことはよく知られている)。

同展を企画したジャン゠ユベール・マルタンが一九九三年の夏にあるセミナーの講師として来日したとき、私は通訳兼世話係として数日にわたって行動をともにしたことがある。その間もちろん「大地の魔術師たち」展についての話題は何度も出たが、そのたびに第三世界の創造性を強調していたことを覚えている。マルタンは当時アフリカ・オセアニア美術館の館長を務めていたが、同館はその後二〇〇六年に開館したケ・ブランリ美術館の母体になる。「大地の魔術師たち」展の遺産は、同じく激しい賛否両論を呼んだ同館の展示や収集に継承されているともいえるのだ。

ポンピドゥーらしい精力的な展覧会の別の一例として、一九八九年暮れに開催された「パッサージュ・ドゥ・イマージュ（Passage de l'image）」展も簡単にみておきたい。同展はポンピドゥーを会場とする展覧会だが、「イメージの回廊」を意味するその展覧会タイトルはむしろオルセーの佇まいを髣髴とさせるところがあり、両者の媒介としてふさわしいと考える。残念ながら私は同展を見ていないのだが、カタログを参照することによって、三十年以上が経過した現在もなお、その雰囲気や問題提起の一部を追体験できる(11)。

同展は二部構成で、参加作家は美術、写真、映画の各分野にまたがっている。イメージについて考えるとき、人々はどうしてもジャンル別に分けて考えがちなのだが、同展の順路は迷路状に設定されていて、同じ空間のなかにあって異なるジャンルのイメージを同時に体験できる趣向になっている。インスタレーションの会場では、例えばロバート・アダムス、ビル・ヘンゾン、シュザンヌ・ラフォン、ジェフ・ウォール、ジュヌヴィエーブ・ガデュー、ジャン＝ルイ・ガルネルなどの写真家、ビル・ヴィオラやゲーリー・ヒルなどのビデオ・アーティスト、マイケル・スノーのようなホログラフィ・アーティスト、クリス・マルケルなどのドキュメンタリストがゾーン別に配され、それぞれ独自の作品を展開していた。また同時に、ミケランジェロ・アントニオーニ、デヴィッド・クローネンバーグ、ロバート・フランク、ウィリアム・クライン、スタンリー・キューブリック、アンディ・ウォーホル、ヴィム・ヴェンダース、アンドレイ・タルコフスキー、フリッツ・ラング、カール＝テオ・ドライヤーなどの映画やビデオが上映されていた。

もともとこの展覧会はヴァルター・ベンヤミンの『パサージュ論』を視野に入れたものだという。観客は、イメージにあふれる会場を自在に逍遥する散策者（flaneur）になることが期待されているのだろう。現在同種の展覧会を企画するとしたら、当時はまだ商用化されていなかったインターネットのイメージをどう扱うかという問題が必然的に浮上してくるだろう。

もちろん、ポンピドゥーに対しては開館当初から少なからざる批判もあった。工場を髣髴とさせるその施設建築が周辺の美観を損ねているというのは一般にもよくいわれていたが、しばしば引き合いに出されるのが開館間もない時期に出版された『シミュラークルとシミュレーション』でのジャン・ボードリヤールの批判である。同書には「ボーブール効果」と題する一章が設けられ、ボードリヤールはポンピドゥーを「モノリス」「原子力発電所」「コンプレッサー」など様々なモノに例えて批判しているのだが、なかでも辛辣なのはそのあとの「絶対広告とゼロ広告」と題された章に登場する以下の一節である。

たとえば、フォーラム・デ・アルは広告の巨大な集合体であり、宣伝広告の戦略そのものである。それは特定の形態を持たず、誰のためでもないパブリシティであり、もはや文字どおりの意味でのショッピングセンターという位置づけを持たない。ボーブール〔ポンピドゥー文化センター：引用者注〕が実は文化センターではないのと同じことで、これらの不思議なモノやスーパーガジェットはただ単に現代社会のモニュメンタルな性格を広告のように演出しただけだ。[12]（傍点は引用者）

ここでボードリヤールはポンピドゥーを「文化センターではない」と、単に巨大な広告にすぎないとまで断言している。著名なポストモダンの論客で写真家でもあったボードリヤールが続々と先駆的な展覧会を手掛けるポンピドゥーを批判するのは一見奇異に思われる。だが、『シミュラークルとシミュレーション』は徹底的な消費資本主義批判の書物でもあり、ボードリヤールの批判もその観点から、すなわち多くの大衆を巻き込む資本主義的で均質な体験（ボードリヤールはそれを「文化のハイパーマーケット」と呼ぶ）や空間へと向けられたものと考えることができる。出版から約四十年が経過し、ボードリヤールがすでに他界した現在も、消費資本主義への批判は完全には失効したわけではない。

8　メス分館——ポンピドゥーの地域戦略

別の章でルーヴルの国内外での分館構想とその背景にふれたが、実はポンピドゥーも国内外で同様の試みをおこなっている。本章では前者にふれておこう。

ドイツやルクセンブルクとの国境近く、フランス北東部のロレーヌ地域圏にメスという都市がある。著名な美術作品といえば、市街地の大聖堂に設置されているマルク・シャガールのステンドグラスくらいしかなかった人口約十二万人の地方都市が、二〇一〇年になって一躍世界的な注目を浴びることになった。フランス国鉄の駅の最寄りに、ポンピドゥー文化センターの分館にあたるポンピドゥー文化センター・メスが開館したからである。ニコラ・サルコジ大統領（当時）も出席して開かれた五月十一日の落成式の様子は、遠く離れた日本でも報道された。私が初めて同館を訪れたのは、それからしばらくたった八月半ばのことだった。

精力的な活動を展開してきたポンピドゥーだが、近年は新たなグローバル戦略を打ち出す必要に迫られる一方、展覧会企画の大型化やコレクションの増大によってスペースの不足が深刻化し、分館建設を求める声が高まっていた。いくつかあった候補地のなかからメスが選ばれたのは、TGVの延伸工事によってパリからのアクセスがよくなったことに加え、市内にテクノポールを抱えるなど、意欲的に情報通信産業に取り組んできた先駆性がポンピドゥーの方向性とマッチすると判断されたからだろう。

二〇〇三年に実施された美術館建築の国際コンペには百五十七件もの応募が寄せられたが、激戦を勝ち抜いて当選の栄誉に浴したのがジャン・ド・ガスティーヌとユニットを組んだ日本人建築家の坂茂だった。若いころから一貫して紙材にこだわり、建築の構造材として紙製の管の導入を積極的に推し進めた坂は「紙の建築家」の異名によって知られている。一九九五年の阪神・淡路大震災の際に建てられた「ペーパードーム」は復興のシンボ

写真5-7　ポンピドゥー文化センターメス分館。「日本の季節」の看板が見える（筆者撮影）

ルとして世界的に注目された。以来彼の紙の建築は、世界各地の地震や津波の被災地で仮設住宅や学校として大いに重宝されるようになった。一方、紙に限らず、大量の海上コンテナを積み上げて仮設した『ノマディック美術館』もまた坂の代名詞である。このように、坂の建築は独自の素材や構造を通じてエコロジーを追求しようとする性格が強く、そうした志向が白い木組みの帽子のような分館の建物にも大いに反映されている。

展示についてもみてみよう。開館を飾ったのは「歴史の中に見る傑作」展（二〇一〇年）だったが、これはポンピドゥー本館のコレクションを中心に約八百点の作品を一堂に集めた大規模な展観であり、一見総花的なようでいて、大小十七の展示室に様々な作品を巧妙に配することによって、美術の歴史を通じて「傑作」の定義がどのように書き換えられてきたのかをたどろうとする意欲的な企画である。二十世紀以降の美術を軸に、写真、映像、建築、デザインなどの近隣領域にも目を配ったバラエティー豊かな展示はポンピドゥーのお家芸だが、それに加えて「傑作」の再定義にまで踏み込んだ展観からは、この分館に対するフランスの並々ならぬ意気込みが伝わってくるような気がした。

二〇一八年一月、新年早々にフランスへと渡った私は久しぶりにメス分館を訪れた。同館で開催されていた二つの展覧会「ジャパン―ネス　一九四五年以降の日本の建築と都市計画」展と「ジャパノラマ――一九七〇年以降のアートの新しいヴィジョン」展を見るためだ。ポンピドゥーが日本の芸術に強い関心を向けてきたことは前出の「前衛芸術の日本」からも明らかだが、この二つの展覧会は、いずれもその関心に対する日本側からの応答という側面を有していた。限られた文字数で適切に要約するのは難しいが、前者は「日本の建築が戦後復興の歩みのなかでどのように発達を遂げ、そのなかから丹下健三、安藤忠雄、伊東豊雄、隈研吾のような優れた建築家が輩出したことについての考察」、後者は「過去半世紀の日本の現代アートを「禅的ミニマリズム」や「kawaii」といったキーワードにとらわれることなくより多面的に捉える試み[13]」といえるだろうか。

9　ソフィア王妃芸術センター

ポンピドゥー文化センターが、先行するMoMAを徹底的に研究してそれとの差別化を意識したミュージアムであることはすでに述べたとおりだが、逆に後発のミュージアムのなかにはポンピドゥーを徹底的に研究したうえで自らの方向性を打ち出した館も存在する。その一例として、ここではスペインのソフィア王妃芸術センターを取り上げておこう。

ソフィア王妃芸術センターは一九九二年、スペインの首都マドリードの中心街、スペイン国鉄（レンフェ）アトーチャ駅の近くに開館した。館の名前は国王ファン・カルロス一世の娘ソフィアに由来する。建物は、フランチェスコ・サバティーニが十八世紀に設計した病院に、ジャン・ヌーヴェルが新しいガラス張りの建物を増築したものである。

ポンピドゥーがルーヴルとの棲み分けのもとに成立していることはすでに述べたが、ソフィア王妃芸術センターにとって同じ地位を占めるのが、近隣に立つプラド美術館だ。ピカソやジョアン・ミロなど、二十世紀美術を中心にするソフィア王妃芸術センターのコレクションは、ディエゴ・ベラスケス、バルトロメ・エステバン・ムリーリョ、フランシスコ・ゴヤといったスペイン美術を筆頭に、十九世紀以前の美術を多数収集して展示し、世界三大美術館に数えられることもあるプラド美術館との徹底した差別化のもとに成り立っている。加えて周辺には、ティッセン・ボルネミッサ美術館という十三世紀から二十世紀の美術を収集して展示の対象にするもう一つの大型美術館がほぼ同時期に開館したため、あわせて同館との差別化も図る必要があった。

もっとも、大都市に設けられた複数の美術館がそれぞれ違う時代や領域を対象にすることによって棲み分けを図ることは、ほかにも広く認められる現象である。そうしたなかにあって、ソフィア王妃芸術センターがポンピドゥーを強く意識していると思われるのは、その展示を通じて自国の美術を国際的な文脈に位置付けようという意思が強くうかがわれることである。常設展示の一部を通じて確認してみよう。[14]

コレクション展示の第三部「反乱からポストモダニティへ（一九六二―一九八二）」の展示はアニエス・ヴァルダの写真で始まり、その一方にはジャン゠ポール・サルトルとアルベール・カミュの出版物を収めたケースがあり、クリス・マルケルとアラン・レネが製作したアフリカ美術とその植民地主義についての映画を上映している。同じく展示室の真ん中はジッロ・ポンテコルヴォの反植民地主義映画『アルジェの戦い』（一九六六年）を上映している。

これらの展示を見ていて、誰もがすぐに気づくことが二点ある。一つは、映画や文献が視覚芸術作品とともに展示されていること、もう一つが展示作品の大半がフランスの作家によるものだということだ。これは、スペインの美術が国境を接するフランスから強い影響を受けたことに加え、この展示の対象になっている時期のスペインはフランコの独裁政権下にあって、自国の美術が十分に成熟していないという判断もあってのことだろう。逆にいえば、同館の展示はスペインの現代美術を国際的文脈に位置付けるために、文化大国として君臨する隣国フランスの影響力を最大限に活用しようとしているともいえるのだ。

同館の所蔵作品として最も著名なのがピカソの『ゲルニカ』だろう。同時代のスペインの内乱をテーマとして描かれたこの作品は、一九三七年のパリ万博スペイン館で公開されたあと、スペインで内戦が激化したこともあり、その年のうちにアメリカに移送されMoMAで暫定的に保管されることになった。『ゲルニカ』がスペインへの帰還を果たすのはフランコが死去して独裁政権が終焉を迎えたあとの八一年のことで、いくつか名乗りを上げた施設のなかから、結局プラド美術館が収蔵することになった。公開に際して防弾ガラスに収められるなど、その展示は賛否両論を呼んだ。九二年、ソフィア王妃芸術センターの開館に伴い、『ゲルニカ』も同館に移設されることになった。移設に際して「この絵画はたいへん重要な作品だが、プラド美術館の歴史的なコレクションとは必ずしもなじまない」というフェリペ・ガリン館長（当時）の言葉は、両館の棲み分けという方針を反映したものとはいえ、反発する声もあった。

現在同館ではピカソのデッサンや絵画の専用展示室を数室設けていて、『ゲルニカ』はその中央に展示されている。『ゲルニカ』の周囲にはスペイン内戦期のポスター、雑誌、戦争画、さらにはパリ万博スペイン館の模型を展示して、スペイン内戦のドキュメンタリー映画『スペイン一九三六』（監督：ジャン＝ポール・ル・シャノワ）を上映している。この展示室でおこなわれているのは、内戦の記録とピカソの絵画を対峙させる試みといっていいだろう。クレア・ビショップはこの「ゲルニカ」の展示にモダン、ポストモダン、コンテンポラリーの三角関係を見いだしているが、それをどのように展開していくかが同館の課題かもしれない。それは、同館のモデルになったポンピドゥーに対しても同様のことがいえる。

10　川崎市市民ミュージアムの趨勢——日本のポンピドゥー

最後に、日本のポンピドゥー文化センターを目指した試みとして、神奈川県の川崎市市民ミュージアムを取り上げたい。日本でポンピドゥーに例えられるミュージアムはいくつか存在するが、そのなかで川崎に注目するのは、同館が「日本のポンピドゥー」を目標に建てられた経緯が存在するからだ(15)。

東京都と横浜市に挟まれた立地の関係上、どのようにして両者の間に埋没することなく存在感をアピールするのかは、川崎市にとって長年の課題だった。一九七一年に初当選を果たした伊藤三郎市長は、看板だった公害対策で一定の実績を残したあとに文化政策にも積極的な姿勢を示すようになり、三期目以降には「映像文化センター構想」を本格化させる。これは、漫画、写真、映像を展示する複合型の文化施設であり、いちはやく市の視察団が現地を訪れて館長と接触するなど、その構想はポンピドゥーを強く意識したものだった。また、市が招聘したセンターの基本構想委員は川添登、加藤秀俊、菊竹清訓、小松左京、粟津潔、泉眞也の六人だったが、彼らはみな七〇年の大阪万博の先駆的な展示に深く関わった面々であり、この委員会のメンバー構成もまたセンターの方向性をポンピドゥーに近接させる一因になった。八二年に発表された基本構想報告書では、複合的な文化施設であることや都市再開発の成功などのいくつかの理由を挙げたうえで、センターがポンピドゥーを範と仰ぐことを明言している。

一方で川崎市には地域の歴史や郷土文化などを紹介する市立博物館が存在せず、その設立もまた長年の懸案だった。地元の教育関係者を中心にする堅実なメンバーによって構成された構想委員会もまた一九八二年に報告書を発表したが、こちらは多摩川周辺への地域志向を前面に打ち出したセンターとは対照的な性格のものだった。

一九八四年、伊藤市長は市制六十年の目玉として、それまでまったく別々に進行していた二つの施設構想を統合することを発表した。統合された施設は川崎市市民ミュージアムと命名され、八八年十一月に開館する。総床面積一万九千五百四十二平方メートル、考古、歴史、民俗、美術・文芸、グラフィック、写真、漫画、映画、ビデオの九部門を擁する、国内最大級の総合ミュージアムの誕生だった。

二つの施設が統合されたこのミュージアムは、当然ながら、九部門をはじめとする様々な折衷的な性格を帯びることになった。例えば、等々力緑地という立地条件は、市の中心部に適切な敷地が確保できないという事情があったとはいえ、環境良好な緑地への建設を希望する博物館側の意向に即したものだった。逆に建築家の選定にあたってはコンペは実施せずに、センターの構想委員でもあった菊竹清訓が指名された。これは、建築家として十分な実績があったことや構想委員として計画を熟知していたことに加え、「ペア・シティ」という都市計画を提案していたことも大きな理由ではないかと推測できる。講演や競技場に隣接して建てられるこのミュージアムに、市もまた都市計画のピースとしての役割を期待していたのである。

「モンパルナスの大冒険一九一〇―一九三〇」展（一九八八年）で開館を飾ったミュージアムではその後各部門で多くの展覧会が開催され、特にセンター構想の中核だった漫画、写真、映像の各部門の展示は草分け的な存在として高い評価を受けるものの、アクセスの悪さもあって徐々に観客動員に苦戦するようになり、また大型施設ならではの多額の維持管理コストが原因で、二〇〇〇年代前半には経営危機が表面化する。当時の状況に関しては拙著『美術館の政治学』で述べたので繰り返さないが、ここでは、その後百貨店出身の館長を招聘し、指定管理者制度を導入するなど経営再建の途上にあった同館が、一九年十月に襲来した台風十九号によって浸水して多くの作品を廃棄処分するなどの壊滅的な被害を受け、以後長期休館を余儀なくされていることにはふれておかなければならない。

「日本のポンピドゥー」を目指して開館した川崎市市民ミュージアムの三十年以上に及ぶ歩みは多くの苦難に満ちたものだったが、とりわけ多くの批判にさらされてきたのが施設建築である。この施設を設計した菊竹はメタボリズムを代表する建築家の一人として知られているが、傑作や代表作として高く評価されている作品は一九六〇年代に集中していて、それ以降の作品は概して規模の大きさや無駄の多さが批判されることが多い。このミュージアムの施設も、バブル景気の真っ最中に竣工したこともあって、しばしばハコモノ行政批判の俎上に載せられることになった。

このミュージアムの大きな特徴として、野外劇場のようなゆったりとしたスペースと、その脇に設けられたエントランスから各部門の展示へと至る屋根で覆われた緩やかなスロープが挙げられる。この「逍遥展示空間」は、映像センターと博物館という二つの異質な施設の空間を統合するにあたって「THINK＝思索」の重要性に着目した菊竹が導いた回答だった。彼がこの空間を作り出すために用いた軸力ドームという手法は、以後も東京江戸博物館や九州国立博物館などの大規模施設で用いられることになる。菊竹の作品はキャリアの前半は比較的小規模なものが多いのに対し、東京江戸博物館や九州国立博物館など、後半には大型化する傾向が顕著である。川崎市市民ミュージアムの巨大施設は、後半の特徴が明快に表れた最初の例といえるかもしれない。

私自身、このミュージアムの建築はミスや無駄が多く、傑作とは言いがたいと考えている。台風に襲われた際の深刻な浸水被害もそのことと無縁ではないだろう。だが館内にあって豊富な光が降り注ぐこの空間を逍遥することは何とも贅沢に感じられ、そうした体験が展覧会の受容と必ずしもうまく結び付かないことが多々あったことはいまにして残念に思う。

長期休館中の二〇二一年八月三十日、川崎市は「新たな美術館、博物館に関する基本的な考え方(案)[16]」をウェブサイト上に公表して広く市民からの意見を募りながら新たなミュージアムを現在とは異なる場所に設置する意向を表明、さらに翌月には現在の施設の取り壊しが発表された。もともと老朽化していたところに大きな被害が発生したことに加え、開館から三十年以上経過して社会情勢も大きく変化していることから、コンセプトを一新したうえで新館を建設したほうがいいと判断したのだろう。あれこれと批判してきた側ではあるが、「日本のポンピドゥー」がこのように性急に幕を下ろしてしまうのは何ともやるせない。詳細は一切未定のため、現時点ではこれ以上のことはいえないが、とりあえず十年以上の年数を要するだろう今後の再建計画を見守りたい。

注

(1) オルセー美術館についての概要は、高橋明也『新生オルセー美術館』(〔とんぼの本〕、新潮社、二〇一七年)を参照した。

(2) 高橋明也『美術館の舞台裏――魅せる展覧会を作るには』(〔ちくま新書〕、筑摩書房、二〇一五年)を参照。

（3）「ジスカールデスタン元大統領の名を追加 オルセー美術館」「毎日新聞デジタル」二〇二一年三月三十日（https://mainichi.jp/articles/20210330/k00/00m/030/085000c）［二〇二一年四月五日アクセス］

（4）ポンピドゥー文化センターについての概要は岡部あおみ『ポンピドゥー・センター物語』（紀伊國屋書店、一九九七年）に依拠し、適宜ウェブサイトを参照した。

（5）André Malraux, *Le Musée Imaginaire*, Psychologie de l'Art 1, Albert Skira, 1948.

（6）*Ibid.*, p. 14.

（7）*Ibid*, p. 18.

（8）マルローにはほかに『沈黙の声』『世界の彫刻』『神々の変貌』などの美術論がある。詳細は森脇善明『アンドレ・マルロー美術史論研究――「空想の美術館」光と影』（晃洋書房、二〇一二年）を参照。

（9）前掲『ポンピドゥー・センター物語』を参照のこと。以下、同展の内容に関する記述は全面的に同書による。

（10）*Magiciens de la terre*, Pompidou, 1989.

（11）*Passages de l'image*, Pompidou, 1998. また同展に強く触発されたとおぼしき仕事として、今福龍太『ここではない場所――イマージュの回廊へ』（岩波書店、二〇〇一年）を挙げておく。

（12）Jean Baudrillard, *Simulacres et simulation*, Galilée, 1981, p. 140.（ジャン・ボードリヤール『シミュラークルとシミュレーション』竹原あき子訳〔叢書・ウニベルシタス〕、法政大学出版局、一九八四年、一二一ページ。訳文を一部改めた。）

（13）同展カタログはその後日本語版が刊行された。長谷川祐子編『ジャパノラマ――1970年代以降の日本の現代アート』水声社、二〇二一年

（14）ソフィア王妃芸術センターのコレクション展示に関しては、クレア・ビショップ『ラディカル・ミュゼオロジー――つまり、現代美術館の「現代」ってなに？：ダン・ペルジョヴスキによるドローイングとともに』（村田大輔訳、月曜社、二〇二〇年）を参照した。

（15）川崎市市民ミュージアム開館の経緯に関しては、鈴木勇一郎「川崎市の文化政策と市民ミュージアムの誕生」（川崎市市民ミュージアム編「川崎市市民ミュージアム紀要」第三十三集、川崎市市民ミュージアム、二〇二一年）を参

照した。

(16) 川崎市「新たな博物館、美術館に関する基本的な考え方(案)」川崎市、二〇二一年八月(https://www.city.kawasaki.jp/templates/pubcom/cmsfiles/contents/0000131/131403/aratanahakubutukanbizyutukannikansurukihontekinakangaekata.pdf)[二〇二一年九月一日アクセス]

第6章　デザインミュージアムとは何か

1　ヴィクトリア・アンド・アルバート博物館――世界初のデザインミュージアム

デザインを収集や展示の対象にする博物館をデザインミュージアムという。欧米諸国には多くのデザインミュージアムがあり、その一部は拙著『世界のデザインミュージアム』でも紹介したことがある。デザインミュージアムに関しては、現在日本でも各方面で必要性が叫ばれ、また同時並行で設立に向けての複数のはたらきかけがおこなわれているが、いまだ実現には至っていない。デザインミュージアムとは何なのか、またなぜ日本にデザインミュージアムが必要なのか、ミュージアムスタディーズの一環として、本章ではその問題を検討してみたい。

世界初のデザインミュージアムはロンドンに所在するヴィクトリア・アンド・アルバート博物館（V&A）とされている。その理由を考えるにあたり、前身のサウスケンジントン博物館までさかのぼって同館の歴史を手短に振り返ってみよう[(1)]。

一八三六年、美術・デザインの振興を目的にロンドンにデザイン学校が設立された。イギリスでは、一七六〇

写真6-1　ヴィクトリア・アンド・アルバート博物館

年代から一般公開の美術展が盛んに催されるようになり、六八年にはロイヤル・アカデミーが設立された。イギリス政府は隣国フランスに対して自国の美術が立ち遅れていることを自覚していたため、美術家を養成してその状況を改善することが目的だった。その結果アカデミックな美術教育が普及したが、一方でその成果を民衆に広めようとする工芸振興協会の活動も活発になっていった。

一八三〇年代になると、保守的なロイヤル・アカデミーに対抗する改革派の勢力が委員会を結成して新たなミュージアムや無料図書館の設置を唱え始める。彼らの多くは商工関係者であり、美術が一部の上流階級によって占有されている状況を改革しようとしたのである。また、当時委員会が実施した調査によって、イギリスの工業製品はフランス製品に比べてデザインが劣っている実態が明らかになったため、その対策としてデザイナー養成のためのデザイン学校を設立することと、教育のための入場無料のミュージアムを設けることが決定された。学校と一体のものとして構想されたこのミュージアムの教育的な性格がうかがわれる。

委員会の決定を受けて、一八三六年、国立デザイン学校が設立された。イギリス政府が設立した初の美術学校である。学内には博物館が設置され、多くの工芸品や標本が集められ、またのちにマンチェスターなどに分校が開講された。

2　ロンドン万博から産業博物館へ

一八五一年、ロンドン万博が開催された。この史上初の万博の概要についてはすでに第3章でふれたので、ここではデザインミュージアムとの関連に絞って議論を進めよう。当時世界最強を誇った大英帝国の権勢を誇示したこの博覧会では、機械の動態展示、相互作用型展示、展示のショー化などの手法が試みられたが、これらの手法はのちのサウスケンジントン博物館の展示にも取り入れられることになるほか、メイン会場だった水晶宮が解体されたあとに残された大量の資財が、のちに産業博物館のコレクションの一部になる。

第一回ロンドン万博の展示は素材、機械、製造、美術の四部門だった。このなかでは、製造業がいちはやく産業革命を経験したイギリスのアイデンティティとして位置付けられた。ただ実際の展示品は、ドイツやアメリカの工業製品のほうが高品質だ、イギリスの製品は趣味がよくない、などの指摘を受けることもあったという。このことに危機感をもったのが、工芸振興協会の理事長を務めた工芸会の重鎮で、国内で産業博覧会を開催した実績を踏まえて万博開催を主導したヘンリー・コールだった。コールは早速政府にはたらきかけ、翌一八五二年には商務省に工芸局が設立された。これは各時代の美術品を収集・展示したすべての階級の審美眼の向上を目的にしたミュージアムの設立を目指すための組織であり、コールはその責任者になった。このような施設を求める意見は三〇年代からあったが、博物館の建設やコレクションの形成には巨額の費用が必要なため、その実現には万博開催を待たなければならなかったのである。このあたりの事情は、上野に博物館を建設するための準備として内国勧業博覧会の開催を必要とした日本と同様である。

一八五三年、万博の余剰金と政府の補助金を元手に「装飾美術の歴史、理論、実際の応用を示すため」の産業博物館が開館した。この博物館はデザイン学校と同じ組織に属していて、相互に役割を分担することになった。

コレクションは、万博由来のものとデザイン学校由来のものがあった。四部門の分類は万博と同じで、このジャンル別の展示は紆余曲折の末に現在のV&Aまで継承されている。

3　サウスケンジントン博物館の開館

数年間の準備期間を経て産業博物館は改組・移転し、一八五七年六月二十日、サウスケンジントン博物館が開館した（実はこの移転の際、コールは最初ウィーン美術史美術館やウィーン美術史博物館の設計者として知られる大家ゴッドフリート・ゼンパーに施設の設計を依頼したのだが、その案はあまりにも経費がかかりすぎるという理由で実現が見送られた）。現在の名称になったのは世紀末の九九年のことで、もちろんその名は当時大英帝国に君臨していたヴィクトリア女王と夫君アルバート大公に由来している。コール自身は歴史上の名品を集めるより人々の審美眼の変化を示す展示をおこないたかったとされるが、方針はやや曖昧で、遺言で国家に遺贈されたターナーのコレクションの所有権をナショナル・ギャラリーと争うなど、開館当初の同館はまだ方向性が定まっていなかった。初期からの重要なコレクション『ラファエロ・カルトン』やジョン・コンスタブルの『楡の木の習作』も、そうした混乱の産物かもしれない。

一方でコールは美術教育に熱心であり、初等教育に美術教育を導入し、そこから美術訓練学校を経て王立美術学校へと進む教育課程を確立した。この美術教育はその後も長らくイギリスで実施され、民衆の基礎教育を重視する方針が歓迎される一方で、作家養成には必ずしも結び付かない彼の教育観が批判されることも少なくなかった。博物館の建設もそうした教育観の一環であり、彼は愛好家やコレクター、画学生のような特定の層だけではなく、一般層を対象にした非営利の博物館を理想としていたのである。

サウスケンジントン博物館は労働者の来館を歓迎し、設立当初は月曜日から金曜日の週五日開館だった。月曜日と火曜日は無料だったため多くの来館者が訪れたほか、学生向けの無料開館や夜間開館も実施した。労働者を対象にした夜間開館のサービスはガス灯の普及によって実現可能になったもので、一九三八年まで続けられる。また一八九六年には、これまで安息日であることを理由に反対していた教会が態度を軟化させたため、ようやくミュージアムの日曜開館が実現した。

展示に際しては、展示品にラベルを添付する、ガラスケースに収めるなどの方法が導入された。現在では当たり前の展示は、当時としては画期的なものだった。展示室に監視員を配備したことや、来館者用の食堂を設けたのも同館が世界初とされている。展示場や講堂でのイベントも盛んにおこなわれ、食堂では酒類も振る舞われた。これには、堅苦しい大英博物館やナショナル・ギャラリーとの差別化という狙いもあったようである。この方針は堅苦しさを嫌う労働者層に歓迎され、同館の年間入館者数は一八六〇年代には百万人を突破するようになった。

サウスケンジントン博物館の成功は、欧米各国に工芸や産業を対象にした博物館建設の機運をもたらした。一八六〇年代にはウィーンとベルリンに工芸博物館が、九〇年代までにはポーランド、ハンガリー、セルビア、ドイツ、オランダ、ノルウェー、デンマーク、ロシアの各国に装飾美術館が設立された。一方、フランスではかなり遅く、一九〇五年にルーヴルに装飾美術部門が設立された。アメリカでも、その活動はメトロポリタン美術館やボストン美術館に影響を与えたほか、クーパーユニオン博物館（現クーパーヒューイット博物館）もサウスケンジントン博物館に範を取って開館された。これらの館は、現在世界のデザインミュージアムの中核を占める存在といっていい。

一八七二年、ロンドンのイーストエンド地区のベスナル・グリーンにサウスケンジントン博物館の別館が開館した。貧民街だったこの地区に分館を建設したのは、コールの強い意向によるものだった。もともと労働運動が盛んだったこの一帯で、分館は八八年には本館以上の来場者数を記録するなど地元の労働者に人気を博していたのだが、本館で不要になったコレクションを分館に移動するといったことが重なり、また地元で期待されていた技術学校が開かれないなどの要因もあって、徐々に不協和音が高まっていく。サウスケンジントン博物館がV＆

Aと科学博物館とに分離したとき、この別館は前者の帰属になった。同館は第二次世界大戦中には給食所として使われ、一九七四年には子ども博物館としてリニューアル開館して現在に至っている。

4 ミュージアムによる社会変革

以上のような経緯をたどっていくと、サウスケンジントン博物館開館の意義は、やはり産業革命抜きに考えることはできない。産業革命の結果、各地の農村や漁村から多くの労働者が流入したロンドンの都市人口は激増したが、労働者の多くは酒と買春に耽溺し、その家族は悲惨な生活を強いられた。労働生産性の向上には規律が必要であり、またフランスやドイツの工業製品と競争するには労働力の質を高める必要があった。そのためには、長時間の強制労働よりも、適度なレクリエーションを認めたほうがいいという意識が、少しずつ資本家の間でも共有されるようになった。これは、隣国フランスで一八四八年に発生した二月革命の記憶が生々しく、労働者たちに健全な娯楽を与える必要に迫られてのことでもあった。対策の結果、労働の合間の余暇にスポーツや旅行などを楽しむ労働者が少しずつ増えてきたが、そうしたレクリエーションの一環として歓迎されたのが、様々な展示品を鑑賞して楽しむことができるミュージアムである。それはソースティン・ウェブレンが「時間の非生産的消費」に例えた「有閑(レジャー)」の典型(2)であり、日用的な工芸品や機械などを数多く展示しているサウスケンジントン博物館は、大英博物館などと比べても労働者にとって入りやすかった。コールはロンドン万博に熱狂する労働者の姿を見ていつでも展示を見ることができる常設のミュージアムの有効性を実感し、社会を統制するための文化政策をさらに推進することを決断する。

一八七三年ごろ、サウスケンジントン博物館を大英博物館評議会の所管に移そうという議論が起きたが、同館を大英博物館とはまったく異なる存在と考えるコールはこれに同意しなかった。だがサウスケンジントンが古典古代後の装飾美術を収集する一方、大英博物館も中世以降の古美術を収集するなど、両者のコレクションには重なる部分もあった。コールは「審美眼の基準はサウスケンジントンで、美術史は大英博物館で」という基準で両者の棲み分けを図りたいと考えていたが、美術史に関してはナショナル・ギャラリーという専用施設がまた別に存在するなど、事態はコールの思いどおりには推移しなかった。

ところで、サウスケンジントン博物館の発足時がアーツ・アンド・クラフツ運動の盛期だったというタイミングの一致にも注目しておきたい。ヴィクトリア朝の時代は、産業革命に伴う技術の進歩の結果、大量生産への移行によって手仕事の良さが軽視されるようになった時代でもあった。そうした状況に危機感を抱いた作家でもありデザイナーだったウィリアム・モリスは、ジョン・ラスキンの影響を強く受けた一人である。モリスは、中世の手仕事に返ることを提唱し、生活と芸術の一体化を目指す美術・工芸の運動を推進した。これをアーツ・アンド・クラフツ運動といい、ラファエロ前派のような新しい美術の動向への対応を促す一方で、機械万能の風潮に嫌気がさしていた人々の支持や共感を集めることになった。量産不可能なモリス商会の商品は総じて高価で、広く普及しなかったなどの限界はあったが、この運動が生活に密着した応用美術としてのデザインを浸透させた意義は大きい。芸術と生活の一体化を目指すモリスの理念は芸術と産業の結合を目指したコールの理念とは相いれない部分もあったが、結果的にはV&Aはアーツ・アンド・クラフツ運動の重要性を認め、その理念を広く紹介することになる。現在のV&Aに開設されているモリス・ルームは、壁や食器などを通じてモリスのデザインを紹介するための部屋である。

5　その後のV&A

コールは一八八二年に、ヴィクトリア女王は一九〇一年に亡くなるが、V&Aはその後も発展を続け、〇八年には新館が建設される。翌〇九年には科学部門が分離して科学博物館になり、サウスケンジントン博物館はヴィクトリア・アンド・アルバート博物館（V&A）と改称され、両館は教育省の所管になった。V&Aはその後六回の増改築を重ねて現在に至っている。

一九〇九年から二四年までV&Aの館長を務めたセシル・ハーコート・スミスは館の方針の刷新を図り、工芸を中心にするコレクションや材料別の展示方針が確立された。とはいえ、V&Aの方針はその後も揺れ動いた。第一次世界大戦後には入場者が急増、相対的に博物館を利用する工芸関係者の割合が減ったこともあり、工芸博物館としての性格は退行した。

第二次世界大戦後には美術の傑作は様式別に、それ以外の標本は従来の材料別で展示する方針を確立して、長年の懸案に一つの答えが示された。一九八四年、マーガレット・サッチャー政権下の保守改革でミュージアムが独立採算化されたことに伴い、多くの反対を押し切るように有料化が開始され、事前に不安視されていたとおり、有料化後は観客動員が徐々に減り始めるなど影響が出始めた。後述するデザインミュージアムの開館もこのこととは無関係ではないだろう。

そうしたことを念頭に、現在のV&Aの展示をみてみよう。総計四百万を超えるV&Aのコレクションは、原則として時代別、地域別に展示されている。もちろんそうした展示には多くの類例があるが、V&Aの大きな特徴として、作品の図版を掲載したパネルを数多く展示していることが挙げられる。教育普及を館の重要なミッションと考えているからだろう。コレクションの中核をなすのはやはり自国の作品であり、「ブリティッシュギャラリー」という専用展示室が設けられている。またフランス、ドイツ、イタリアなど近隣国の作品も多い。なかでも最上階に展示されている陶磁器のコレクションは十五室に及ぶ膨大なもので、自国をはじめヨーロッパ各国や中東、中国、日本など地域別に膨大な作品が展示されているさまは壮観の一言だ。ただ点数が膨大なために、一点一点をじっくりと鑑賞することは想定されておらず、その展示はあたかも標本を配列するかのように、あるいは情報を整理するかのようにどこかそっけなく即物的な印象を受ける。

一部の作品を実際に手に取ってみることができるハンズオンという展示形式を導入しているのもV&Aの特徴だ。これは本物と偽物、一品制作と量産品を適切に区別するためには外形を見ただけではわかりにくいから、実際に手に取ってみる必要があるという考え方に基づいている。この考え方自体、うやうやしく展示されている作品をロープなどで仕切られた結界の外から鑑賞する絵画や彫刻とは一線を画するデザインならではの展示の発想である。デザインに限った話ではないが、作品や資料の展示に関しては、容器に収めたケース展示と外気にさらす露出展示、触れられないもの（untouchable）、触れていいもの（touchable）手に取っていいもの（playable）の区別を明確にする必要があるだろう。[3]

二〇一三年には、工業製品からゲーム・アプリまで、世相を強く反映したデザインの収集を目的にした「ラピッド・リスパンス・コレクティング」を導入し、一七年には東ロンドンに立つブルータリズムの建築作品「ロビンフッド・ガーデンズ」をパーマネント・コレクションにするなど、V&Aは近年もその活動の手綱を緩めない。

6　デザインミュージアムの意義

本章の冒頭で予告したとおり、なぜV&Aが世界初のデザインミュージアムとされているのかを考えてみたい。いまさら説明する必要もないだろうが、デザインはアートとは多くの点で異なっている。絵画や彫刻に代表されるアートが自己表現であり、基本的には鑑賞だけを目的にするのに対し、デザインは顧客の要望や社会的必要性に応じて作られるものであり、その造形には必ず実用的な機能や目的がある。その意味では、身近な日用品や工芸品、産業用の機械などをおもなコレクションや展示の対象としているV&Aが、開館当初からデザインミュージアムとしての性格を備えていたことは確かである。ただし、同種のコレクションを多数所有する工芸博物館や産業博物館がほかに存在する以上、それだけでは十分とはいえない。

ここで、前身であるサウスケンジントン博物館の開館の由来を振り返ってみたい。サウスケンジントン博物館が工芸や産業をおもなコレクションや展示の対象にしたのは、大英博物館やナショナル・ギャラリーなどの先行するミュージアムと差別化する必要があったことに加え、同館が産業革命を背景に急変する社会情勢を踏まえ、労働者層の教育を目的としていたことも大きな要因だった。そもそも同館は、著名なキャビネットなどの前身をもたず、国家が主導してコレクションが整備されたミュージアムであり、一種の殖産興業政策がその存立の基盤になっている。創設者のコールは労働者層の審美眼の涵養にこだわっていたが、結果的にはそれよりも近代社会の社会政策の重要性が優先されることになる。デザインが近代社会の所産であることを考えれば、この由来は決定的に重要である。V&Aは、歴史上初めてデザインミュージアムとしての存立要件を満たした館だったといえるだろう。

7　ダンディー別館

コールは、博物館のロンドン一極集中は好ましいことではなく、地方にも分館を建てるべきと考えていた。これは、デザイン学校が全国各地に必要なのと同じ理由で、教育施設としてのミュージアムもまた各地に必要だという考えに基づいている。とはいえ、子ども博物館を除いては長らくこの構想は実現されることはなかったのだが、二〇一八年九月にスコットランドのダンディーに分館が開館し、再度注目が集まることになる。

ダンディーはスコットランドでは第四位の人口を擁する港町である。古くは造船業や貿易が基幹産業だったが、近年ではデジタルエンターテインメント作業に力を入れていて、一四年には医学研究や漫画やビデオゲームなどの分野での多様な貢献を理由として、イギリスで初めてユネスコからデザイン都市に認定された。その一方では近年では伝統的な産業の衰退やそれに伴う人口減少に悩まされ、地域振興のために三十年の長期にわたって、倉庫群によって分断されていたウォーターフロントと市の中心部を結ぶ再開発プロジェクトが進行中であり、V&Aの別館はその目玉事業に位置付けられていた。誘致が実現したのは、スコットランド進出の機会をうかがっていたV&Aとの思惑の一致によるものだろう。V&Aのダンディー誘致は二〇〇七年に始動し、一〇年には施設のコンペが実施されて隈研吾の案が当選した。海外でも多くのプロジェクトを実現した隈だが、スコットランドのプロジェクトはこのときが初めてだった。市南部のテイ川のほとり、ダンディーのシンボルであるRSSディスカバリー号のすぐ近くに、総工費八十億ポンドを要した船を思わせる造形のミュージアムが竣工したのは一八年九月のこと、私が同館を訪れたのは、それから一年後の八月末のことだった。

写真6-2　ダンディー別館（筆者撮影）

展示は常設展示と企画展示の二本立てで、常設展示は「スコティッシュ・デザイン・ギャラリー」という名前のとおりスコットランドのデザインに特化した展示である。スコットランドのデザインといえば、何といってもチャールズ・レニー・マッキントッシュの建築が有名だが、このコーナーではほかにも様々な成果が紹介されている。一方の企画展示のコーナーでは、オープンを飾った「オーシャン・ライナー――スピードとスタイル」展（二〇一八年）や引き続いて開催された「ビデオゲーム――デザイン・プレイ・描写」（二〇一九年）展など、ダンディーの地元の産

業にフォーカスした展示をおこなっていた。産業振興を柱にしたその方針には、開館当時からの一貫性がうかがわれる。

この別館は多くの市民から歓迎された。スコットランドでは初になるデザインミュージアムの物珍しさや意欲的な展覧会企画に加え、開放感があるホワイエが市民の交流の場になったことが大きな要因で、二〇一九年にはアメリカの有力誌「TIME」に「二〇一九年世界で訪れるべき最も素晴らしい場所百選」に選出されるなど、国際的な注目も集めることになった。二〇二〇年初頭以降の新型コロナウイルスの急速な感染拡大は順調なスタートを切った同館の出はなをくじく格好になったが、今後どのように態勢を立て直していくのかにも注目したい。

写真6-3　ダンディー別館の展示風景（筆者撮影）

8　ロンドン・デザインミュージアム

他方、ロンドンにはもう一館デザインの専門館、名前のとおりのデザインミュージアムが存在する。V&Aが歴史展示や教育普及に力を入れた総合的なデザインミュージアムだとしたら、こちらのデザインミュージアムは近・現代のデザインに特化したより専門性が強い施設である。

デザインミュージアムが開館したのは一九八九年のことだった。その中心的な役割を果たしたのが、日本でもコンランショップのショップ展開で知られるテレンス・コンランである。実業家であると同時に著名なインテリアデザイナーでもあるコンランは、V&Aの地下スペースを利用して「ソニー」「コカ・コーラ」「イッセイミヤケ」「メンフィス」などの展覧会を続々と実現した。これらの展覧会はいずれもデザインを消費社会の産業の役割から捉えることを意図したもので、近い将来の専用スペースでの展示の布石にもなっていた。コンランは一民間人としての立場からのV&Aの活動への関与に限界を感じていて、もっと小回りが利く施設の必要性を感じていたにちがいない。

写真6-4　デザインミュージアム

デザインミュージアムが開館した場所はテムズ河畔だ。タワーブリッジの近くに立つ倉庫を購入して、大規模なリノベーションをおこなったのである。三階建ての一階はミュージアムショップやカフェ、二階は企画展+常設展、三階は常設展にあてている。企画展としてはリチャード・ロジャースやザハ・ハディドらの建築展、フセイン・チャラヤンやクリスチャン・ルブタンらのファッション展、T型フォードやF1レーシングカーなどのプロダクト展など各種デザインの興味深い展示を開催していた。また展示以外にも、国内外のデザイナーをロンドンに招聘して、一時期滞在してデザイン活動に携わってもらうデザイナー・イン・レジデンスというユニークなプログラムも運営されていた。

とはいえ、もとの倉庫自体がそれほど大規模ではなかったため、開館から二十年以上経過し、デザインミュージアムはスペース不足が深刻化していた。そのためデザインミュージアムは施設の建て替えと移転を決定し、二〇一六年六月に活動をいったん休止した。活動の再開は同年十一月で、かつてサウスケンジントン博物館が所在していたエリア近くに新装開館したデザインミュージアムは、以前の三倍の規模へと拡張されていた。ホランド・パークに隣接して立つ新しい建物は、イギリス連邦協会の建物を五年かけてリノベーションしたものだという。ハイパボリック・パラボロイド屋根が印象的な外観のデザインはOMA、内装はジョン・ポーソンが手掛けた。

建物は地上三階、地下一階で一階を企画展、三階を常設展の展示にあてている。私が訪れた二〇一九年八月末、企画展のコーナーでは「スタンリー・キューブリック」展が開催されていて、『時計じかけのオレンジ』(一九七二年)、『二〇〇一年宇宙の旅』(一九六八年)などの傑作で知られる鬼才のプロフィルが豊富な資料によって詳しく紹介されていた。一方、常設展のコーナーは「Designer」「User」「Maker」の三つに分けられていた。三つの視点からデザインを検討しようという展示は、同館独自のものといえる。展示面積が増床されて、展示作品は以前と比べても倍以上であり、また新たにハンズオンの展示もおこなわれるなど、その活動からは以前と比べても教育的側面を強めている印象を受ける。施設が大型化してデザインになじみがない来館者が増えた分、あらためてデザインミュージアムとしての使命を果たそうとしてのことではないだろうか。

9　MoMAのデザイン展示:1

V&Aが先鞭を付けたデザインミュージアムの可能性をさらに拡張したのがMoMAとポンピドゥー文化センターということになる。開館当初からデザイン部門を有していた大規模な総合型ミュージアムである両者の取り組みにはすでにふれたが、ここではMoMAの二つの展覧会を通じてその活動に注目してみる。
MoMAがデザイン部門を開設したのは、初代館長のアルフレッド・バー・Jrの強い意向によるものだった。美術史家として「キリスト教美術のインデックス」という手法に通じていたバーは、それを近・現代美術の解釈にも応用し、絵画や彫刻だけでなく、デザインや建築も美術市場の重要な構成要素であり、コレクションや展示の対象になるという立場を示したのである。建築部門に関しては第4章で述べたので、ここではデザイン部門の活動をみてみよう。

一九四〇年、デザイン部門のキュレーターだったエリオット・ノイスは「オーガニック・デザイン」展を企画するが、この企画には人為的な側面があった。というのも、この「オーガニック・デザイン」というコンセプトに相当するデザインは、実はこの言葉が考案された時点ではまだ存在しなかったのだ。ノイスによる「オーガニック・デザイン」の定義は「全体を構成する各パートが、構造・素材・目的のすべての調和をなしている」[4]というものだが、これは商品化を前提にしたデザインコンペのキーワードだった。すなわち「オーガニック・デザイン」とは既存のデザインのある種の傾向を指す言葉ではなく、この言葉が考案された時点ではまだ存在しない未来のデザインを事後的にそのように名づけるための造語だったのである。「オーガニック」とは有機的という意味であり、生命力にあふれたデザインが連想されるが、フレキシブルに成形されたチャールズ・イームズやエーロ・サーリネンの椅子は、まさしくこの「オーガニック・デザイン」のデザイン原理に対応するアーティストの側からの最良の回答であり、以後のデザイン・ムーブメントにも大きな影響を与えることになった。この企画はブルーミングデールズという一企業の主導で進められたものである。それを商業主義と批判するのは容易だが、それとは別に、この「オーガニック・デザイン」は、生命力にあふれたデザインという基本的な価値観を共有しながらも、アーツ・アンド・クラフツに代表される十九世紀のヨーロッパ的なデザインを二十世紀のアメリカ的なデザインへと再構成した概念としての側面ももっている。

ところで、「オーガニック・デザイン」にせよ第4章で検討した「インターナショナル・スタイル」にせよ、

ＭｏＭＡが提唱した一連のデザイン概念には、ある種の一貫した底流をうかがうことができる。これらの概念そのものにはきわめてフォーマルで美学的なパラダイムが与えられているのだが、その一方で、このような概念系を提唱するＭｏＭＡの意図にはきわめて強い政治性が感じられるのだ。ＭｏＭＡの展示が自国中心の「世界標準」を編成しようとする恣意的な意図に基づいておこなわれていることに疑いの余地はないだろう。

第4章でふれた「アメリカ美術の勝利」という観点もまさにこの政治性に由来するのだが、建築・デザインの部門にはこうした自国中心主義的な視点がいっそう強くうかがわれる。それは、芸術の一領域として認知されてからの歴史が浅いために、いちはやく自らがパイオニアであろうとする明確な意図の産物である。そうしたＭｏＭＡの意図は、「シカゴにおける初期の近代建築」展（一九三三―三三年）、「H・H・リチャードソンとその時代の建築」展（一九三六年）、「バウハウス1919-1928」展（一九三八年）、「アルヴァ・アアルト」展（一九三八年）、「フランク・ロイド・ライト」展（一九四〇年）といった「モダン・アーキテクチャー」以降の建築デザイン部門の展覧会ラインナップによって一目瞭然だろう。これらの展覧会を通じて、ＭｏＭＡは以後の世界的趨勢をリードするイニシアチブを真っ先に確保したのである。

10　ＭｏＭＡのデザイン展示：2

第二次世界大戦後にＭｏＭＡで開催されたデザイン展のなかでも、日本との関係で重視すべきなのが、インダストリアルデザイン部門のディレクターだったエドガー・カウフマン・Jrが一九五〇年から五五年にかけて企画・開催した「グッドデザイン」展である。カウフマンはフランク・ロイド・ライトの代表作として知られる住宅「落水荘」の施主エドガー・カウフマンの実子で、家業だったカウフマン百貨店の経営を手伝っていたが、一方でライト主宰の建築学校で学ぶなど建築・デザインにも関心が深く、四〇年の「オーガニック・デザイン」展が機縁で親交を結ぶようになったバーの誘いで、戦後の除隊後にはMoMAのデザイン部門の仕事にも携わるようになった。この展覧会のコンセプトは、実家の職業的要請とMoMAの戦略的プログラムの合間で構想されたものといえるだろうか。

では、「グッドデザイン」展ではどのような展示がおこなわれていたのか、そのうち、一九五一年十一月に開催された同展の展示を確認してみよう。[5] 図面によると、会場はほぼ長方形の可動壁と人工的な光源を有する均質な空間で、典型的なホワイト・キューブである。この会場を設計したのが、戦後のデンマークを代表するデザイナーの一人フィン・ユールだった。

肝心の展示品だが、家具や台所用品、食器、医療、陶器や床座といった日用品ばかりだった。これらの展示品はいずれも丈夫、便利、無駄や装飾がない、安価で大量に生産できるという理由で選ばれたもので、「グッドデザイン」の「グッド」が何を意味するのかがこの選択によって示されている。ちなみにこれらの展示品は、展覧会に先駆けて同年一月と六月に開催されたアメリカ・シカゴのマーチャンダイズ・マートに商品として陳列されたものだった。換言すれば、グッドデザインは、ありふれた日用品に美術品としての箔をつけるためのプログラムであり、さらに付け加えるならば、美術館で「グッド」と認定された日用品を再度市場や日常生活に送り返すことで人々の生活水準を向上させることを意図したものでもあった。

ちなみに、同じく一九五一年四月から六月にかけて、MoMAでは「Japanese Household Objects」と題する展覧会を開催している。[6] 同展は戦前には帝国ホテルの設計にあたってライトの助手を務めるなど長らく日本で活躍し、また戦後まもなく再来日して日本を拠点に活動していたチェコ出身の建築家アントニン・レーモンドが収集した陶磁器を陳列した小規模な展示で、レーモンドの収集には民芸や三田平凡寺が提唱した我楽多宗の影響が反映されていたが、一方でフィリップ・ジョンソンの目を介したその展示には「飾り気がない素朴さ」とでも呼ぶべき特徴が顕著に表れていて、MoMAが日本の生活雑貨に何を期待していたかがよくわかる内容にもなっていた。同展は、MoMAの視点によって再編された日本のグッドデザインだったのかもしれない。

一九五一年の「グッドデザイン」展を現地で視察した建築評論家の浜口隆一は、日本でも同種のデザイン展を開催すべく百貨店の松屋に打診し、五四年に同店で開催された食器や台所用品の展示会に関わる。その後その展示には柳宗理と渡辺力も関わるようになり、グッドデザインセクションと命名される。

現在の日本で「グッドデザイン」というと、一九五七年に始まった、「Gマーク」の通称によって知られるデザインの表彰制度とほぼ同義といっていい。この表彰制度は外国製品の盗用が外交問題になっていたことを懸念したデザイン業界が創造性を高めることを目的として創始されたものだが、一連の経緯を考えれば、MoMAの「グッドデザイン」展の延長線上で考案された可能性がきわめて高い。MoMAのデザイン戦略は、海を隔てた日本のデザインにも大きな影響を及ぼしていたのである。

11　ヴィトラデザインミュージアム

欧米のデザインミュージアムの多くは国家や自治体が主導するものだが、そのなかにあってヴィトラデザインミュージアムは企業主導型の珍しいデザインミュージアムである。

同館の母体になるヴィトラ社はスイスを拠点とした家具メーカーであり、ヨーロッパではデンマークのフリッツハンセン社やイタリアのカッシーナ社と並び称される名門だが、一九八九年に開館した同館の予算は必ずしも潤沢とはいえない。ミュージアムの構想は、当初は家具コレクターのアレクサンダー・フォン・フェゲザックが構想し、それを二代目社主のロフル・フェールブムに提案するところから動きだした。初期費用はヴィトラ社が負担し、スイスとの国境にほど近いドイツのヴァイル・アム・ラインにある工場の広大な敷地内にミュージアムを建て（同じ敷地内に立つほかの建物のうちひときわ印象的なのが、安藤忠雄設計のセミナーハウスとザハ・ハディド設計の工場・消防ステーションである）、年一〇パーセント程度の運営を負担するところまでは何とか漕ぎ着けた。

写真6-5　ヴィトラデザインミュージアム

とはいえ、残りの九〇パーセントの運営費はミュージアムが自ら稼がなければならない。巡回展の収益やミュージアム・グッズの売り上げでその大半を賄い、公共の補助金は当てにしないというのだから事実上の独立採算制といっていい。美術館のデザインを担当したフランク・O・ゲーリーがちょうどオープンした年にプリツカー賞を受賞して一躍有名になったため、施設見たさに多くの観客が押し寄せた結果動員数は大きく向上したものの、同館の展示面積は八百平方メートルと小規模なために展示できるのはコレクションのごく一部に限られる。それもあってか、同館のコレクションの多くは絶えず館外に貸し出されて世界を巡回していて、それがまたミュージアムの収益の柱になっている。もちろん、いくらミュージアムの活動が注目されているとはいえ、そうそう都合よく展覧会や作品貸し出しのオファーがあるわけではないので、館長自らが世界各地で営業活動をおこない、企画を売り込まなければならなかったという。

そうした地道な活動のかいあって、同館は現在年間七本から九本の展覧会をコンスタントに開催し、多くの観光客やリピーターを集めている。また二〇一七年からは、サマースクールを開講した。これは、学生が敷地内に一週間滞在して建築やミュージアムのコレクションを活用したプロジェクトをおこなう内容である。以下にみるように、その影響は日本にも及んでいる。

12 幻の秋葉原デザインミュージアム

本章の冒頭で日本にはデザインミュージアムが存在しない現実にふれたが、実は秋葉原を舞台にデザインミュージアムの開館が構想されていたことがある。終戦直後以来の電気街として、また近年はオタク街としても知られる秋葉原だが、一九九〇年代以降は地域の再開発が焦眉の課題になり、つくばエクスプレスの秋葉原ターミナル設立、青果市場の移転、ITセンター構想、D-秋葉原構想などが次々と浮上していった。秋葉原にデザインミュージアムを設立しようという構想もこのD-秋葉原構想のなかで浮上してきたものだが、最終的には資金不足が原因で頓挫してしまう。ここでは、もっぱらデザインミュージアムに焦点を合わせて発案から頓挫までのプロセスを追ってみよう。(7)

この構想のキーパーソンだったのが建築史家の三宅理一である。デザインという観点から秋葉原の地域再開発に関わっていた三宅が最初に構想したのが、廃校になった中学校の校舎を利用した地域展開型のミュージアムだった。二〇〇五年にその歴史を閉じた練成中学校の校舎が期間限定のその舞台になり、「アキテンポ」と命名された。

会場を確保すれば、次に必要になるのが展覧会企画である。検討の結果、以下の四つの展覧会とワークショップが実施されることになった。

1、「ジャン・プルーヴェ――機械仕掛けのモダン・デザイン」展（ヴィトラデザインミュージアムとの共同企画）
2、「スモール&ビューティフル――スイス・デザインの現在」展（スイス・プロ・ヘルベティア財団と共同企画）
3、「こどもと暮らす9坪ハウス」展（コムデザイン社と共同企画）

4、「〈ウファー〉緑と水のテクノシティ――ウラルからのメッセージ」展（ロシア・バシコルトスタン共和国建設省との共同企画）

四つの展覧会はいずれも海外の機関との共同で企画が進められた。ジャン・プルーヴェはフランスの著名な家具デザイナーで、この展覧会はプルーヴェのコレクションを多数所有するヴィトラとプルーヴェのアーカイブ化を試みる日本の共同企画であり、「アキテンポ」は神奈川県立近代美術館、せんだいメディアテークに次ぐ三カ所目の巡回先だったが、中学校の機械製作室を利用した機械仕掛けのイメージを増幅させる展示が試みられた。この展覧会は好評を博し、その後ヨーロッパ各地を巡回する。

次の展覧会の共同企画者であるプロ・ヘルヴェティア財団は日本でいえば国際交流基金に相当する施設であり、「スモール&ビューティフル」は、スウォッチの時計やフライタークのバッグなどに象徴される、スイスのデザインのエッセンスを凝集した言葉である。会期終了後は、国内数カ所を巡回した。最後の〈ウファー〉展は、ウラル山脈に位置するロシア連邦バシコルトスタン共和国の首都ウファーの都市計画を紹介する展覧会であり、同市のコングレスホールのコンペで主席になった建築家リシャット・ムラギルディンが会場設計を担当した。妻が日本人ということもあり、日ロの経済交流を強く意識した内容になっていた。またこれらの展覧会と同時並行して、いくつかのワークショップが開催された。なかでも、スイス人デザイナーのフライターグ兄弟のワークショップは好評を博したという。

「アキテンポ」は地域展開型のミュージアムである。UDXビルと旧練成中学校を核とした回遊型の美術館は構想できないものだろうか。三宅の念頭にあったのは、街自体を巨大な美術館に見立てる「アルス・コンビナトリア」の発想だった。そこから生まれてきたのが空間と装置を逆転する発想である。通常の美術館は施設のなかに作品を展示するが、街中を対象にした場合には、街中にある多くのモノがそのまま見世物になる。オタク街である秋葉原ならではの発想だった。

この発想のヒントになったのが、建築家・坂茂が実践した「ノマディック・ミュージアム」だった。坂もまたこの複数のコンテナを組み合わせた仮設ミュージアムのアイデアによって、シャネル展のような大規模な美術展の国際巡回を実現した実績をもつ。加えて、展示用のコンテナを現地調達する考えは「アルス・コンビナトリア」とも相性がいい。坂もまた二〇〇三年にデザインミュージアムの設立構想を発表したことがあり、一時期慶應義塾大学の同僚教員でもあった三宅の構想にも、その一部が流入していたはずである。

地域展開型のミュージアムの活動を充実させるためには来街者の動向の分析が欠かせない。調査に着手した当時（二〇〇五年前後）はすでに携帯電話が高い割合で普及していたため、来街者の分析には携帯電話の活用が不可欠だった。

二〇〇六年、秋葉原UDXが開業した。一年前に一足先に開業したダイビルと並んで、地域の再開発プロジェクト「秋葉原クロスフィールド」の最大の目玉である。都内の再開発といっても、秋葉原エリア特有の歴史や文脈を踏まえた、大型ビルを新設した汐留や六本木とは異なる役割が期待されていた。

売買時の東京都との交渉を通じて、秋葉原UDXは地域に開かれた施設にしなければならないとされていた。[8] 当初の構想では、ここに「デザインミュージアムアキハバラ」「東京アニメセンター」「東京フードシアター」の三つのテナントが入ることになっていた。だがその準備段階で、関係する団体や企業の関係者の間で激しい意見の応酬が続いていた。これまでの経緯を踏まえれば、デザインミュージアムの設立母体は地元の電気街を中心にした団体がなることが望ましかったのだが、東口にヨドバシカメラの巨大店舗が出現するなど、もともと同業者同士の競争が激しい電気街はそれを許す状態ではなくなっていた。

苦境を脱する役割を託されたのが秋葉原デザイン・コミュニティという組織である。この場合のコミュニティは、地元の組織ではなく、デザインをキーワードに国内外の多くの大学や美術館が連携した広域ネットワークといった意味合いである。二〇〇六年四月と七月に開催された秋葉原デザイン会議はそれを象徴するイベントだったが、それも持続しなかった。ロケット、ラオックス、石丸電気、サトームセン、九十九電機といった老舗が相次いでフェードアウトするなど、電気街の各店舗の体力は軒並み低下し、その一方で中国資本が続々と進出して、秋葉原の風景は決定的に変化し、電気街とＵＤＸビルの関係のなかから生まれてきたデザインミュージアム構想は実現困難な状態に陥ってしまった。三宅が考えるデザインミュージアムは①展示機能、②教育機能、③アーカイブ機能、④開発促進機能の四つを柱にしていたが、結果的には多額の資金を必要とする④が足かせになったようだ。だが、同時期に計画が進行していたアニメセンターやデジタルハリウッド大学、それに現在旧練成中学校校舎を拠点とするArtsChiyoda3331が実現に漕ぎ着けたことを思えば、これらと比べてデザインミュージアムのプロジェクトには何らかの欠陥があったといわれても否定できないだろう。三宅は慶應義塾大学を退職後に出版した自著で頓挫の経緯を明らかにしたが、これはあくまでも三宅の立場からの説明であり、事態をより正確に捉えるためにも、別の立場からの検証も必要だろう。

13　「つくろうデザインミュージアム」以降

日本では現在に至るまで本格的なデザインミュージアムが存在しない状態だ。ミュージアムの役割は美術史的な価値が高い美術作品や文化的な価値が高い歴史資料や民俗資料などを収集・展示することにあるとみなされていて、その前提に立った場合、ありふれた日用品、量産品であるデザインを収集・展示する根拠に乏しいことは確かだ。デザインを専門とするキュレーターの数も少ない。また日本には多くの企業系博物館が存在し、グラフィックやプロダクトがそれらの施設で展示されていて、デザインミュージアムを代補する役割を果たしてきた。戦後間もない時期にレイモンド・ローウィの『口紅から機関車まで』[9]を翻訳した藤山愛一郎のようにデザインに理解がある政治家もいないわけではなかったが、社会政策の観点からデザインミュージアムの必要性が強調されることもほとんどなかった。そうしたいくつかの理由が重なり、デザインミュージアムを設立しようという動きはなかなか顕在化せず、比較的早期に実現を目指した秋葉原デザインミュージアムの蹉跌はすでにみたとおりだ。

にわかに雲行きが変わってきたのは比較的近年のことである。これは、社会政策上の観点からデザインミュージアムの必要性が認識されるようになったことに加え、台北デザインミュージアム（台湾）、チャイナデザインミュージアム（中国・杭州）、M＋（香港）、レッド・ドット・デザインミュージアム（シンガポール）などのデザインミュージアムが立て続けに開館し、日本がこの分野で東アジア諸国では後塵を拝している現実がクローズアップされたことも大きな原因と考えられる。

二〇〇三年一月二十八日、三宅一生の「つくろうデザインミュージアム」と題する記事が「朝日新聞」の夕刊に掲載された。三宅の主張は「先人たちが遺したすばらしいデザイン遺産を保存・紹介し、未来に向けて同時代の動向も示す「デザインミュージアム」をつくろう。一つの大きなシンボルになって、世界各地からたくさんの人々を引き付けてくれるはずだ」と至極単純なものだが、その反響は大きかった。三宅といえば、多摩美術大学の学生だった一九六〇年、当時東京で開催されていた世界デザイン会議の主催者に手紙を送り、日本初の本格的なデザインの国際会議でファッションが取り上げられなかったことに異議を唱えたエピソードがしばしば参照される。それから四十年以上たって世界的なファッションデザイナーになった三宅の新たな問題提起によって、その後日本のデザインミュージアムをめぐる状況は大きく動いていくことになる。[10]

翌二〇〇四年、最初の具体的な動きが現れた。この年、北山創造研究所、安藤忠雄建築研究所、三宅デザイン事務所の連名で「東京デザイン・ミュージアム構想」と題する提案が起草されたのである。この企画書は、「海外における日本のデザインの評価は高いが、デザインを一堂に集め、交感・創造していく場がないので、日本のデザインの活動発信拠点作りが不可欠」であることを強調するなど、漠然としていた三宅のアイデアを北山がある程度具体化したもので、当時工事が始まったばかりだった東京ミッドタウンのディベロッパーである三井不動産への提案という面を強くもっていた。結局この提案は三年後にミッドタウン内に開設された21_21DESIGN SIGHTとして実現するのだが、コレクションやもろもろの機能を有するミュージアムの開館を最終目標と考えるなら、展示専用のギャラリーである同所のオープンはまだ途中段階だった。ちなみに同所では、一三年には「日本のデザインミュージアム実現に向けて」という展覧会が開催されていて、当事者も同様の認識を有していたものと考えられる。

三宅の提言は文化庁をも動かした。二〇一二年、三宅と国立西洋美術館館長（当時）の青柳正規の二人を発起人とする「国立デザイン美術館を作る会」が結成された。青柳はイタリア美術を専門とする美術史家で、西洋美術館のほかに山梨県立美術館や石川県立美術館の館長を歴任した人物だが、同年十二月二十八日付の「読売新聞」に寄稿した記事のなかで「一定の規模と継続性を確実なものにするためには国立にすることが必要であり、ファインアート中心の国立美術館グループにデザインミュージアムが参加できれば、大きな広がりと社会性がある美術館グループが出現するだろう。デザインに関する資料を所蔵する美術系・工学系の大学や企業・団体のネットワークを構築し、その中核組織として展示・研究機能をもつセンターを設ける。このセンターでデザインの生まれる過程を紹介することによって、企業や大学での研究開発のモデルを示し、デザイン教育にも貢献することができる。そうすることで将来にわたり想像力があるデザインが、我が国に担保できるのである」と欧米先進国のデザインミュージアムを念頭に置いた、美術館人らしい構想を披露している。

その後青柳は二〇一三年に文化庁長官に就任し、その音頭によって一四年には文化庁には「文化関係資料のアーカイブに関する有識者会議」が設立されたが、そのなかでデザインミュージアムを「中長期的な取り組みが必要な構想」の一つとして取り上げたのは、デザインミュージアム建設を目指す青柳の強い意向を示したものと考えられる。「国立デザイン美術館をつくる会」は「日本にデザイン・ミュージアムをつくろう会」に名称変更し、一六年に青柳が長官を退任したあとも断続的にディスカッションを開催していた。この流れを受けて、一九年にDesign-DESIGN MUSEUM が結成される。顧問に名を連ねるのは、青柳のほか岡本健（デザイナー）、川村真司（クリエイティブディレクター）、佐藤卓（デザイナー）、田根剛（建築家）といったメンバーで、彼らはシンポジウムでの発言やＮＨＫのテレビ番組の出演などを通じて、デザインミュージアムの必要を積極的に訴えている。

他方、二〇〇三年には、経済産業省が「戦略的デザイン活用研究会」を設置し、「競争力強化に向けた四十の提言」をまとめているが、実はこの四十項目にわたる提言の三十九番目に「デザインミュージアムの設立を通じて多様で優れたデザインにふれる機会の創出」というフレーズがある。政府の諮問機関がデザインミュージアムの必要性を公文書に記録したのは、おそらくこのときが初めてではないだろうか。デザインは産業としての側面を併せ持つだけに、文化庁とは別に経産省からもこのような動きが生まれてきたゆえんだが、これにいちはやく対応して見せたのが、〇六年に結成されたジャパンデザインミュージアム（ＪＤＭ）設立準備委員会（のちにジャパンデザインミュージアム設立研究委員会に改称）だった。

14　D-8とJDM構想

ＪＤＭ設立準備委員会はＤ－８（日本デザイン団体協議会）を母体にしている。Ｄ－８はＤＳＡ（日本空間デザイン協会）、ＪＡＧＤＡ（日本グラフィックデザイン協会）、ＪＣＤＡ（日本クラフトデザイン協会）、ＪＩＤ（日本インテリアデザイナー協会）、ＪＩＤＡ（日本インダストリアルデザイン協会）、ＪＪＤＡ（日本ジュエリーデザイナー協会）、ＪＰＤＡ（日本パッケージデザイン協会）、ＳＤＡ（日本サインデザイン協会）のデザイン八団体からなり、建築やファッションなど欠けている領域もあるものの、デザインの各領域を幅広く網羅した集合体である。各団体にはそれぞれ歴史があり、自らの専門領域のコンテンツを豊富に有している。ＪＤＭ構想とは、これら八団体の有するコンテンツを一体化した、総合的なデザインミュージアムの設立を目指すものといっていいだろう。

ＪＤＭはデザインミュージアムの設立を「リサーチ」「パイロットミュージアム」「スモールミュージアム」「ジャパンデザインミュージアム」の四つのプロセスに区分して、二〇一〇年に開催された展覧会「DESIGN ふたつの時代 60s vs 00s ジャパンデザインミュージアム構想」をはじめとする様々な事業をおこなってきた。委員会の設立に始まるその取り組みはすでに十五年以上に及び、すっかり長期戦になった感がある。

これまでに挙げたいくつかの動向は、いずれも大規模な国立のミュージアムを志向している。それはＪＤＭにとっての最終目標でもあるが、その通過点として、まず自治体レベルの小規模なミュージアムの実現を目指していることにもふれておきたい。その構想に強い関心を示したのが豊島区である。二〇一四年に東京二十三区で唯一人口を維持することが困難な「消滅可能性都市」に認定された豊島区は、高野之夫区長の強い意向から文化事業への注力で現状からの脱却を図ることになり、一五年には「国際アート・カルチャー都市構想」を策定、一九年には中国の西安、韓国の仁川と三都市合同で東アジア文化都市を展開、また二〇年には「トキワ荘マンガミュージアム」を開館するなどの実績を積み上げてきた。豊島区の文化事業はマンガと演劇・パフォーマンスが主体だったが、文化デザイン課という部署を擁することもあり、デザインミュージアムにも強い関心を寄せていてＪＤＭにも協力を打診、ＪＤＭもそれに応えるようにすでに数回のシンポジウムを開催している。前述のプロセスでいうと、ＪＤＭの当面の目標は「スモールミュージアム」の実現ということになるが、それが実現できるかどうか、今後の展開に注目したい。

15　デザインミュージアムへの胎動

ここまでに挙げた以外にもデザインミュージアムの開館を求める動向や興味深い施設は複数存在するが、残念ながらそれらを逐一紹介するほど紙幅はないので、本章の締めくくりにデザインミュージアムの意義を再確認しておきたい。

自己表現の所産であり、鑑賞だけを目的にした純粋美術としてのアートとは異なり、デザインは日々の様々な営みに関わる活動の所産であり、一方ミュージアムとは様々な作品や情報を集積し、それを後世へと残していくための施設である。とすれば、過去の様々なデザインを保存・展示するデザインミュージアムの教育的な重要性はあらためて強調するまでもない。それは重要な文化資産を次世代に継承するだけでなく、多くのデザインに接し、個々のモノの楽しさにふれるという意味でも貴重な経験をもたらしてくれる場になるはずだ。本章で紹介した様々な海外の事例はいずれもそうした目的に資する施設だし、日本にも同様の施設を待望することは至って当然のことに思われる。私自身が日本でのデザインミュージアムの開館を強く望む一人であり、本章で紹介したいくつかの試みがそのきっかけになってくれることを願っている。

注

(1) V&Aの来歴については、おもに前掲『博物館の歴史』を参照した。

(2) ソースティン・ヴェブレン『有閑階級の理論――制度の進化に関する経済学的研究』高哲男訳(ちくま学芸文庫)、筑摩書房、一九九八年、五六ページ

(3) この三者の区別に関しては、吉田憲司編著『博物館概論 改訂新版』(〔放送大学教材〕、放送大学教育振興会、二〇二一年)を参照。

(4) Eliot F. Noyes, *Organic Design in Home Furnishing*, MoMA, 1941, p. 1.

(5) 同展の詳細は辻泰岳『鈍色の戦後――芸術運動と展示空間の歴史』(水声社、二〇二一年)一二七―一三三ページを参照。

(6) 前掲『鈍色の戦後』三九―四二ページを参照。

(7) 三宅理一『秋葉原は今』芸術新聞社、二〇一〇年

(8) 前掲『秋葉原は今』二四一ページ

(9) レイモンド・ローウイ『口紅から機関車まで』上・下、藤山愛一郎訳、学風書院、一九五三年

(10) 二十一世紀の日本のデザインミュージアムをめぐる様々議論や経緯は、「特集 デザインミュージアムの正解」(「AXIS」二〇二〇年六月号、アクシス)に手際よくまとめられていて、本書でも参照した。

第7章　上野公園の美術と記憶
――ミュージアム・パークのゆくえ

1　東博のリニューアル

Museumに相当する日本語といえば博物館や美術館が想起される。いずれも明治時代に生まれた造語であり、前者は福沢諭吉の『西洋事情』に言及が見られるが、博物資料や美術作品という概念がなかった当時の日本で、それを収蔵・展示する施設が多くの人々の想像の埒外にあったことはたやすく察することができるし、そのためこの造語が生み出された経緯にも様々な紆余曲折があったことが予想できる。そうしたなかにあって、日本のミュージアムのルーツが東京国立博物館（東博）であることは大多数の人が認めるところだろう。

二〇〇四年九月一日、東博の本館がリニューアル開館した。私も足を運んだこのリニューアルの内覧会には、多くの官公庁や美術館・博物館関係者や報道関係者が詰めかけていて、関心の高さがうかがわれた。会場を一巡してみたかぎりでは、二十室ある展示室の一階を分野別、二階を年代別に振り分け、国宝室を特設し、大胆なカラーパネルや仮設ゲートなどを導入して観やすくするための工夫が随所に凝らされていた。また所蔵の国宝をオンラインで検索できる「e国宝」のようなシステムを充実させ、什器や照明にも細心の注意を払うなど、竣工から六十年以上経過していたうえに、それ自体が重要文化財に指定されている関係で、あれこれと制約がありそうな施設建築の空間を可能なかぎり有効活用しようとしている印象を受けた。

東博にとっても以前からの宿願だったというこのリニューアルの最大の眼目は、日本美術のわかりやすい展示という至って単純なものだったらしい。リニューアル前には、平常展（常設展）での動員数が一日平均にして約千人足らずだったとのこと。広報不足もあるとはいえ、コレクションの総数にして約十一万千件、うち国宝六十五件、重要文化財百四十一件（うち所蔵八十九点／寄託五十二点。二〇二〇年三月現在）を有する施設の利用状況がこれではいかにも宝の持ち腐れである。それで大がかりなリニューアルをおこない、縄文から現代までカバーしている東博にしかできない、質が高くてわかりやすい展示を目指したというわけだ。その様子は開館間もなくしてＮＨＫの番組『日曜美術館』（一九七六年―。放送当時は『新日曜美術館』）でも紹介されたほか、その宣伝効果もあってか、リニューアル後の平均動員数は一日平均約二千人に倍増したそうだ。平成館や法隆寺宝物館（新館）を開館させ、また数度にわたって現代美術の特別展（企画展）を開催する一方、新年も「博物館に初もうで」と題して一月二日から開館するサービスを実施するなど、東博は近年になってかなり大胆な改革をいくつか仕掛けているし、また二〇一三年一月には朝鮮や中国、インドの美術品などを展示している東洋館もリニューアルされた。今後も新館建設や既存の施設のリニューアルなどを仕掛けてくることが予測される。例えば、アニメ映画『時をかける少女』（監督：細田守、二〇〇六年）に東博が登場したことにちなんだ各種のコラボレーションも、その一環として挙げられるだろう。

とはいえ、いろいろと改革の可能性はあるにしても、東博のいちばんの醍醐味が日本や東洋の古今の名品・珍品を網羅したパノラミックな展示であることには変わりはない。その壮観な常設コレクションは万博を髣髴とさせるが、そのことを思うと、リニューアル直前の時期に平成館で開催されていた特別展「世紀の祭典 万国博覧会の美術――パリ・ウィーン・シカゴ万博に見る東西の名品」[1]展は実に興味深かった。同展は、まだ黎明期だった十九世紀の万博にスポットを当て、日本が近代国家として初参加を果たした一八七三年のウィーン万博をはじめ、それから間を置かずしてロンドン、パリ、シカゴの諸都市で開催された万博の展示を幅広く紹介、その巨大な祝祭空間のディスプレー機能を通じて、殖産興業が盛んだった当時の日本の工芸品が西洋に紹介され、蒔絵が「japan」と呼ばれるなど様々な形態で受容されていく一方で、西洋の絵画が日本に流入してくる相互浸透の様子を詳しく描き出したものだった。そして、同展に出品されていた作品の多くがほかでもない東博のコレクションだったことは、この展覧会の性格を大いに自己言及的なものに感じさせた。

もっとも、ここでいう自己言及的という言葉には、同展の多くの出品作品が東博の常設コレクションによるものだったということ以外に、もう一つ別の意味がある。それはすなわち、日本最初にして最大の博物館であるこの東博の創設が万博に由来しているということだ。そういわれれば、この上野公園自体がさながら万博会場のような趣がある空間でもあると感じてもらえないだろうか。実のところ、日本のミュージアムの歴史を語るうえで、この上野公園という公園、あるいは東博という博物館は特権的な地位を占めている。本章では、この二つの特権的なトポスの意義を明らかにすることによって、ミュージアムをめぐる「記憶」の問題を考察したい。

2 「文化の森」以前の上野公園

上野公園。大正時代の終わり、宮内庁から東京市（当時）に下賜された歴史的経緯もあって、この公園は正式には上野恩賜公園と称する。駅に隣接する上野の山に広がる総面積約五百十三万平方メートルのこの場所は、不忍池などの美しい景観やサクラやイチョウなどの名所として親しまれ、一年を通じて多くの来園者でにぎわっているし、またその園内には東博をはじめとする大小十以上ものミュージアムがひしめきあっている。だが、この公園が現在のような姿に至るまでには、かなり複雑な歴史的経緯をたどってきた。

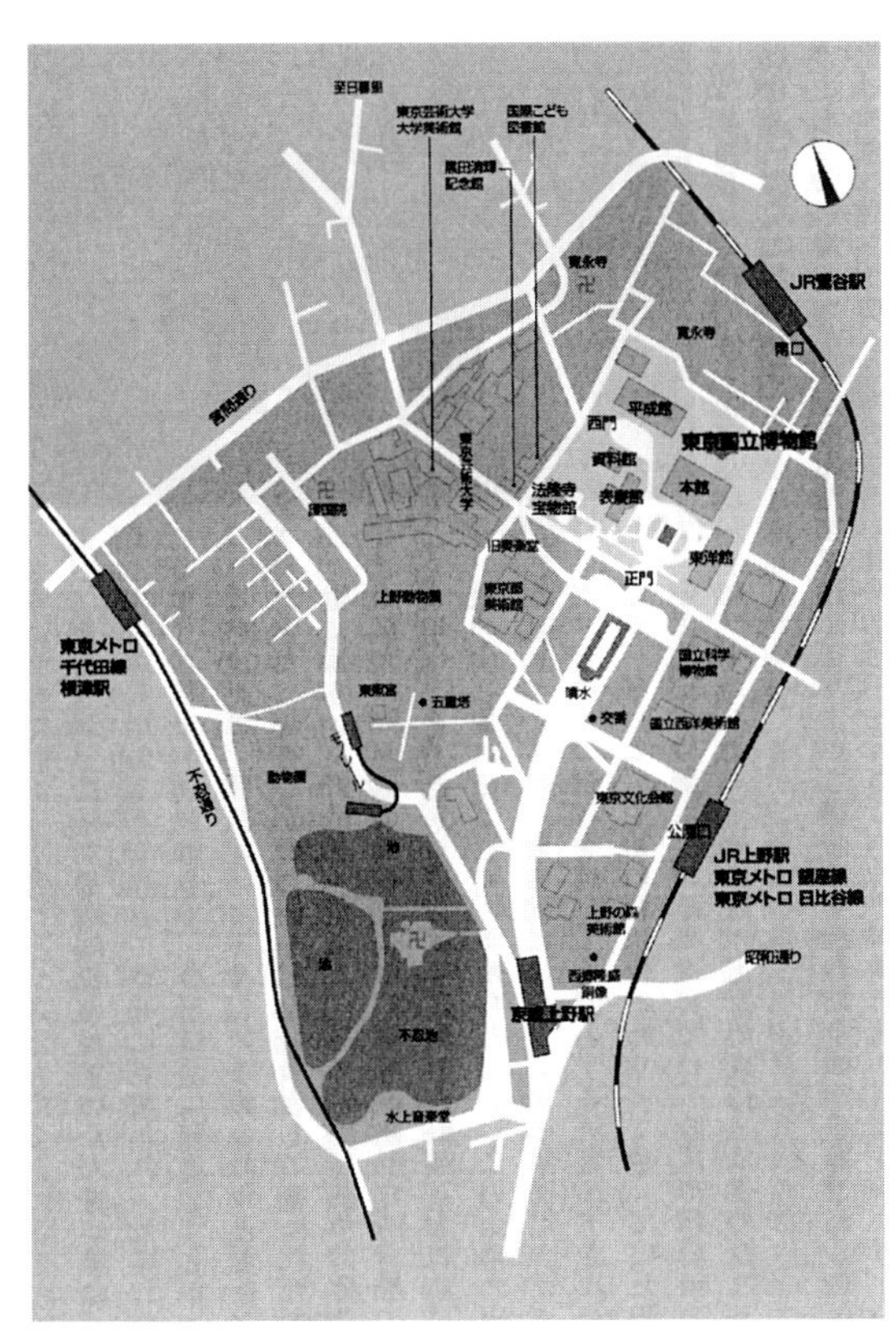

図7-1　上野公園の地図
(出典：『東京国立博物館ガイドブック』東京国立博物館、2004年、59ページ)

現在の上野公園は、江戸時代には北の寛永寺と南の増上寺という二つの寺の所領だった場所である。この二つの寺には、ともに徳川将軍家の墓所が設けられ、先祖祭祀のための重要な空間だった。ちなみに寛永寺の山号は東叡山、いうまでもなく、東の比叡山という意味であり、境内の構造もまた比叡山を模した伽藍が立ち並んでいた。また現在、東博が立っているのはかつて本坊があった場所である。また清水堂といって、京都の清水寺を模して建てられた施設がいまでも残っていて、江戸時代のこの土地の記憶を伝えている。なお不忍池の奥には、栃木・日光と比べればはるかに知名度が劣るが、徳川家康を祀る東照宮も設けられている。こうして江戸年間、徳川家の先祖が眠る土地だった上野の山は、幕府によって長い間手厚く保護されていたのである。

写真7-1　現在の東京国立博物館本館

ところが、長らく平穏に包まれていた上野の地は、幕末に差しかかると一転して戦禍に見舞われ、荒廃してしまう。幕末の戊辰戦争で、幕府側の「聖地」でもあったこの土地は、新政府軍による激しい攻撃の対象にもなったからだ。現在の上野公園一帯を舞台にした新政府軍と旧幕府軍との交戦が、俗にいう「上野戦争」である。結局、戊辰戦争は新政府軍の勝利に終わるのだが、長らく幕府の墓所だったこの地は、明治維新後直ちに新政府の直轄地になった。東京の中心地にほど近く、見晴らしもいい土地の再利用について、最終的にはオランダの軍医だったアントニウス・ボードウィン（上野公園の銅像はボードワン名義）博士の進言を受けて公園にする決定が下された。だが、土地の利用権をめぐって争っていた陸軍省と文部省の綱引きの結果次第では、陸軍や病院の用地として転用される可能性も少なくなかった。少なくともその当時、上野の森は「文化の森」と呼ぶにはほど遠い環境にあったのだ。

ところが、この地に大規模な博物館を建設しようという構想は、実は明治初期のころからあったものらしい。その構想の中心を担っていたのが町田久成である。薩摩藩出身の外交官にして、のちに現在の東博の前身である博物館の初代館長に着任することになる町田の熱意と行動力を抜きに上野の山に大規模な博物館が開設されることはなかったにちがいない。現在、平成館の入り口前にはその功績をたたえるかのように町田の胸像が立っているが、そもそも町田とはどのような人物であり、なぜ博物館を建てようとしたのか、またなぜその場所が上野でなければならなかったのか――彼の経歴をたどることは、実のところ初期の東博の歴史をたどることとほとんど同義といっていい。

3　町田久成——上野の山に博物館建設を夢見た男

町田久成は一八三八年（天保九年）、薩摩藩の町田家に長男として生まれた。町田家は島津一門の三名家に数えられる名門だったが、数代にわたって家老職を輩出していなかったため、学問に秀でていた久成は幼いころから家人の期待をかけられ、十九歳のときに江戸に上京して昌平坂学問所で学ぶ。この秀才ぶりは新しく薩摩藩の藩主になった島津久光の目に留まり、町田は二十六歳の若さで藩の大目付に抜擢され、さらには遣英使節団の副使にも指名され、イギリスへと渡った。留学の期間は、一八六五年（慶応元年）三月下旬に鹿児島から出航し、六七年六月下旬に帰国するまでの約二年三カ月に及んだ。この期間中、町田は二度ヨーロッパ大陸に渡り、薩摩藩のパリ万博の出品準備に携わる機会を得た。江戸幕府が終焉を迎えつつあったこの時期、この万博には江戸幕府、薩摩藩、佐賀藩がそれぞれ独立した展示区画を与えられて参加していて、当時の国内の混乱がそっくりそのまま反映されていた（大政奉還がおこなわれたのも、この万博の会期中のことである）。このとき、薩摩藩の出展準備のために薩摩や琉球の物産を扱った経験は、その後の町田の思考にも大きな影響を及ぼしていく。

新政府成立後、町田はまず外務省に任用されたのだが、やがて大学へと異動になった。ちなみに、今日とは異なり、ここでいう大学とは当時新政府が進めていたウィーン万博（一八七三年）への出品準備を担当する事務局のことであり、パリ万博の現場を知っていた町田はその経験を買われて抜擢されたのである。これは、薩摩藩時代から町田の上司上官として常に強い影響力をもっていた大久保利通の強い意向によるものであり、また町田の博物館構想は大学に在籍中に本格化することになる。

そして実は、日本最古・最大の博物館である東博の歴史もこの経緯と密接に重なり合っている。というのも、そもそも東博はこのウィーン万博と深い関わりがある施設だからだ。その経緯は、東博の公式ウェブサイト「館の歴史」[2]に詳しいので、以下、それを参照しながら議論を進めていこう。

一八七二年三月十日から二十日間、文部省博物局主催による日本初の本格的な博覧会が開催された。[3]ここでいう博覧会とは、殖産興業の振興を図るために各地の名産品や工業技術などを紹介する国内向けの展示会のことであり、湯島聖堂大成殿を会場としたため、正式名称を湯島聖堂博覧会という。三月十日から三十日までの二十日間でおよそ十五万人の観客を動員、また全体で約六百点にのぼった出展品目は、古器旧物や標本などの「天産品」が主だったが、なかでも名古屋の金鯱は大人気を博したという。またこの博覧会では、出展品目もさることながら、恒久施設を用いて、多くの品目がガラスケースのなかに整然と収納された、当時の日本ではほとんど見られない形式で展示されたことも目を引いた。この展示には、明治新政府として初参加する翌年のウィーン万博の出展準備という側面があり、ここでの展示後ウィーンへと送られた品もあった。この年の初頭に設置された墺国博覧会事務局に出向していた町田は、この博覧会でも中心的な役割を担っていたのである。

この博覧会の準備を通じて蓄積された町田の経験は、早速翌年の万博にも発揮された。約半年間の会期中、日本からは官吏・通訳四十一人、建築・庭園関係者など二十五人、外国人六人、合計七十二人のほかに、西洋の優れた機械技術伝習のために二十四人の技術者がウィーンへ派遣された。技術者たちが制作した陶器や染織などの伝統工芸品や金鯱や鎌倉大仏のひな型、五重塔のひな型といった大型の物品が陳列され、また敷地内に神社を配した日本庭園を造園し、観光客の好評を博した。この成功を受けて、事務局副総裁の佐野常民は「東京博物館創立の報告」を提出、以後、明治新政府はパリ、アメリカ・フィラデルフィア、シカゴなどの海外の諸都市で開催された万博にも立て続けに参加、殖産興業の振興によって生まれた各地の工芸品などを出品して、日本美術の存在を海外に向けて積極的に発信しつづけたのである。[4]その後、工芸は「純粋美術」としての絵画や彫刻などより低い序列に甘んじることになるものの、少なくともこの時代に関しては美術といえば工芸のことだったと考えても決して誤りではない。

4　博覧会から博物館へ

最初の博覧会を機に湯島聖堂で発足した博物館は、その後一八七三年には博覧会事務局や書籍館と合併して内山下町に移転し、資料の展示や壬申検査（文化財調査）をおこなった。内山下町とは現在の内幸町一丁目にあたる、帝国ホテルやみずほ銀行本店などが軒を連ねている一角である。当時、陳列館は古器物・動物・植物・鉱物・農業・舶来品の六品目に分類されていて、またほかには動物飼養所・熊室・温室なども設けられていた。だがこの山下門内博物館も手狭だったことには変わりなく、大規模な博物館を建設できる用地の確保は、関係者にとって焦眉の課題だった。

とはいえ、東京の中心部で大規模な博物館を建設できそうな土地は限られている。内山下町からの移転先としては、創建されたばかりの東京招魂社（現靖国神社）があった九段坂上をはじめ、芝公園、本郷、小石川、飛鳥山といったいくつかの候補地が挙げられていた。だがこれら候補地は、いずれもその立地条件が一長一短で、これという決め手に欠けていた。そんななか、一躍浮上してきたのが上野の山である。この地は当時すでに東京一の花の名所として知られていたのだが、森に覆われた広大な土地と見晴らしのよさはまさに博物館の建設予定地としてうってつけで、この土地に目をつけてからというもの、町田はもうここ以外は考えられないとばかりにひときわ強い執着を示すようになった。

もちろん、そうスムーズに事が運ぶはずもない。当時の管理者だった文部省は学校の建設を予定していたほか、陸軍省も病院の建設を望んでいて、また寛永寺も領有権を主張するなど、様々な関係者の思惑が交錯するなか、およそ博物館建設など入り込む余地はなかった。しかし町田は諦めなかった。町田はまず一八七一年に「集古館建設の献言」を、ついで七三年には「大博物館創設の建議」を上申した。特に後者では、日本の古今東西の文物を展示する英国ブリチシ（ママ）博物館（大英博物館）やケンシングトン（ママ）博物館のような壮大な博物館や大英図書館のような膨大な蔵書を誇る図書館を例に挙げて、「両館ノ体裁ヲ基本トシテ前途ノ目的ト相定」め、また「宇内緒州ノ書籍禽獣金石及ヒ古器古文書其他」を購入や寄贈によって広範囲に収集した大規模な博物館を上野の山に建設すべしと説いたのだった。(5)

この建議を受け入れた政府はただちに本格的な検討を開始し、紆余曲折の末、一八七五年十二月には寛永寺の中堂跡が博物館の建設予定地として内務省に引き継がれ、翌年正月には上野公園全体が博物館の所管になる。同年十二月には本坊跡地に予定地が変更されるが、博物館の上野移転準備は着々と進められていく。もちろん、一介の文官だった町田が独力で政府を動かし、これほど大規模な事業を主導できたわけがない。これらの一連のプロセスには、すべて町田にとって最大の後ろ盾だった大久保が深く関わっていたのである。

また、博物館の上野移転と密接に関連していた出来事として、同時期に同じ場所を舞台に開催されていた内国勧業博覧会についてもふれておかなければならないだろう。これもまた、大久保が殖産興業政策の一環として打ち出した国内向けの博覧会であり、各地の工芸品や当時の先端技術などが披露され、一八七七年の第一回を皮切りにその後八一年、九〇年（当初の予定よりも五年間延期）、九五年、一九〇三年の全五回にわたって開催された。このうち第一回から第三回は上野公園を会場とし、また博覧会のために建設され使用された施設がのちに博物館に譲渡されたりしている点でも、博物館の形成に大きな役割を果たしていた。

まず第一回だが、このときは、本坊跡地に煉瓦造りの美術館が建てられた。建物は、左右対称に西本館と東本館が設けられ、また機械館、園芸館、農業館の六種類に分類された。ちなみに、建物の呼称として美術館という単語が用いられたのは、このときが初めてだった。展示品としては、蒸気機関車や紡績機などが人気を博した。また第二回では、当時竣工したばかりの博物館本館が一部利用され、また第三回の博覧会では建設された煉瓦造り二階建ての施設ものちに博物館へと譲渡されている。

こうして、途中で最大の後ろ盾だった大久保の死という逆風に見舞われながらも、町田は博物館の開館へと向けて準備を進めていった。一八八一年には、工部大学校（現東京大学工学部）の招聘教授ジョサイア・コンドル設計の本館が現在の本館とほぼ同じ場所に竣工した。この建物はもともと第二回勧業博覧会の展示館だったが、博覧会終了後には博物館へと転用されることが想定されていて、内山下町からの事務所機能や所蔵品の移転が進められた。こうして八二年三月二十日には、明治天皇の列席のもと開館式典が開催された。歴史、美術、天産（自然史）、図書館、動物園の諸機能を備えた日本初の本格的な大博物館の開館だった。現在、東博の公式見解では、湯島聖堂博覧会が開催された七二年三月十日をもって正式な開館日と定めている。これは、博覧会の出品物の多くがコレクションとして継承されたことに加え、博覧会の会期終了後も一と六がつく日には開場し、聖堂での展示を「常設化」していたことに由来している。また創設者の町田は、「博覧会事務局」が「博物館」と改称された七五年をもって開館日と考えていたという。しかし一般常識に照らすなら、やはり現在も博物館が立つこの上野の山で開館記念式典が挙行されたこの日こそが東博の開館記念日とみなすのが妥当なように思う。

ところでこの巨大な博物館全体のうちで、動物園はもともと町田の構想にはなく、大学時代に同僚として博物館の開館準備に関わっていた田中芳男の強い意向によって付設されたものだった。当時勧農局に在籍していた田中は信濃国伊那郡出身で、尾張藩御殿医の下で学問を収めたあとに新政府に奉職した人物である。パリ万博に際しては出品物取扱係の任にあり、医学、農学や本草学（博物学）を学んだ経験から、フランス国立自然史博物館にならった天産博物館の創設を熱望する一方で、旧知の町田が主導する美術と歴史中心の博物館計画を快く思っていなかった。町田が博物館の建設候補地として上野の山に執着したのは、土地の広さに加え、水の便がいいことも大きな理由だったが、田中にとってそれは動物園設置には最適の条件と映ったのである。もちろん、町田にとって動物園の併設は不本意だったが、大久保という後ろ盾を失っていたために妥協を強いられ、結局、不忍池近辺に動物園が造られる。そのため、予算面にも厳しいやりくりを迫られることになった。ちなみに初期の動物園はクマ以外には大型動物がいなかったこともあって、集客に苦労したが、トラ、ゾウ、シフゾウなどを入手したことによって入園者は飛躍的に増大したという。また一八九二年まで二頭のニホンオオカミを飼育していたが、子どもが生まれた記録はない。一九〇五年を最後に確実な生存情報が途絶えるニホンオオカミは当時すでに絶滅寸前だったが、繁殖の必要性は認識されていなかったのだろう。また動物園の施設のなかには、日本初の水族館とされる「うをのぞき」も含まれていた。

とりあえずここでは、コンドルが設計した博物館本館に注目してみよう。この本館は煉瓦造りの二階建てで、高さ四十五尺（約十三・六メートル）×長さ三百四十五尺（約百四・五メートル）×奥行九十尺（約二十七メートル）あまり、床面積にして七百坪（約二千三百平方メートル）を超える当時としては最大級のもので、正面入り口にそびえる二つの伽藍屋根が特徴的だった。展示室は一階十四室プラス二階十六室の計三十室だが、実際の展示には二十八室を常設展示室として用い、また展示にも当時としては最新のディスプレー技術を用いていた。図書館を併設するという町田の構想は結局実現されなかったが、それでも少しでも構想に近づけられるように、館内には多くの図書や歴史資料が架蔵された。収蔵品としては、普賢菩薩像、本阿弥光悦の「舟橋蒔絵硯箱」、尾形光琳の「八橋蒔絵螺鈿硯箱」などの国宝が含まれていた。現在、法隆寺宝物館に収蔵されている多くの宝物も、この当時からのコレクションである。

町田にとっては長年の宿願だった上野の山の博物館開館だったが、しかし幸福は長く続かなかった。開館からわずか七カ月後の一八八三年十月、町田は農商務省から突然解任を通告された。町田の個人的な金銭トラブルが表向きの理由だったが、博物館を殖産興業のための施設と位置付けていた農商務省にとって、町田の西洋的なミュージアム志向は何とも目障りだったため、開館で一区切りついたのを機に厄介払いしようとしたことは明白だった。今後の博物館運営にも強い意欲をもっていた町田にとっては青天の霹靂だったが、すでに大久保という後ろ盾を失い、この通告に抗する術はなかった。町田に代わる館長には、大方の予想どおり田中が就任したが、その旧態依然とした運営ににわかに批判が高まり、田中もまたわずか七カ月で館長の座を追われてしまう。ちなみに、館長を退いたあとしばらくしてから町田は得度して出家、博物館近くの光浄院という寺の和尚になり、帝国図書館（現国際こども図書館）の落成を見届けるかのように息を引き取った。その余生からも、自ら博物館建設

図7-2　三代広重『内国勧業博覧会美術館之図』
(出典：「国立国会図書館デジタルコレクション」〔https://dl.ndl.go.jp/info:ndljp/pid/1302984/1〕［2022年4月26日アクセス］)

にあたって心血を注いだ上野の山から離れがたかった心情が伝わってくる。

さて、以上の経緯からもわかるように、明治初期から中期にかけて、博物館の建設は勧業博覧会の準備と分かちがたく結び付いて成立していた。当時の文官にとって、博物館とはすなわち勧業博覧会の開催会場とその後継施設のことであり、博覧会の開催と無関係に多額の費用を投じて博物館を建てることなど思いもよらぬことだった。第3章で確認したように、町田が範の一つとして仰いだサウスケンジントン博物館の開館には万博の開催という触媒が必要だった。十八世紀世界最大の権勢を誇った大英帝国ですらそうだったのだから、まだミュージアムという思想が定着していなかった明治の日本で、博物館建設にあたって博覧会開催は必須条件だったのである。その点でも、明治から昭和初期にかけて、内国勧業博覧会をはじめ大小様々な博覧会が開催されてきた上野公園は、まさに博物館の舞台としてうってつけの場所だった。

だが、町田の発想はまったく違っていて、彼は一貫して文化財を保存・展示する恒久施設としての博物館を建設することを強く主張していた。彼が当初、当時はまだ博覧会とほぼ同義で用いられていた博物館ではなく「集古館」という用語にこだわっていたことや（一方、田中は自身の命名でもある博物館にこだわっていた）、図書館を含めた総合博物館、いうなればムセイオン的な総合博物館の建設を強く志向していたことはその何よりの証左だろう（なお、序章で確認したＩＣＯＭ博物館定義では、図書館はもちろん動植物園や水族館もミュージアムの範疇に含まれる。町田が好まなかった田中の意向も、国際的な常識に照らした場合には妥当なものだったのである）。すでにふれたように、町田はイギリス留学時の経験を踏まえて「大博物館創設の建議」のなかで大英博物館やサウスケンジントン博物館を引き合いに出しているほか、廃仏毀釈の機運が高まった明治初期にはそれに抗するために「古器旧物保存法」の制定にも深く関わり、また湯島聖堂博覧会の直後には法隆寺や東大寺正倉院の調査にも加わった。町田は、当時の日本では誰よりも西洋的なミュージアムの思想や文化財保護の必要に通じた先駆的な視線の持ち主であり、またそのために、博物館を殖産興業や内国勧業博覧会の延長線上に位置する施設という既存の枠組みでしか考えなかったほかの政治家や文官たちとは絶えず対立し、最終的には失脚してしまうことになったのである。

5　巨大化する博物館

町田が表舞台から退いたあとも、博物館は様々な変遷をたどることになる。一八八九年には、大日本帝国憲法の発布に伴って帝国博物館と改称され、京都と奈良にも同じく博物館が開設される。この三館体制は長らく維持された（四番目の国立博物館にあたる九州国立博物館が福岡県太宰府市に開設されたのは二〇〇五年秋と二十一世紀になってからのことだった）。さらに博物館は皇室の一部門として組み込まれ、一九〇〇年には今度は東京帝室博物館と改称される。この改称は帝国議会や帝国大学との混同を避けるためだったが、くしくもこの年の五月に皇太子（大正天皇）が結婚し、その奉祝行事の一環として本館の隣に「表慶館」という新館が建設されることになった。〇八年に竣工、古代ギリシャ・ローマの様式に倣ったという片山東熊設計のこの建物は、現存する東博最古の施設であり、いまも美術品の陳列に用いられている。このように、創立時に博物館は文部省の管轄にあったが、その後所管先は内務省、農商務省、宮内省と変化していった。この所管先の変化は、国民を啓蒙する施設として誕生した博物館が、その後殖産興業を推進するための施設に、さらには美術によって国の粋を集めて示す施設へ

写真7-2　帝室博物館と展示風景
（出典：『東京風景』小川一真出版部、1911年）

と変化していったことへと対応するものといえる。

その一方で、博物館のコレクションが増加し、多機能化することによって、すべてを一館で管轄することは年々難しくなっていった。博物館の設立当初は、「上野の山に二つの博物館はいらない」という町田の信念の下、ほかの博物館計画はすべて退けられていたのだが、展示品の大幅な増加に伴い、事態は徐々に町田の信念とは逆の方向へと変化していった。一九二四年には皇太子（のちの昭和天皇）成婚を記念して上野公園と動物園は東京市へ、京都帝室博物館は京都市へそれぞれ下賜され、博物館の管轄地は公園内の一部に限られるようになった。またその翌年には、開館以来の天産部門（動・植・鉱物）が隣接する東京博物館へと譲渡された。当時教育博物館から改称されたばかりのこの博物館は、その後国立科学博物館に改組されて現在に至る。この移動には、開園からわずか四年後の一八八六年、博物館が宮内省へと移管されたことに伴い、開館時の「列品分類」で筆頭に位置付けられていた天産部は末尾へと移動するという伏線があった。この天産部門の分離によって、美術と歴史を二本柱にする現在の展示・収集方針が確立された。このあたりの経緯は、例えばルーヴル美術館が後年になって十八世紀末の開館時には所蔵していた博物史料を分離し、美術作品を対象にする美術館へと特化していったことなどと類似している。加えて、著名な実業家だった佐藤慶太郎の資金提供によって、今日まで引き続く公募団体展のメッカである東京府美術館（現東京都美術館）が開館したのも、ほとんど同じ大正末期のことだった。こうして、園内の各所に別の機能を備えた施設が並立する上野公園の「ミュージアムパーク」化が進行していく。

一方、本館は一九二三年の関東大震災によって壊滅的な被害を蒙ったが、幸いなことに収蔵品の被害は少なかったため、表慶館に場所を移しての展示活動が継続された。その後取り壊された本館とほぼ同じ場所に、近代建築の軀体の上に瓦屋根を頂いた和洋折衷の「帝冠様式」が印象的な渡辺仁設計の復興本館、すなわち現在の本館が竣工したのは三八年のことだった。ちなみに、竣工の七年前に実施され、渡辺が当選した施設設計のコンペでは、主催者は日本趣味を謳った建築の応募を呼びかけていたのだが、その意向を逆なでするかのように「インターナショナル・スタイル」そのままの近代的な計画案を応募して落選したのが、当時二十六歳の前川國男だった。

このとき前川が、自らの境遇をジュネーヴの国際連盟本部のコンペに落選した師ル・コルビュジエになぞらえて、「負ければ賊軍」と題する挑発的な文章を発表したことは近代建築史上の有名なエピソードである。

紀元二千六百年の節目にあたる一九四〇年には、「正倉院御物特別展」が開催され、連日のように満員を記録する。その後帝室博物館は、太平洋戦争の戦況が悪化してからも展示を続けたが、結局四五年三月十五日をもって閉鎖され、そのまま八月十五日の敗戦を迎えた。その後博物館は翌年三月に活動を再開し、翌年五月三日には日本国憲法の施行に伴って皇室から文部省へと移管される。現在の名称である東京国立博物館へと改称されたのは五二年三月のことだった。これによって、財産の主体は皇室から国民へと移行したが、古美術や歴史資料を主体としたそのコレクション方針は戦後も継続され、東洋館（一九六八年）、平成館（一九九九年）、法隆寺宝物館（新館、一九九九年）などを次々と増設していった。その合間にも様々な展覧会が開催されたが、七四年春に開催された「モナ・リザ」展の百五十一万人という動員記録はいまなお破られていない。また二〇〇一年四月一日には東京・京都・奈良の三館が独立行政法人として統合され、〇五年には新たに開館した九州国立博物館がこのネットワークに加わって現在に至っている。

写真7-3　関東大震災で倒壊した帝室博物館本館
（出典：「BT／美術手帖」2004年11月号、美術出版社、172ページ）

6　東博の現在

では、現在東博の展示はどのようになっているのだろうか。各館ごとにみていこう（情報は二〇二一年二月現在）。

まず本館だが、二階の一室から十室は「日本美術の流れ」と題された歴史展示のコーナーになっていて、「日本美術のあけぼの――縄文・弥生・古墳」「仏教の興隆――飛鳥・奈良」「仏教の美術――平安〜室町」「宮廷の美術――平安〜室町」「禅と水墨画――鎌倉〜室町」「茶の美術」「武士の装い――平安〜江戸」「屛風と襖絵――安土桃山〜江戸」「暮らしの調度――安土桃山〜江戸」「能と歌舞伎」「浮世絵と衣装」とそれぞれの時代の美術が時代順に構成されている。なお二室は国宝の展示にあてられる。また便殿は開館当時の貴賓室としての調度がそのまま残され、また故高円宮の根付のコレクションが専用室を設けて展示されている。二階が時代順なのに対して一階の展示はジャンル別になっていて、十一室から十八室は「彫刻」「漆工」「金工」「刀剣」「陶磁」「歴史の記録」「アイヌと琉球」「保存と修理」「近代の美術」を展示している。また十四室、特別四室、特別五室は企画展示のコーナーになっている。

平成館の二階は特別展示のためのスペースで、大手新聞社の主催や講演に名を連ねた大型企画展が随時開催されている。大半は日本美術や東洋美術の名品の展示だが、二〇一七年の「マルセル・デュシャンと日本美術」展のような意表を突いた展覧会を開催することもある。一方、一階は考古学展示のためのスペースになっていて、通史展示とテーマ展示で構成している。前者は「氷河期の日本列島に暮らした人びと――道具作りのはじまり」「自然環境の変化と定住生活――土器の出現とその変遷」「大陸との交流と稲作の始まり――農耕社会の土器」「政治的社会の成熟――宝器の創出」「ヤマト（倭）王権の創出――宝器の生産」「巨大古墳の時代――鉄器生産の増大」「地方豪族の台頭――倭風化の進展」「終末期の古墳――古代東アジア文化の浸透」「律令国家の幕開け」「祈りのかたち――山岳信仰と末法思想」「中世のあの世とこの世」「江戸から掘り出されたモノ」、後者は「縄文時代の祈りの道具・土偶」「縄文時代の暮らしの道具」「縄文時代の装身具と祈りの道具」「弥生時代の暮らしの道具」「弥生時代の装身具と祭りの道具」「弥生時代の祭りの道具――銅矛・銅剣・銅戈と銅鐸」「続縄文文化――縄文時代後の北海道」「須恵器の展開――吉備の古墳時代」「紀年銘鏡と伝世鏡」「玉生産の展開」「古墳時代の農工具」「受け継がれる王の権力」「王の装い」「古墳文化の地域色」「古墳時代の祭祀――関東地方の祭祀遺跡」「新沢千塚百二十六号墳――金銀の装身具と渡来文化」「銘文太刀と古墳時代の社会」「江田船山古墳――先進文化の受容」「形象埴輪の展開」「埴輪と古墳祭祀」「古代の貨幣」「古代の墓誌」「塼と塼仏」「古代寺院出土の遺宝」「経塚――五十六億七千万のタイムカプセル」「経塚に埋納された経典――瓦経・滑石経・銅板経」「経塚に埋納された経典――紙本経と関連遺物」「江戸の玩具――面打・土人形」「掘り出された江戸の金貨」といったところである（二〇二一年四月現在）。美術展示の印象が強い東博だが、このコーナーに関しては考古学に基づいて展示していることがわかる。

リニューアルに際して「アジアギャラリー」と併記されたこともあり、東洋館は地上五階＋地下一階・総計十三室の展示を「東洋美術をめぐる旅」というコンセプトによって構成している。個々の項目としては、「中国の仏像」「西アジア・エジプトの美術」「インド・ガンダーラの彫刻」「西域の美術」「中国文明のはじまり」「中国の青銅器」「中国 墳墓の世界」「中国の陶磁」「中国の染織 明・清朝の刺繡」「中国の石刻画芸術」「中国の漆工」「清時代の工芸」「朝鮮の磨製石器と金属器」「朝鮮の王たちの興亡」「朝鮮の陶磁」「朝鮮の仏教美術」「朝鮮時代の美術」「クメールの彫刻」「東南アジアの金銅像」「インド・東南アジアの考古」「東南アジアの陶磁」「アジアの染織 アジア遊牧民の染織」「インドの細密画 騎馬人物像」「アジアの民族文化 南太平洋の生活文化」（二〇二一年四月現在）になっていて、ロシア圏を除けばほぼアジア全域を網羅している。

法隆寺宝物館には、一八七八年に法隆寺から皇室に献納され、戦後は国に移管された約三百点の仏像、工芸品、書画、染織などが収集・展示されている。これらの宝物の多くは七世紀のもので、東大寺正倉院のコレクションよりも一世紀ほど古いのが特徴である。

7 幻の「展画閣」構想

ところで、東博が日本で初めての本格的なミュージアムであることは疑いない事実だが、同時期にほかにそのような試みはなかったのだろうか。そのような疑問が首をもたげてきたとき、私はふと螺旋展画閣のことを思い出した。これは、洋画家の高橋由一が一八八一年に構想した、森羅万象を描いた洋画を並べる螺旋状の美術作品展示場の構想である。(6)

江戸末期に西洋から油画が渡来したとき、見よう見まねでその画風を模倣した洋風画を描く絵師は数多く存在したが、そうしたなかにあって油画の技法を本格的に習得した由一は「日本初の洋画家」とも称される。その卓越した技法は『花魁』や『鮭』などの多くの作品によって知られているが、彼が多くの作品を通じて日本に西洋由来の油画を定着させていくプロセスは、日本に「美術」という概念が定着していく軌跡とも重なり合っていた。明治新政府の官僚だった町田が洋行の見聞を土台として設立を推進した東博が上からのミュージアムだとすれば、作家だった由一が展示場として構想した展画閣は下からのミュージアムだったといえるだろうか。

螺旋展画閣の構想がどのようなものだったかは『高橋由一油画史料』(7)によって知ることができる。同書に所収してある「創築主意」によると「人智ノ進歩ヲ見、併セテ真画ノ開進、美術ノ保存ヲモ助ク可ク(8)」ことを目的としているのに対し、同じく同書に所収してある「設立主意」では「以テ大ニ美術ノ進歩ヲ我国将来ニ計ラント欲スルの企有リ(9)」になっている。今日の基準に即せば、「創築主意」は博物館寄り、一方の「設立主意」は美術館寄りの構想といえるだろうか。いずれにしても、内部に森羅万象を描いた洋画を配置することは同様だ。

一方の外観は、掲載されている二つの略図には細部に違いが認められるものの、いずれも金閣や銀閣を拡張したような五層六階式の木造建築で、内部は「其構造ヲ螺旋形ニ取リ観者ヲシテ右旋左転階路ヲ昇降セシメント欲スル」[10]という構造を想定していた。螺旋状の順路のミュージアムというと、第5章のル・コルビュジエの「世界博物館」やフランク・ロイド・ライトのグッゲンハイム美術館が思い起こされるが、螺旋展画閣はそれらを半世紀以上も前に先取りしていたことになる。田中昭臣と中谷礼仁は、螺旋展画閣の内部構造が五百羅漢寺の右繞三匝堂の影響によって構想されたことを指摘している[11]。館内の展示に関しては、当時の絵画の展観の常識だった珍品の見世物のような形態のものと考えておけば間違いではないだろう。由一はこれを日本橋近辺の一角に建設することを夢想していたようだ。

螺旋展画閣はあくまで由一の思考実験にとどまり、実現に向けた動きが本格化することはなかった。だが国策で推進された博物館開館とほぼ同時期に、それとまったく無関係に一作家だった由一によってこのような施設が構想されていたことは、美術作品を収集・展示するミュージアムの思想もまた、日本が近代国家へと変貌するうえで不可欠な一要素だったことを物語っているように思われる。

8 「美術」と「記憶」

きわめて大雑把ではあるが、東博の歴史をたどってみた。そして私には、約百五十年に及ぶその歩みのなかに、二点のとりわけ重要な契機を指摘できるように思うのである。一点は「美術」という概念の形成について、もう一点は、その舞台になった上野という空間の「記憶」についてである。

まず前者については、「美術」という概念が明治初期に成立した新しい造語であることに注意を向ける必要がある。ウィーン万博への出展に際して、Kunstgewerbe というドイツ語に相当する出品区分を設けなければならなかったのだが、当時の日本語にはそれを言い表すのに適切な語彙は存在しなかった。そのため担当の太政官は「美術」という単語を造語し、これに「美術（西洋ニテ音楽、画学、像ヲ作ル術、詩学等ヲ美術ト云フ）ノ博覧場ヲ工作ノ為ニ用フル事」[12]という定義を与える必要に迫られたのである。いわば博覧会の出品区分に対応するものとして作られたこの官製の造語は、日本にそれまで存在しなかった「美術」という概念を生み出すと同時に、工部美術学校で本格的な造形教育が開始されたばかりだった「画学」（「絵画」）や「彫刻」を束ねる役割をも果たしたのである。

ともにその由来が博覧会と分かちがたく結び付いているためなのだろう、「美術」という概念はその後も長らく博物館を支える理念でありつづけた。内国勧業博覧会では、万博とほぼ同じ出品区分が採用されたし、また一八八〇年代後半から九〇年代半ば（明治二十年代）に帝国博物館の総長に着任した九鬼隆一は、東京美術学校の幹事だった岡倉覚三（天心）とともに博物館の収蔵計画の構築に取り組んだが、その際には「美術」を柱にする方針が定められ、一八九九年に出版された『稿本日本帝国美術略史』[13]は、東洋の美術史を編纂できるのは中国でもインドでもなく、日本をおいてほかにないというナショナリスティックな自負をにじませると同時に、現在のわれわれにもなじみがある歴史区分を定着させるきっかけにもなった。[14]また、関東大震災で崩壊した本館の復興計画でまとめられた「復興趣意書」と「事業要旨」のなかでは、ともに「美術」が「日本ノ国体ノ精華」「歴史」「国民ノ精神的表現ニシテ、国民的ノ精粋渾ハ之ニ向テ凝集醇化」であり、「官民一致挙国同心」して「東洋古美術博物館」を建てることを謳っている。[15]「美術」はまぎれもなく皇国史観の一端をなす思潮として位置付けられていて、また博物館もその中心的機能を果たすべき装置としての役割を期待されていたのである。ちなみに、現在の東博が収集・展示の対象とする「美術品」は、一部の例外を除いて一九〇七年以前のものに限られている。これは、ちょうどこの年に第一回の文展が開催され、第二次世界大戦後の五二年に開館した国立近代美術館がこの年以降の美術を収集・展示の対象にする時代区分の体制が確立されたことによるものだが、この「棲み分け」にも、当時の名残を看取することができるかもしれない。

一方後者に関しては、およそ現在の「文化の森」のイメージからはほど遠いものである。すでに述べたように、この一帯は幕末の動乱期に「上野戦争」の舞台になった。大政奉還のあと寛永寺に蟄居した徳川慶喜を護衛するために結成された彰義隊は、慶喜が水戸に退いたあとも江戸に残り続けたため新政府軍の格好の標的になり、この地で討伐されることになった。「勝てば官軍、負ければ賊軍」の言葉どおり、この戦争は敗者に対して徹底して冷たかった。官軍の死者が東京招魂社で手厚く祀られたのとは対照的に、賊軍の死者は遺体を片付けることさえ許されなかった。現在、上野公園の一角に造成されている彰義隊の墓所は、彼らの七回忌を経てようやく建立が許されたものである。また敗者のねじれた記憶は、ちょうどその前に立っている西郷隆盛像によっても確かめることができるだろう。いうまでもなく、西郷は彰義隊の討伐にあたった新政府軍の指揮官だったのだが、それから約十年後には、何の因果か、征韓論をめぐる意見の対立が原因で下野し、故郷に戻っていた西郷が今度は逆に「西南戦争」の首謀者として新政府軍に討伐されてしまう。その後、大日本帝国憲法の発布を機に、明治維新の立役者として人気が高かった西郷の名誉を回復すべく銅像建立の話が持ち上がるのだが、天皇に弓を引いた賊軍の将に軍服を着せることなど認められるはずもなく、結局その銅像は、イヌを連れてウサギ狩りに出かけるおよそ軍人の威厳のかけらもない姿によってしか建立を許されなかったのである。[16]

9　「上野の山」の現在と未来

いくつかの彫像、記念碑、壁泉など、上野公園の一角にいまも残る濃密な敗者の記憶。その記憶は、官軍である薩摩藩の出身である一方で、志半ばで博物館から退かなければならなかった町田にとって、誇らしい半面、悲壮なものにも感じられたにちがいない。町田がこの土地に博物館を建設することに人一倍執着したのは、もちろんその恵まれた立地条件が最大の要因だったことは間違いない。しかしひょっとしたら、彼の内面には、この土地にまつわる自分の境遇と決して無縁ではない敗者の記憶にも強く引き寄せられる部分があったのではないか。上野公園の歴史と現在を対照するとき、私はふと博物館を霊廟に例えたテオドール・アドルノの以下の言葉が連想されてしまうのだ。

ドイツ語の museal（美術館的）という言葉には、少々非好意的な色合いがある。それは、観る人がもはや生き生きとした態度でのぞむことのない、そしてまた自らも朽ちて死におもむきつつある、そんな対象物を形容するさいの言葉なのだ。これらのものは、現在必要であるからというより、むしろ歴史的な顧慮から保存される。美術館と霊廟を結び付けているのは、その発音上の類似だけではない。あのいくつもある美術館というものは、代々の芸術作品の墓所のようなものだ。(17)

戦後、上野公園の「ミュージアムパーク」化は目覚ましい勢いで進んでいく。戦前からのミュージアムがみな規模を拡張していくのに加え、公園の各所には日本芸術院会館（一九五八年）、国立西洋美術館（一九五九年）、東京文化会館（一九六一年）、上野の森美術館（一九七二年）などが続々と開館し、近年になっても、東京藝術大学大学美術館（一九九八年）、国際子ども図書館（二〇〇二年）などの開館が続いている。上野公園のミュージアムの拡張は現在もまだ途上にあるといっていいだろう。また現在、上野公園では多くのミュージアムが集まった地の利を生かして多くのアート・イベントが開催されている。上野公園が所在する台東区も、有識者による文化政策懇談会からの提言を仰ぎ、「上野の山文化ゾーンフェスティバル」を主催したり、公園で大道芸を披露する「ヘブン・アーティスト」を助成したりなどの様々な活動を展開している。また近年には、ほかでもない東博が「博物館に初もうで」と称して一月二日から開館するサービスを実施しているのだから、隔世の感がある。上野公園の管理者が東京都である以上、区として介入できることにはおのずと限度が生じるのだろうが、それでも多くの文化資源を有する上野公園が地域に多くの恵みをもたらしてくれる存在であることには変わりないし、それに上野の山を「文化の森」として発展させたいという地域の願いに官と民の別はないだろう。

かつてル・コルビュジエは、ポール・オトレの依頼を受けて世界博物館・世界図書館・世界大学・国連機関事務棟などが一カ所に集約された都市計画「ムンダネウム」を構想した。多くのミュージアムが密集し、しかも日本で唯一のル・コルビュジエ作品である国立西洋美術館まで擁している上野公園はさしずめ「日本のムンダネウム」とでも呼べるだろうか。おそらくその現況は、ムセイオンを髣髴とさせる巨大な総合博物館の建設を夢見ていた町田の構想ともそれほど大きな乖離はないのかもしれない。

すでにみたように、上野公園の現況はあくまで自然発生的なもので、政府や東京都による大規模な都市計画の産物ではない。ただ、兼六園を中心に石川県立美術館、石川県立歴史博物館、金沢21世紀美術館、国立工芸館などを配した金沢市のように、明らかに上野公園に範をとったようなゾーニング事業を展開している自治体も存在するなど、「文化の森」の理想的な環境は多くの関係者や専門家の想像力を刺激するようだ。実際、上野公園の立地条件がパリのルーヴル宮に類似していることに着目した「文化政策懇談会」のメンバーが、フランソワ・ミッテラン政権時代にルーヴル美術館の大規模な地下工事を実施してサーキュレーションを整備して大幅なスケールアップと動員増に成功した「グラン・ルーヴル・プロジェクト」にあやかって、公園一帯の地下通路を整備して各ミュージアムを連絡する「ルーヴル構想」（仮称）を提唱したことがある。膨大な経費や大規模で長期にわたる地下工事をはじめとする多くの問題を考えれば、残念ながら実現の可能性は将来的にもきわめて乏しいといわざるをえないが（久しく以前の話だが、一九九七年に営業を休止した京成電鉄の「博物館・動物園駅」を活用したアート・イベントからは、そのかすかな可能性が連想された）、しかし現在でも設立主体や所轄官庁の違いを超えて、各ミュージアムの関係者が定期的に相互の連携を強化する方策を探っている。またそうした地道な活動を継続していけば、いずれは「ルーヴル構想」がまた違った形態で再燃することもあるかもしれない。ルーヴルにこだわらなくても、複数の博物館が一つの島に密集したベルリンの「博物館島」などを範にとった構想もありうるだろうし、また近年静かなブームを迎えながら都心北部を対象にした街歩きによって、この地域の新たな魅力が発掘される可能性も考えられる。
博物館が創建された当初、あたり一面緑に覆われてほかの建物は何もなかったという上野の山は、いまや多くのミュージアムがひしめきあう「ミュージアムパーク」へと変貌した。一方でこの土地には徳川将軍家の霊廟や東照宮がいまも残り、また彰義隊の墓所や西郷の銅像は敗者の記憶を現代に伝えている。はたしてその百五十年間の変化は、誰よりもこの土地への博物館建設を強く願っていた町田の目にはどのように映るのだろうか。

注

(1)「世紀の祭典 万国博覧会の美術——パリ・ウィーン・シカゴ万博に見る東西の名品」は、その後大阪市立博物館(二〇〇四年十一月二十八日まで)、名古屋市博物館(二〇〇五年一月五日から三月六日まで)を巡回した。
(2)二〇二一年九月現在、東博のウェブサイトで公開されている「館の歴史」(https://www.tnm.jp/modules/r_free_page/index.php?id=143)は、東京国立博物館編『目でみる一二〇年』(東京国立博物館、一九九二年)の内容に準拠しながらその後の経過を増補したものである。またあわせて、関秀夫『博物館の誕生——町田久成と東京帝室博物館』(〔岩波新書〕、岩波書店、二〇〇五年)を参照した。
(3)この前年(一八七一年)には、九段の東京招魂社を舞台に、大学南校物産局が殖産興業を目指して主催した「物産会」が開催された。実はこの「物産会」は当初は「博覧会」と称していたが、予算などの問題で計画が大幅に縮小されたために改称を余儀なくされたという。ちなみに、「物産会」の企画にあたったのが後述の田中芳男である。
(4)ウィーン万博の出品にあたって工芸が中心を占めたのは、政府のお雇いドイツ人ゴットフリード・ワグネルの進言による面が大きかった。ワグネルは、当時の日本の工業技術は未熟だったため、伝統的な工芸を前面に押し出したほうが現地の観客の反応がいいと考えたものと推測できる。
(5)前掲『博物館の誕生』一一九—一二〇ページ
(6)展画閣構想に関しては、北澤憲昭『眼の神殿——「美術」受容史ノート』(〔ちくま学芸文庫〕、筑摩書房、二〇二〇年）の第一章「「螺旋展画閣」構想」に詳しい。
（7）青木茂編『高橋由一油画史料』中央公論美術出版、一九八四年
（8）同書三〇五ページ
（9）同書三〇九ページ
（10）同書三一〇ページ
（11）田中昭臣／中谷礼仁「「螺旋展画閣」の内部空間に関する一考察」、日本建築学会編「学術講演梗概集 二〇〇二年度大会（北陸）」日本建築学会、二〇〇二年
（12）前掲『眼の神殿』一六三ページ
（13）東京帝室博物館編『稿本日本帝国美術略史』東京帝室博物館、一九一六年。同書は国立国会図書館デジタルコレクションで閲覧可能である。
（14）同書では、美術は「初期・推古天皇時代・天智天皇時代・聖武天皇時代・桓武天皇時代・藤原氏摂関時代・鎌倉幕府時代・足利氏幕府時代・豊臣氏関白時代・徳川氏幕府時代」に、建築は「仏教渡来以前・飛鳥・奈良・平安（弘仁・藤原）・鎌倉・室町・桃山・江戸」に分類してある。ちなみに同書は、翌年のパリ万博出品に合わせて編纂されたもので、フランス語版 *Histoire de L'art du Japon: Ouvrage Publié Par La Commission Impériale Du Japon À l'Exposition Universelle de Paris, 1900*, Forgotten Books, 2018 も出版されている。
（15）デジタル版『渋沢栄一伝記資料』第四十三巻本文（ＤＫ４７０１１９Ｋ）(https://eiichi.shibusawa.or.jp/denkishiryo/digital/main/index.php?DK470119k_text)［二〇二二年四月十日アクセス］
（16）その姿は、鹿児島市内に立つ軍服姿の西郷像が陸軍大将としての威厳に満ちた直立不動の姿勢であるのとは対照的である。もっとも、西郷の肖像写真は一点も発見されていないため、両者がどの程度本人に似ているのかは、もはや確かめるすべがない。詳細は、木下直之「上野戦争の記憶と表象」（矢野敬一／木下直之／野上元／福田珠己／阿部安成『浮遊する「記憶」』〔青弓社ライブラリー〕、青弓社、二〇〇五年）を参照のこと。
（17）テオドール・Ｗ・アドルノ『プリズメン――文化批判と社会』渡辺祐邦／三原弟平訳（ちくま学芸文庫）、筑摩書房、一九九六年、二六五ページ

第8章　思想としての日本民藝館

1　日本民藝館とは

東京・渋谷副都心にほど近い京王井の頭線駒場東大前駅。この駅の周辺は、東京大学駒場キャンパスを中心に駒場公園、日本近代文学館、旧前田公爵邸などが点在する文教地区であり閑静な住宅街だが、駅から西方面に五分ほど歩いていくと、瓦葺きの屋根を戴いた蔵造り風の建物が視界に入ってくる。狭い道路を挟んで長屋門と対面する建物の名を日本民藝館という。展示室が十室にも満たない小規模な美術館だが、一九三六年開館とその歴史は都内の私立美術館では大倉集古館に次いで古く、また年間約三万人の来館者をコンスタントに集め、多くの外国人観光客が訪れるなど、国内外に広くその名を知られている存在でもある。大正時代末期に始まった民芸運動の発信拠点として、全国に二十八館(1)所在する民芸館の中心的な役割を果たしているこの美術館について、ミュージアムスタディーズの観点から多角的に考えてみようというのが本章の目的である。

まず、日本民藝館の最も大きな特徴は、ここが民芸の専門館だという点にあるだろう。民芸というと、一般には観光地などで売られているみやげ物や地域の物産などを連想するにちがいない。しかし、あまり知られていないことだが、実はこの言葉はもともと「民衆的工芸」の略語であり、貴族的な工芸美術とは区別して考えられる、民衆が日常の生活のなかで用いる工芸品全般を指す言葉である。そのため、対象範疇は衣服、家具、食器、雑器などきわめて広く、また日本民藝館での展示にあたっては、その本質は「広い意味で民芸品は、第一は実用品である事、第二は普通品である事、即ち贅沢な高価な僅かより出来ないものは民芸品とはなりません。作者も著名な個人でなく、無名の職人たちです。見る為より用いる為に作られる日常の器物、言い換えれば民衆の生活になくてはならぬもの、普段使いの品、沢山出来る器、買い易い値段のもの。即ち工芸品のなかで、民衆の生活に即したものが広義に於ける民芸品なのです[2]」と規定されている。大正末期に生まれたこの民芸の思潮は、その後も現在まで引き継がれていて、日本民藝館はその運動拠点としての役割も担っているのである。

写真8-1　日本民藝館

2　柳宗悦——その関心の軌跡

この民芸運動の中心に位置していた柳宗悦は著名な宗教哲学者にして思想家だが、実は彼こそが日本民藝館の創設者にして初代館長でもあった。開館以来の民藝館の理念は宗悦の思想と決して切り離すことができないものであり、現在にまで引き継がれる民藝館の活動理念を知るためには、まず宗悦の人物像から知る必要がある。

宗悦は一八八九年に東京で生まれた。父・楢悦は海軍少将の地位にあった退役軍人だが宗悦が出生した翌年に亡くなったため、宗悦は母・勝子（嘉納治五郎は彼女の弟にあたる）の手で育てられ、学齢に達してからは学習院へと進んだ。名門とはいえ爵位をもたず、富豪というほどの素封家でもなかった柳家にとって、新華族の師弟のための学校だった学習院へと息子を進ませることには多少の気負いがあったものと推測できるが、半面、学業に秀でていた宗悦本人にとっては、鈴木大拙や西田幾多郎らに英語やドイツ語を学ぶ機会があった学習院時代は大いに有意義な日々でもあったようだ。

宗悦の学習院時代にあって、最も特筆すべきは「白樺」との出合いだろう。在学中の宗悦はまず「桃園」という同人誌の発刊に関わるのだが、これに「望野」「麦」といった並立していたほかの同人誌と合併するようにして「白樺」が成立したのである。くしくもその創刊は、宗悦が学習院高等科を卒業する前日のことだった。ほかの同人メンバーには武者小路実篤、志賀直哉、里見弴らがいて、メンバー中最年少だった宗悦はほかの先輩同人からかわいがられながらも厚い信頼を寄せられ、企画や編集に携わり、いまでいうアート・ディレクター的な手腕を振るいながら、哲学、宗教、芸術などをめぐる自らの思索についても精力的に文章を発表した。その早熟ぶりは、東京大学哲学科に進学したあと、「白樺」誌上で発表した文章をもとに、弱冠二十二歳にして第一作『科学と人生』[3]を出版したという事実からもうかがい知ることができる（もっとも、衰退した宗教に科学が取って代わるというこの作での主張は、その後大きく変わっていくことになる）。また同じく「白樺」誌上で発表された「ヰリアム・ブレイク」[4]は、日本でも初の本格的なウィリアム・ブレイク論であり、多くの文献を渉猟し、しばしば狂人と評されていたブレイクの多様な思想を明らかにしたその研究成果は、当時のイギリスでの研究水準にも匹敵するという評価を得た。あとにみるように、このブレイク論で宗悦が披露した宗教思想と造形とを分かちがたく結び付いたものとして捉える独自の思考は、その後の民芸思想でも核をなすことになる。

ところで第一作の題材にブレイクを選んだことや、次作の「革命の画家」[5]でセザンヌ、ゴッホ、ゴーギャン、マティスを論じたことからも明らかなように、当時の宗悦は西洋の文学や美術を愛好する典型的なハイカラ青年だった。ブレイクやセザンヌのことを知っている日本人がほとんどいなかった大正初期、宗悦ら「白樺」の面々は自らの先駆性を強く自覚していたのである。東京大学在学中、のちに妻になる中島兼子に「Academy of Academy とは永遠の縁が切りたい」[6]としたためた手紙を書き送るなど、エリートでありながら反権威的な性向を強く忍ばせていた宗悦にとって、宗教や芸術はその絶好の「逃避先」だったのかもしれない。そんな宗悦が一転して、朝鮮の李朝工芸という西洋美術とはまったく異質な表現にのめり込むようになったのは、当時韓国・ソウル在住だった浅川伯教・巧の兄弟との出会いがきっかけだった。一九一四年、ソウル在住の教員だった伯教は、宗悦が「白樺」第三号で発表していたロダンの彫刻論に感銘を受け、ぜひにと思い立って当時は千葉・我孫子在住だった新婚間もない宗悦邸を訪問するのだが、このとき宗悦は伯教が手みやげにと持参した李朝の古磁器に大いに魅了されたのである。宗悦はその二年後には浅川の案内のもと最初の朝鮮旅行へと赴き、彼の地で工芸品がたたえる美しさに思わず心を奪われ、以後たびたび朝鮮を訪れるようになる。周知のように一〇年以来朝鮮は日本の植民地支配下にあったのだが、宗悦が朝鮮民族固有の「哀傷の美」へと寄せる共感は「三・一独立運動」を機にいっそう深まり、その想いをつづった「朝鮮人を想ふ」「朝鮮の友に送る書」「失はれんとする一朝鮮建築のために」[7]などの名文を次々に発表する。なかでも、二二年に発表した「失はれんとする一朝鮮建築のために」で、宗悦は京城（ソウル）の要衝に位置する李朝時代の名建築・光化門の美しさをたたえる一方、これを取り壊して跡地に洋風の庁舎を建設しようとした日本総督府の占領政策を手厳しく批判、ついには光化門の取り壊し中止へと追い込んでしまう世論の形勢に大きく貢献した。ちなみに、この文章は英語や朝鮮語の翻訳が広く流布したのとは対照的に、肝心の日本語では伏せ字だらけで新聞に掲載されるにとどまったのだが、戦後には評価が一変、良心的知識人の名文として人口に広く膾炙するようになる。また世界初の試みである「李朝陶磁器展覧会」を企画したのもほぼ同時期のことだった。

3 「民芸」の誕生と美術館構想

このように、宗悦は一時期深く朝鮮美術に傾倒していた。その宗悦の関心が、今度は国内の美術へと向かうことになったのもまた浅川兄弟の導きによるものだった。一九二四年一月に、浅川兄弟の弟・巧の導きで訪れた山梨・甲府の知人宅で一体の木喰仏を見たことが機縁だった。京都や奈良の寺社で見かけるような優美な仏像の対極に位置するその素朴で荒々しい造形に、宗悦はすっかりとりこになってしまう。中見真理によれば、李朝工芸に耽溺していた宗悦は、いつしか日本の工芸が朝鮮の模倣ではないかと疑うようになり、日本独自の造形について考えをめぐらせるようになっていたという。木喰仏との出合いは、まさにその突破口だったのだろう。宗悦は以後この木喰仏の研究に没頭する。そして、宗悦を木喰仏と巡り合わせた巧は、今度は宗悦を当時新進の陶芸家だった濱田庄司や河井寛次郎らと引き合わせたのである。当初宗悦は、デビュー作を酷評したことを気に病んでか河井に会いたがらなかったというが、濱田のとりなしで会見した二人は木喰仏の美しさをめぐってたちまち意気投合し、三人そろって木喰仏の調査旅行へと出かけるなどして親交を深めていく。「民衆的工芸」の略語である「民芸」という言葉が生まれたのも、三人が紀州へと調査に赴く電車のなかでのことだったという逸話が残っている。ちなみに、その経緯について、当の宗悦は、「民衆芸術」の意味でもいいのだが、「芸術」という言葉には個人の趣味的な高級芸術という意味合いがあるので、それよりは無名の工人たちが作る実用的な工芸品である意味を表したくて「民芸」と呼ぶことにしたという趣旨のことを述べて、当時を振り返っている。ここには、無名の工人の手仕事を高級美術にも劣らぬ美的な価値をもったものとして評価しようとする意欲的な姿勢を看取することができるだろう。さらにバーナード・リーチ、芹沢銈介、棟方志功、富本憲吉らの賛同を得て民芸運動へと発展していく価値観の共有は、その中心にあった宗悦をして民芸美術館の設立構想を決意させ、大正末期に宗悦は、「時充ちて、志を同じくする者集まり、ここに「日本民藝美術館」を設立する[8]」という印象的な一文によって始まる「日本民藝美術館設立趣意書」を発表するのである。

宗悦が美術館の構想に着手したのは、実はこのときですでに三度目だった。最初は「白樺」の同人たちと構想した白樺美術館で、一九一七年十月の「白樺」誌上に「美術館をつくる計画に就て（並びに同志の人の寄附）」を発表、当時はまだ日本に存在しなかった西洋近代美術の本格的なコレクションを有する美術館を建設する必要性を力説した。その構想は現実味に乏しかったが、そこにうかがわれる主張の多くは翌年に発表された武者小路の「新しき村」と類似していて、この構想が白樺派全体の特徴でもあった一種のユートピア志向と不可分の関係にあったことを物語っている。

二度目は、朝鮮滞在中に深く関与した朝鮮民族美術館である。宗悦の朝鮮美術に対する深い傾倒ぶりはすでに述べたとおりだが、多くの美術工芸品に接するうち、宗悦はその秀逸さを広く喧伝し、またそれらを生み出した朝鮮民族の優れた文化を紹介する施設の必要性を痛感し、一九二一年一月の「白樺」第十二号で「朝鮮民族美術館の設立に就て」を発表、そのなかで「今日の朝鮮を解さうと思ふならば、その近い時代の芸術に対して正当な理解を持つと云ふ事が間違いなく必要であらう。ここに集められる作品によつて今後李朝の美は必ずや人々の前に是定せられるにちがひないと考えてゐる[9]」と、その必要性を力説している。宗悦が折にふれて発表した朝鮮美術をめぐる様々な文章、あるいは東京で開催された「朝鮮民族美術展覧会」やソウルで開催された「李朝陶磁器展覧会」など、宗悦が企画に関わったいくつかの展覧会は、いずれも朝鮮民族美術館設立への準備だった。そして、浅川兄弟の援助もあってその熱意はついに花開き、二四年四月九日、ソウルの景福宮緝敬堂で念願の開館の日を迎える。当時は日本にもまだ存在しなかったアジア初の民族美術館の誕生だった。

それから数年後、民藝館の建設に向けて動きだした宗悦だが、もちろん、建設への道のりは平坦ではなかった。宗悦をはじめとする同人たちに独力で美術館を建設できるだけの資力があるはずもなく、地道に篤志家への理解や寄付を呼びかけなければならなかった。帝室博物館（現東京国立博物館）に民芸部門の設立をもちかけ、コレクションを寄贈しようとしたこともあったが、それは博物館からにべもなく拒絶されてしまう。結局、大原美術館の創設者としても知られる倉敷の実業家・大原孫三郎と日本麦酒の設立者でのちにアサヒビールの社長になる山本為三郎からの援助を受けられることになって建設資金の問題は解消されたのだが、一九三六年、駒場の柳邸に相対して日本民藝館がようやく開館したときには、すでに趣意書の起草から十年の歳月が流れていた。

だが、結果的に開館までに要した約十年という歳月は、宗悦の思想が熟し、民芸運動がその下地を整えるうえで格好の準備期間にもなったようだ。民芸を提唱してからというもの、宗悦らは全国各地を旅して回り、各地の民芸品の収集に努めた。彼らは東北、九州、山陰、沖縄などほぼ日本全域へと足を運んだばかりか、収集の対象は広く海外にも及んだ。大半の民芸品は下手物と呼ばれる雑器の類いだったこともあり、幸いなことに宗悦たちは少ない原資で大量のコレクションを形成することができた。また一九二八年に産業振興を目的に上野公園で開催された御大礼記念国産振興東京博覧会（御大礼博）では、「民藝館」という仮設会場（パビリオン）を開いて参加するなど、機会をつかまえての民芸のＰＲにも怠りなかった。民芸の同人たちは、全国各地で地方の工芸の指導を惜しまなかったし、三一年に「工芸」を発刊して以降は、ここをおもな論説の場としたほか、三〇年代半ば以降は、日本工房の写真家・名取洋之助が創刊した対外宣伝誌「NIPPON」（日本工房）でも民芸が広く紹介され、その名は海外でも知られるようになっていった。また宗悦は戦時中も地方に疎開することなく、終戦のそのときまで駒場にとどまって民藝館を守り抜いたのである[10]。

4 平和主義とオリエンタリズム

開館に至るまでの経緯をごく大雑把にたどるとおよそ以上のようになるのだが、では宗悦が提唱した民芸思想にはどのような特徴が指摘できるのだろうか。ここでは論点を二、三に絞って検討してみよう。

まず真っ先に指摘できるのが、アーツ・アンド・クラフツ運動からの影響である。第6章でふれたが、アーツ・アンド・クラフツ運動とは十九世紀前半のイギリスに出現した産業革命による社会構造の転換で粗悪な日用品が大量に市場に出回ったことへの反発から、機械文明以前の中世を理想と仰いで手仕事への回帰を目指そうとした美術・工芸運動である。ウィリアム・ブレイクを本格的に論じた宗悦は、その関心の延長線上でごく自然にアーツ・アンド・クラフツ運動の中心を担ったウィリアム・モリスや、モリスに大きな影響を与えた美術評論家ジョン・ラスキンの存在を知り、その著作にも親しんだにちがいない。一九二九年には、宗悦がアーツ・アンド・クラフツ運動の拠点だったイギリスのケルムスコットを訪れた記録が残されている。

もちろん、両者には異なる側面もあった。モリスがアーツ・アンド・クラフツを提唱したのには、産業社会によって急激に変革する社会への異議申し立てという側面が大きかった。一方で宗悦が民芸を提唱したのには、先もふれたとおり、木喰仏との出合いを通じて、日本独自の造形を追求しようとしたのが大きな理由だった。そのことは「外来の手法に陥らず他国の模倣に終わらず、すべての美を故国の自然の血とから及んで、民族の存在を鮮やかに示した。おそらく美の世界において、日本が独創的日本たる事を最も著しく示しているのは、この「下手物」の領域においてであろう[11]」と「趣意書」でも明言していて、そのために戦後に発表した「民芸の立場」（一九五四年）で、「私共の民芸運動は決してモリスに由来するものではない[12]」と民芸とアーツ・アンド・クラフツの違いを強調している。もちろんそうした部分は割り引いて考える必要があるが、アーツ・アンド・クラフツ運動のユートピア的な自然志向は「白樺」とも通じる部分が大きく、宗悦も共感を寄せ、影響を受けたことは間違いないだろう。

一方で注目すべきが、その平和主義的な側面である。水尾比呂志の『評伝 柳宗悦[13]』などに詳しいが、軍人の息子として生まれながら、宗悦が軍国少年だった時期は短く、比較的早くから平和主義に目覚めたようだ。朝鮮の植民地支配に一貫して反対していたのも、また戦後にはマハトマ・ガンジーの非暴力・非服従主義を絶賛したというのも「平和主義者」宗悦の面目をよく伝えているだろう。もちろん、検閲や言論弾圧が厳しかった当時の世相で、日本の植民地支配を公然と批判した者はごくまれだった。鶴見俊輔によれば、宗悦は吉野作造や石橋湛山らと並んで、そのほんの一握りの批判的知識人に含まれる一人にあたるという。[14] そして実は、宗悦の平和主義者としての側面は民芸のコレクションの方針にもうかがうことができる。というのも、幅広いバリエーションを誇る民芸のコレクションのなかに、甲冑や刀剣、銃器といった武具の類いはまったく含まれていないからである。

だがこの平和主義は、半面、その偽善性を手厳しく批判されることにもなった。宗悦の出自はすでに述べたとおりだが、学習院の僚友のなかにあってはごく平凡だったその境遇も、社会一般の目には大いに裕福で恵まれたものと映ったことは想像に難くない。事実、「白樺」のメンバーに共通したそのユートピア思潮は、しばしば世間知らずのお坊ちゃんによる現実から乖離した空想として批判されていたし、あとにみるように、その世情にうとい(政治に関心が薄い)という面は戦時体制との思わぬ接近の遠因にもなった。またのちには、彼が戦前に深く傾倒した朝鮮や沖縄との関わり方も疑問視されることになった。李朝工芸に代表される「哀傷の美」やそれらを生み出した朝鮮民族の生産性をたたえ、返す刀で日本の植民地支配を批判した宗悦だったが、その感情移入の対象はもっぱら朝鮮民族の美的感受性へと向けられていて、彼らの対日独立運動を強く支持するには至らなかった。宗悦を平和主義者として高く評価する中見真理は、独立運動を喚起することがなかった宗悦の反戦思想を「パッシヴ・レジスタンス」と称し、政治への介入を常に嫌っていた宗悦の気性や白樺派以来のレフ・トルストイの影響をそのおもな要因として挙げている。[15] だがそうした理解が同時代的に広く浸透するはずもなく、感情移入の対象であるはずの朝鮮の知識人の間では、「哀傷の美」という言葉を槍玉に挙げ、結局のところ宗悦の議論は、植民地支配という現実を黙認したうえで個人の審美的な趣味を語っているだけだという反発が決して少なくなかったのである。

西洋人による東洋趣味、およびそうした視線に基づく様々な文化搾取の構造を総称してオリエンタリズムという。その帝国主義的な側面を告発したエドワード・サイードの同名の書物によって人口に広く膾炙したこの概念はいまや多くの局面で俗用されるに至っている。近年では宗悦の批判的再解釈の多くもこの視点を導入しておこなわれるようになった。その最も良質な一例として、ここでは小熊英二の批判を参照してみよう。

博士論文にもなった大著『〈日本人〉の境界』で、小熊は「オリエンタリズムの屈折」と題する一章を設け、そのなかで宗悦を批判的に論じている。[16] おもに批判の対象になっているのは宗悦も当事者として関与した「沖縄言語論争」で、小熊は従来「沖縄語〔沖縄方言：引用者注〕を圧殺しようとした県庁と、それを守ろうとした良心的知識人（つまり、柳たち）の対立という図式」で考えられてきたこの論争の構図に疑問を投げかけ、「彼等は余りにも県をその好奇心の対象としてしまつてゐる。好奇心の対象にする位ならまだしもである。もつとひどいのになると観賞用植物若しくは愛玩動物位にしか思つてゐないのもある。かかる人々に限つて常に沖縄礼賛を無闇に放送しては〃またか〃と思はせられるのである」[17] という県庁社会事業主事・吉田嗣延の反論を紹介して、「良心的知識人」だったはずの宗悦たちの視線に一種の文化的搾取の構造が潜んでいたことを指摘する。小熊はこの論争を「沖縄がまだ「日本人」になりきってないと考える側と、沖縄が十分に「日本人」であると見なす側の論争」と結論付け、宗悦の議論を安直にオリエンタリズムと決め付ける愚を避けながらも、そうした側面が強い一定の時代的限界を避けえないものだったと判断している。おそらく、この図式は宗悦と朝鮮との関係についてもほとんどそのまま当てはまる。朝鮮との深い縁もあって、宗悦の民芸運動はしばしば柳田國男の「一国民俗学」や時枝誠記の「一国言語学（国語学）」と比較される。特に『蝸牛考』[18] の著者だった柳田とは、方言への強い関心でも共通している。だが、エスペラントの習得に熱心だった柳田とほとんど興味を示さなかった宗悦の視線には、今日でいうグローバリズムの視点からも決定的な差異を指摘できるように思われる。

ちなみに小熊は、自らの分析を「第二次世界大戦ののち、柳は一九六一年の死まで、二度と朝鮮も、沖縄も訪れることはなかった。彼にとって、自分が愛したものの生々しい現実の姿と直面することに耐えるには、その心は繊細にすぎたのかもしれない」[19] と結んでいる。非常に的確な指摘である。小熊のこの指摘に限らず、私は宗悦の視線に対するオリエンタリズムの要素の指摘を大筋として正当なものと認めるが、半面、多少の違和感を覚えることも否定できない。というのも、宗悦の民芸思想は机上の抽象論ではなく、あくまでも民芸という具体的なモノに即して述べられた思想である以上、肝心のモノを注視することなくしてその全容には迫れないと考えるからだ。そしてこのモノに即した議論でも、民芸はいくつかの問題を投げかけるのである。

5　モノの思想

コレクションを漢字で言い表すときには「収集」と表記するのが一般的だが、場合によっては「蒐集」と表記することもある。両者に厳密な区別や使い分けの基準があるわけではないが、古美術や古道具の分野で、あるいはコレクターの偏った趣味を強調する場合には「蒐集」を用いる場合が多いことは確かなようだ。そうすると、多数の無名の工人の手仕事のなかから宗悦の主観によって選ばれ集められた民芸は、典型的な「蒐集」とみなすことができるだろう。宗悦は自らの民芸のコレクションを「創作的な蒐集」と呼び、「蒐集と呼ぶからには、何等かの存在理由がなければならない。（略）収集はどこまでも質の正しさを追うべきである。それがないと存在の意味が淡くなり、単に個人の変った性癖の現れに過ぎなくなって了う」[20]と自らの主観に基づくコレクションの形成に強くこだわっていた。確かに、市場価値もなければ、美術品や文化財としての価値もほとんどない無名の工人の手仕事に民芸という独自の価値が備わったのは、宗悦がいう「創作的な蒐集」の成果だろう（それは先に言及した「モノに即して述べられた思想」と同義でもある）。そうした視点は、民芸と同様に趣味のサークルとしての性格をもつ三田平凡寺の我楽多宗などとの接点が生じるきっかけにもなった。

もちろん、こうした宗悦の立場には当時から異論や批判も少なくなかった。ここでは、民芸とは異質な価値観を体現した工芸概念の一例として、ほぼ同じ大正末期に提唱された今和次郎の「平民工芸」を挙げておこう。のちに袂を分かったが、柳田國男の弟子だった今は、全国各地をフィールドワークして回り、およそ人間とそれに関わりがある事物や生活上の出来事など数値化して記録する考現学を確立し、その一環としてブリキ屋の工芸品のような民具を発掘して、固有名を強調する美術との対比でこれを高く評価した。一見したところ宗悦の民芸と通底するその価値観は、しかし美意識の有無で決定的に異なっている。というのも、今は最初から鑑賞目的で作られている美術工芸と実用目的の民具以外の差異を一切認めず、後者の価値を認めるために「平民工芸」の意義を強調したからだ。今にとって、無名の工人の手仕事のなかから宗悦の主観によって選ばれる「民芸」は認めがたいものだっただろうし、ほかにも同じような反発を感じていた者は決して少なくなかっただろう。[21]

明治初期、欧米列強への主要な輸出品として美術の代名詞的存在だった工芸は、近代化のプロセスで美術教育をはじめとする諸制度の変革に伴いかつての地位を失い、いわゆるLesser Art（劣等芸術）として長らく絵画や彫刻の下位概念に甘んじることになった。その後工芸は、古くからの匠を伝える伝統工芸、「文展」（現日展）などの枠組みによって様式を規定され洗練された美術工芸、外国から輸入されたクラフトなどのもろもろの様式が混在するなかで地位の向上を求めて奮闘する。工芸史の流れのなかでは、民芸もその一角を占める主要な動向の一つと考えることができるだろう。「美術文化から工芸文化への進展」という宗悦の大きな目的は、民藝館の開館という大きな成果として結実したのである。

6　宗悦の美術館観

ところで、戦前に開館した東京の美術館といえば、最古の歴史を誇る大倉集古館や民藝館にわずかに遅れて開館した根津美術館など、旧財閥系の資本を背景にする館が大半である。長い歴史を誇るヨーロッパの美術館も、多くは王侯貴族のキャビネットを母体にしていたのだから、近代以降この制度が導入された日本でも、似たような経緯をたどるのは当然の話である。そんななかで、そうした母体をもたない民藝館の開館準備や維持が多くの困難を伴っていたことは想像に難くないが、なぜ宗悦は、教育や出版を主体として活動するという選択もありえたはずなのに、多額の資金繰りを強いられる美術館の建設に強く固執したのだろうか。[22] この疑問に対しては、おもに三点の理由を挙げることができる。

まず一点目が、宗悦のモノに対する執着だろう。民藝館は現在約一万七千点のコレクションを所蔵しているが、その八〇パーセント以上は宗悦が自らの目で選んで購入したものである。ジャンルは民芸に着手するきっかけになった木喰仏や李朝工芸をはじめ、各地の陶器、染織、ガラス、民画、イギリスの古陶（スリップウェア）などきわめて多岐にわたっている（蒐集の性質上、その作品は長らく文化財などとは無縁だったが、二〇〇三年になって「絵唐津芦文壺」が重要文化財の指定を受けることになった）。これらの膨大なコレクションを死蔵することなく有効に生かす手立てとして、美術館はなくてはならない存在だったのである。

次いで二点目が、宗悦の建築に対する強いこだわりだった。意外にも宗悦は建築に非常に強い関心を抱いていて、自ら設計を手掛けることもあった。例えば、一九二八年の御大礼博で仮設された「民藝館」は宗悦本人が設計したものだったし、現在駒場の地に立つ蔵造りの民藝館本館も実は宗悦本人の設計によるもので、蔵造り風の外壁はほかの民藝館の建設にあたっても踏襲されるなど、民芸風の意匠として広く定着している。少し書をたしなんだ以外自らは作品の制作には手を染めなかった宗悦だが、あるいはこの建築への強いこだわりには、宗悦自身の作家的欲望が露呈していたのかもしれない。

そして三点目が、美術館という装置がもつ独自の表象機能だろう。もとより日本には明治以前にはミュージアムは存在しなかったわけで、美術館とはきわめて西洋的な文化装置だった。かつて西洋近代美術の美術館建設を構想したこともある宗悦にとって、それはあまりにも自明のことだったはずである。また青年時代にはハイカラな西洋美術を愛好し、李朝工芸へと深く傾倒した時期を経て無名の工人の「民衆的工芸」へと至った宗悦の美的関心は、当然のことながら岡倉天心とアーネスト・フェノロサによって確立された日本画、あるいは東京美術学校や日本美術院といった公的機関に代表される官製の日本美術と鋭く対立する「新しい日本」を志向するものだった。自ら発見した民芸を官製の日本美術と対置するためには、美術館という西洋的な表象装置は大いに有益だったにちがいないのである。[23]

なお付言しておけば、「新しい日本」へと強い関心を抱いた宗悦は、大政翼賛会が発足した直後に「新体制と工芸美の問題」という一文を執筆、そのなかで日本の傀儡国家だった満洲国を「美の国」として称賛する一方で、防共協定の相手国でもあったナチスドイツの美術運動「喜びによる力（KdF）」とも親しい関係を結ぶことになった。[24] すでに述べたように、しばしば平和主義者としての側面が強調されている宗悦だが、その「新しい日本」への傾倒は結果的にファシズムの類縁という逆説を生み出し、また実は戦時下にあって厳しい弾圧を受けず、最も民芸運動が栄えるという奇妙な現実も出現することになったのである。

7　日本民藝館の現在と今後

では、現在の日本民藝館の展示はどのようなものなのだろうか。日本民藝館は現在約一万七千点のコレクションを所蔵しているが、その大半は生前の宗悦が全国各地を訪れて自らの目で選んだものだ。同館のウェブサイトを参照しながら、そのコレクションを概観してみよう。

まず日本国内で収集されたコレクションは、陶磁、染織、木工・漆工・彫刻、その他工芸に区分されている。陶磁は江戸時代から現代に民間で制作されたものが大半で、佐賀・伊万里、唐津、兵庫・丹波、愛知・瀬戸など、西日本を中心に全国各地の陶磁を満遍なく集めている。点数は少ないが、縄文・弥生時代の土器も収集してあると聞いている。民間の窯業者の手になる「民窯」（官立の窯業者である「官窯」の対義語）が非常に多い半面、著名な作家作品である「在銘陶」がほとんどないところに、民芸の要件である無名の工人へのこだわりが感じられる。

染織に関しては、江戸時代から現在に至るまでの様々な衣裳や織物を集めている。庄内地方の被衣（かずき）

は宗悦の好みだったらしく、訪れるたびに見かける機会があった。素朴な格子の丹波布は、宗悦が京都の朝市で直に購入したものだという。

木工・漆工・彫刻でも、全国各地の木工品や漆工芸品を多数収集しているほか、彫刻に関しても、宗悦が民芸に関心を寄せるきっかけになった木喰仏をはじめとする約八十点を収集している。仮面や獅子舞がここに分類されているのも、他館ではまず見られない民藝館独自の特徴である。

絵画に関しては、江戸時代の「民画」（民間で描かれた絵画）を中心に収集してあるほか、御伽草子絵巻や鎌倉時代から室町時代の仏画も収集の対象である。版画、拓本、書蹟もここに含まれる。

金工、石工、ガラスなども収集されているほか、沖縄とアイヌの工芸も、それぞれ独自のスペースを設けて展示してあるのも大きな特徴である。宗悦の沖縄への関心は先ほどふれたとおりだが、彼の関心は同じく北のアイヌにも向けられていたのである。

一方海外では、やはり朝鮮半島のものが多くを占める。朝鮮の陶磁のコレクションは約六百点に達し、高麗時代のものもわずかに含まれるが、その大半は白磁の壺や祭器が印象的な李氏朝鮮時代のものである。

木工・漆工も李氏朝鮮時代のものが中心だが、こちらは対照的に赤や黒などの色彩が印象的な品が多い。生前の宗悦は、「木工品でどこのものが好きかと問われたら、西洋では英国のもの、東洋では朝鮮のものである」と語っていたという。

絵画は在野の無名絵師によって描かれた「民画」が大半で、宮廷お抱えの絵師が描いた「官画」とは異質な雰囲気をたたえている。

その他、石工や金工なども収集の対象である。

ほかには、台湾の先住民の工芸も収集している。これは、一九四三年に宗悦が現地調査をおこなったときに収集したものである。

中国本土では、明から清代の陶磁や漢から六朝の拓本、元から明代の細密画などを所蔵している。

また少数ながら、イギリスの古陶スリップウェアをはじめ、欧米の工芸品も収集している。

他方、無名の工人の手仕事を趣旨とする民芸だが、理念を共有した同人作家は例外で、バーナード・リーチ、濱田庄司、河井寛次郎、芹沢銈介、棟方志功の作品がそれぞれ個別に展示してある。

これらの展示を眺めていると、まず多くの展示品に明らかに日常生活で用いられた痕跡があることがわかる。例えば同じ沖縄やアイヌの展示品一つを取ってみても、日常の使用の痕跡の有無という点で国立博物館の資料展示との違いは歴然としている。このことは、民藝館の展示の最大の特徴といっていい。ほかには、陶磁器や漆器を収めた大きなガラス張りの什器が市販品ではまず見られない独特の形状をしていること（これらの什器は、実は李朝の家具を手本にして開館時に作らせた特注品だという）、小さな黒い板に手書きの朱文字で展示品の名称が書かれている以外に、およそ説明らしい説明が何も添えられていないことなども挙げておきたい。これらの諸点にも、過剰な説明を排除して作品を直接体験すべきという民芸思想[25]の一端が反映されているわけだ。ただし、例年全体の七パーセント前後を占めるという外国人来館者への配慮から、国際部が制作した英語のパンフレットが配布されている。僚友リーチの苦心の訳業の成果もあって、民芸は海外でも一定の知名度を得ているが、今後はFolk Craftsという訳語の限界をどのようにして超えていくのか、また多くの来館者を占める中国人・朝鮮人にどのようにして民芸の意図を伝えていくのかが課題になるだろう。また、民藝館の収集・展示が博物学的な系統分類ではなく、あくまでも宗悦個人の主観に根差したものであることは強調しておく必要がある。その蒐集や展示があくまでも宗悦の審美眼で選ばれた美術品として扱われている一点で、民藝館は博物館ではなく美術館だといわなければならないだろう。加えて、結果的に民間の篤志によって設立された開館の経緯もあって、民藝館が今日でいうＮＰＯ的な性格を自任する施設である点にもいま一度着目しておく必要がある。そのほか民藝館では「友の会」「民芸の会」の連絡業務、会誌「民芸」の発刊なども定期的におこなっている。繰り返すが、日本民藝館は全国にある民芸館の要ともいうべき存在である。民芸の影響力は、そのほか大原美術館工芸館やアサヒビール大山崎山荘美術館などにも及んでいるほか、二〇〇四年に神奈川や長野を巡回した「柳宗悦の民芸と巨匠たち」展をはじめ民芸関連の展覧会が数多く民藝館のネットワークの外部でも開催されるなど、その多彩な活動からは、民芸運動がいまなお現在進行形の思想であることが伝わってくる。

8　民藝館のポスト宗悦

宗悦が一九六一年に世を去ったのち、民藝館の館長は同人の濱田庄司を経て、七七年には宗悦の長男である柳宗理へと引き継がれた。以下、近年の民藝館の動向をみていこう。[26]

宗理は「バタフライ・スツール」などを考案した国際的なプロダクトデザイナーとして知られる大家である。民藝館一階のミュージアムショップでは、彼がデザインしたスプーンやカップなどを購入することができる。そんな宗理も、社会一般の親子関係と同様に若いころは「父が馬鹿にしていた」純粋美術、前衛美術に熱中していたという。だが、いつしかそのプロセスで知ったバウハウスやル・コルビュジエに憧れ、デザインへと進路を変更したという。開戦前の短期間、師ル・コルビュジエの代理として来日した建築家のシャルロット・ペリアンのアシスタントを務めたのはそれから間もなくのことだった。いうまでもなく、手仕事と機械仕事の違いこそあれ、芸術とテクノロジーの融合を図ったバウハウスや機能主義を追求したル・コルビュジエのデザイン理念は「用の美」を重んじる民芸の思想と大いに通じる面があったから、結果として宗理は、回り道の末に一時期反抗した父の思想を間接的に継承することになったのだ。民藝館の館長に就任するのはずいぶんとあとの話だが、それにしても従来のデザイン観と一線を画し、匿名性を重視した「アノニマス・デザイン」を標榜する宗理の姿勢に、民芸との長く奥深い語らいをみないわけにはいかないだろう。そういえばしばらく以前に、宗理は「過去及び現在は未来のために在る。我々は宗悦が残していった民芸論を、なんらかの形で未来に活用しなければならない。また、せっかく残していった民藝館から何かを感得して未来に引継ぎ、新しい健康的なものを生まねばならない[27]」

と述べていた。開館以来九十年近くたった現在も、民藝館は大規模な国立博物館などとは一線を画し、公金に一切依存せずに小回りが利いた独自の活動を展開してきたプライベート・ミュージアムである[28]。伝統的な民芸品が主たる対象とはいえ、NPOの先駆ともいうような運営方法にはほかのミュージアムも学ぶべき点が多々あるのではないだろうか。

その宗理も二〇〇六年には名誉館長へと退き（二〇一一年に死去）、初の財界人館長だった富士ゼロックス会長（当時）の小林陽太郎を経て、一二年からプロダクトデザイナーの深澤直人が五代目館長に就任して現在に至っている。

深澤が民藝館をどこに導こうとしているのか、私は二〇一五年春に開催された深澤企画の展覧会「愛される民芸のかたち――館長　深澤直人がえらぶ」を見て、展評を新聞に書く機会があった。参考までにそれを挙げておこう。

> 一般には褒め言葉である「かわいい」だが、伝統的に地味な感覚が尊ばれてきた工芸にその常識は到底通用するまい。だが今春、敢えて「かわいい」をコンセプトに据えた工芸展が企画された。著名なプロダクトデザイナーの深澤直人がその仕掛人だ。
>
> 深澤は二〇一二年より日本民藝館の館長を務めているが、現在同館で開催中の「愛される民芸のかたち」には、約一万七千点の蒐集品のなかから深澤自身が選んだ約百五十点が展示されている。手のひらサイズの「白磁線彫文杯（はくじせんぼりもんはい）」（朝鮮・一九世紀後半）や挿絵の一コマのような「エタブロ」（アメリカ・十八世紀）など、展示品は総じて小ぶりで愛らしく、コンセプトの徹底ぶりがうかがえた。
>
> いまさらだが、民芸とは柳宗悦らが創始した工芸運動の名称である。無名の工人の手仕事に見いだされる「用の美」は独自の美の規範として多くの支持を得たが、半面その趣味の偏りが立場を異にする論者から厳しく批判されることになった。それにしても、民芸の本質を「かわいい」にみる視線は賛否いずれの側にも

これまでほとんどなかったものだろう。

この点に関して深澤は、「かわいい」が美学の普遍を鋭く突いていることや、伝統工芸の「厳しさの美」とは異なる民芸の「おおらかな美」に対応していること、また柳の「平和思想」や「愛」とも関連していることを指摘する。「かわいい」の射程は思いの外広いようだ。

ところで、「かわいい」は日本の現代文化を海外に紹介する際にしばしば言及されるキーワードでもある。デザインも例外ではなく、国際交流基金の企画で数年前に六カ国を巡回した「WA―現代日本のデザインと調和の精神」という展覧会でも、「かわいい」が展示カテゴリーの一つとして設けられ、そこに深澤のユニットバスが展示されたことがある。そのことが今回の伏線になっているかどうかはともかく、深澤が「かわいい」に民芸とデザインの接点を見ていることは間違いない。

大正末期に提唱されて以来約九十年経過したいまも、民芸は現在進行形の運動である。「かわいい」再解釈を試みた今回の展示は、そのことを再認識する恰好の機会であった。[29]

民芸と「かわいい」の接点など考えたこともなかっただけに意表を突かれた思いがしたが、この展示が深澤ならではの観点で民芸の新たな魅力を引き出そうと意図したものだとすれば、それとは対照的に、施設の改修記念として二〇二一年春に開催された「日本民藝館改修記念 名品展Ⅰ」は民芸の原点に立ち返る展示といえるだろう。この展示のキーワードになっている「木喰上人の彫刻」「朝鮮とその芸術」「陶磁器の美」「初期大津絵」「琉球の富」「物と美」「茶と美」「美の法門」はいずれも宗悦の著作から採取されたもので、宗悦の意向に忠実に作品を選出し、展示したことがうかがわれる。

9　大阪日本民芸館

本章の冒頭で全国には二十八の民芸館があると紹介したが、その一つが大阪日本民芸館だ。同館は一九七〇年の大阪万博のパビリオンとして開設され、万博終了後も現在に至るまで同じ場所、万博公園の「平和のバラ園」や国立民族学博物館などが隣接するエリアにあって、活動を継続している。大阪万博の終了後、ほとんどのパビリオンは取り壊された。現在も残っているのは太陽の塔や鉄鋼館などごく一部にすぎないが、そうしたなかにあって大阪日本民芸館は、万博終了から半世紀が経過した現在も、同じテーマによって運営されているおそらく唯一の施設である。あまり知られていない同館の活動を、この機に紹介しておきたい(30)。

民藝館の大阪万博出展のキーマンは大原總一郎・倉敷レイヨン（現クラレ）社長だった。總一郎は民芸運動の理解者でもあった大原孫三郎の長男で、関西企業十七社に呼びかけて大阪日本民芸館出展協会を設立、それを受けて日本民藝館は一九六七年に「暮らしの美」をテーマに出展することを決定、パビリオン名を「大阪日本民芸館」とした。六八年十月に着工し、万博開幕直前の七〇年に竣工、開幕式が挙行された。着工に先立って總一郎が死去したこともあり、館長には出展協会の活動を引き継いだ弘世現・日本生命社長が就任、当時民藝館の館長だった濱田庄司が名誉館長になった。大林組が建設を手掛けた施設は東京の本館とは対照的なモダンな鉄筋コンクリートの平屋造りの建物だが、このデザインは日本民藝館、倉敷レイヨン、大林組の三者の合議によって決定された。合議の席では民藝館の側から「ダイナミックなものがいい」「近代建築がいい」という意見が出たということで、万博を強く意識していたことがうかがわれる。開催時は第一展示室に全国各地の古い民芸品、第二・三展示室に伝統技法を継承した新作民芸品、第四展示室に民芸品の工芸の本質に即した個人作家の新作を展示した。またこの展示室の壁には、棟方志功の板画の大作『大世界の柵「乾」――神々より人類へ』が掛けてあった。

また展示室内の陳列ケース・椅子・電話台・灰皿などの備品も民芸調のものを用いた。これらの備品は松本民芸家具が制作し、スタッフのユニフォームは宗悦の甥にあたる染織家の柳悦孝が手掛けた。同館の展示方針は、六八年に神奈川県立歴史博物館で開催された「日本民芸館」展にならったという。コンパニオンの衣装は、悦孝の指揮のもと、青い冬服と白い夏服の二種類が用意された。万博会期中の来場者は事前には三十万と見積もられていたが、最終的には二百十万人に達した。

万博終了後、パビリオンは大阪府に寄贈され、さらにその後万博協会に無償譲渡された。一九七一年三月二十六日に大阪府から工芸館としての認可を受け、大阪万博二周年を迎えた翌七二年三月十五日に大阪日本民芸館としてリニューアル開館した。館長は初代が濱田庄司、二代目は柳宗理が務めたが、これは東京の民藝館と同様である。

現在同館の所蔵品は陶磁器や漆器、染織など約六千点。常設展示品のなかには濱田庄司の「白釉黒流描大鉢」や河井寛次郎の「呉須筒描花手文壺」のような著名な作品も含まれている。春季と秋季の年二回のペースで企画展が開催されて、民芸運動の西の拠点としての面目を保っている。二〇二二年に出版された長井誠『経営者柳宗悦』（水声社）は同館の活動に注目した類書の乏しい試みだが、今後は拡充が望まれる。

10　式場隆三郎、民芸の継承者

宗悦が他界してすでに六十年以上が経過した。日本民藝館が宗悦の死後も精力的に活動していることはすでに述べたとおりだし、また民芸に関する展覧会は大阪日本民藝館をはじめとする各地の民芸館やそのほかの施設でもしばしば開催されている。民芸の影響下にある作家や評論家・研究者、コレクターも少なからず存在するが、なかでもここでは式場隆三郎を取り上げて本章を締めくくりたい。

式場は新潟出身の精神科医だが、本職のかたわらで生涯を通じて二百冊近い著作を出版するなど、文学や美術、工芸にも深く関わった人物だ。ロダンやゴッホを愛好し、また戦後には「日本のゴッホ」とも呼ばれた山下清を見いだして紹介するなどその業績は多方面に及ぶが、彼にとって大きな情熱を注いだ対象が民芸であり、式場の民芸についての著述は、近年編集された『民芸の意味』[31]という論集で読むことができる。

式場と宗悦の接点は式場が新潟医学専門学校（現新潟大学医学部）に在籍中、同人誌「アダム」の活動を通じて白樺派への接近を図ったことに始まる。武者小路実篤、有島武郎と並んで宗悦の知遇を得た式場は、のちに一時期医業を中断して、宗悦がおこなった木喰仏の調査にも参加した。木喰仏の調査は宗悦が民芸を提唱する直接のきっかけにもなった出来事であり、式場は用に即した美のあり方に着目した「民芸」が胚胎する現場に居合わせたことになる。その後も、宗悦に同行して国内各地やイギリスやスウェーデンへの旅行に同行するなど、民芸と長らく関わり続けた。

式場の民芸に対する貢献が最も明確に現れたのが、一九三九年の雑誌「月刊民芸」の創刊だろう。当時の民芸運動は現在も存続する「工芸」という雑誌を発行していたが、「月刊民芸」は民芸運動の普及のために入門者向けの内容になっていた。宗悦に雑誌の必要性を説き続けていた式場は、創刊にあたり自らその編集を買って出た。式場は、自ら立ち上げたこの雑誌を「敏活を主とする軽機関銃のやうな役目」と位置付けている。

また式場の自邸・榴散楼にも注目してみたい。民芸と建築の接点がクローズアップされる機会は多くはないが、この榴散楼は宗悦や濱田庄司らが設計に関わったとされ、民芸建築の数少ない代表作の一つとされている。創刊間もない「月刊民芸」一九三九年八月号（日本民藝協会）には、英文学者にして宗悦の高弟だった寿岳文章夫妻と式場の座談会が掲載された。そこでは、「生活というものが先になって、それに家を適応させた」榴散楼の民芸建築としての独自性が強調されている。この榴散楼のエピソードに見られるように、式場は民芸を人間生活の改善と結び付けようとする考え方の持ち主であり、「趣味」として捉えることには違和感を隠さなかった。

同じく、式場の民芸に対する考え方は、翌一九四〇年の「月刊民芸」五月号に掲載された座談会「現代生活と民芸の本質」でも確認することができる。宗悦や谷口吉郎が出席したこの座談会で、式場は割り箸と塗り箸を対比して、後者を「単に美しいといふばかりでなく、一層安らかな生活ができるとおもふね。民芸運動はけっきょくそういふ道徳の問題に移るとおもふ[32]」と、長持ちや愛着を重視した独自の民芸観を披歴している。ただこの道徳への強い関心が、結果的に民芸の戦時体制への関与へとつながった一面も否定できない。

戦前・戦後を通じて式場は民芸に関わり続けたが、「民芸は民衆のために、民衆によってつくられ、民衆が生活のためにつかうものである[33]」という式場の民芸観は、宗悦のそれを原型としながらも、その「用の美」を社会性をより重んじながら拡張しようとするものであり、医師だった式場の社会観がうかがわれる。民藝館の展示について「特筆すべきことは、陳列の方法である。ものを美しく見せる美術館は少ない。ものがいちばん美しい姿で見られるように意を用いているところは、民藝館をおいて他にないと思う。陳列されている品物のほとんどすべては、工芸に属するものである。今までの美は主として美術の立場から取り扱われてきた。われわれはむしろ工芸性と美にこそ密接な関係があると思っている。その真理を示すのが、民藝館の使命である[34]」と述べていて、民藝館の展示にも同様の側面から注目していたことがわかる。

無名の工人の手仕事に民芸の本質が潜んでいることはこれまでに繰り返し指摘してきたが、それと同時に式場は民藝館の陳列を重視している。式場の着眼点は、ミュージアムスタディーズの観点からも重要な示唆をはらんでいる。

注

(1) ちなみに、日本民藝協会のウェブサイトによると、ほかの二十七館とは、東北福祉大学芹沢銈介美術工芸館、棟方志功記念館、出羽の織座米澤民藝館、濱田庄司記念益子参考館、国際基督教大学博物館湯浅八郎記念館、益子陶芸美術館、松本民藝館、豊田市民芸館、富山市民芸館、日下部民藝館、静岡市立芹沢銈介美術館、桂樹舎和紙文庫民族工

芸館、光徳寺・無尽蔵、多津衛民芸館、大阪日本民芸館、京都民芸資料館、河井寛次郎記念館、アサヒビール大山崎山荘美術館、丹波古陶館、鳥取民藝美術館、出雲民藝館、倉敷民藝館、大原美術館工芸館、山根和紙資料館、安部榮四郎記念館、愛媛民藝館、熊本国際民藝館（順不同）である。「全国の民藝館」「日本民藝協会」（https://www.nihon-mingeikyoukai.jp/pavilion/）［二〇二二年十二月十日アクセス］

（2）柳宗悦『民藝の趣旨』柳宗悦、一九三三年、三ページ
（3）柳宗悦『科学と人生』籾山書店、一九一一年
（4）『柳宗悦全集』第四巻（筑摩書房、一九八一年）に所収。
（5）「白樺」第三号、洛陽堂、一九一二年
（6）中見真理『柳宗悦――「複合の美」の思想』（岩波新書）、岩波書店、二〇一三年、二三ページ
（7）柳宗悦『民藝四十年』（岩波文庫）、岩波書店、一九八四年
（8）『柳宗悦全集』第十六巻、筑摩書房、一九八一年、五ページ
（9）同書六ページ
（10）幸いにして民藝館が空襲を免れたのは、宗悦の友人だったアメリカ人の美術史家ラングドン・ウォーナーの進言をアメリカ軍が受けていたからだったという。もっとも、宗悦がこの事実を知ったのは戦後しばらくたってからだったようだ。このほかにもウォーナーは、京都や奈良の文化遺産を守るべく戦時中に多大な貢献を果たしたことが知られている。
（11）前掲『柳宗悦全集』第十六巻、六ページ
（12）『柳宗悦全集』第十巻、筑摩書房、一九八二年、二四七ページ
（13）水尾比呂志『評伝 柳宗悦』筑摩書房、一九九二年
（14）鶴見俊輔『柳宗悦』（〔平凡社選書〕、平凡社、一九七六年）を参照のこと。
（15）中見真理『柳宗悦――時代と思想』東京大学出版会、二〇〇三年、二〇〇―二〇七ページ
（16）小熊英二『〈日本人〉の境界――沖縄・アイヌ・台湾・朝鮮植民地支配から復帰運動まで』新曜社、一九九八年、三九二―四一六ページ

(17) 同書四〇〇ページ
(18) 柳田國男『蝸牛考』(岩波文庫)、岩波書店、一九八〇年
(19) 前掲『〈日本人〉の境界』四一六ページ
(20) 鶴見俊輔編『柳宗悦集』(「近代日本思想大系」第二十四巻)、筑摩書房、一九七五年、三五三ページ
(21) 例えば川添登は、「おそらく今和次郎にとって、柳宗悦の文人趣味的な指導者意識は、鼻持ちならないものであったに違いない」と指摘している。川添登『今和次郎――その考現学』(ちくま学芸文庫)、筑摩書房、二〇〇四年、一五〇ページ
(22) 長井誠は、前述の財界人のほかに、民藝館の運営には、同人作家やオペラ歌手であった妻兼子の支援があったことを指摘している。長井誠『経営者柳宗悦』水声社、二〇二二年、二四―二六ページ
(23) 松宮秀次は、「ミュージアムとは西欧近代が創り出しえたもっとも西欧的な「思想」であるが、同時にもっとも西欧イデオロギーを感じさせない、きわめて巧妙な「制度」である。非西欧圏の地域や国家もいったん、西欧化、近代化への方向を歩み始めると、「ミュージアム」が西欧イデオロギーの産物であることを忘れてしまう」とミュージアム(美術館)の本質を指摘している。前掲『ミュージアムの思想 新装版』一一ページ
(24) この点に関しては、長田謙一「「美の国」NIPPONとその実現の夢――民芸運動と「新体制」」(長田謙一/樋田豊郎/森仁史編『近代日本デザイン史』〔美学叢書〕所収、美学出版、二〇〇六年)を参照のこと。
(25) もっとも、このような主張は意図を徹底しようとすれば「個人作家の作品を一切展示すべきではない」という立場に行き着くことになる。そのような主張の持ち主だった三宅忠一は結局民芸協会を離脱し、宗悦と袂を分かつことになった。詳細は前掲、中見真理『柳宗悦』二八二ページを参照のこと。
(26) なお二〇〇六年七月には、理事会の承認を経て、小林陽太郎が四代目の館長に就任した。小林は富士ゼロックス相談役最高顧問を務める財界人であり、民芸運動の当事者ではない者が館長を務めるのはもちろん開館以来で初のケースである。
(27) 柳宗理「柳宗悦の民藝運動と今後の展開」、『柳宗理 エッセイ』所収、平凡社、二〇〇三年。なお、この文章の雑誌初出は一九八三年である。

(28) 宗悦は一九五八年に発表した「近代美術館と民藝館」という短い文章で、両者に多くの違いがあることを説明している。『柳宗悦コレクション2 もの』(ちくま学芸文庫)、筑摩書房、二〇一一年
(29)「愛される民芸のかたち」「朝日新聞」二〇一五年四月十五日付夕刊
(30) 大阪日本民芸館の概要は「特集 EXPO'70と大阪日本民芸館」「民芸」二〇二〇年四月号(「民芸」編集委員会編、日本民芸協会)に依拠した。
(31) 式場隆三郎『民芸の意味――道具・衣食住・地方性』書肆心水、二〇二〇年
(32)「月刊民芸」一九四〇年五月号、日本民芸協会、三〇ページ
(33) 前掲『民芸の意味』二二一ページ
(34) 同書一二一―一二二ページ

第9章　セゾン美術館から森美術館へ
——〈文化〉の転換と美術館

1　老舗と新興勢力——百貨店の美術展史

ミュージアムの定義はすでに何度か確認したとおりだが、われわれが平素ミュージアムとして親しんでいる施設のなかには、必ずしもこの定義になじまないものも少なくない。その最たるものが百貨店の催事場だろう。博物館法の規定を厳密に適用した場合、たとえ美術館と名乗っていても、百貨店の催事場をミュージアムとみなすことは不可能だ。しかし日本には百貨店の催事場を舞台に多くの美術展が開催されてきた独自の歴史があり、しかもそのなかには、美術史的な観点からも重要なものが含まれている。百貨店の美術展の歴史はそれだけで一書を編むことができるテーマだが、ここではいくつかの例に絞って検討してみよう。

日本で初の本格的な百貨店は、一九〇四年に日本橋で開業した三越である。老舗の三井呉服店が近代的な百貨店へと業態を転換するのにあたって目をつけたのが多くの買い物客を引き寄せる力がある催事であり、なかでも店内を華やかな高級ムードで演出することができる美術展は格好の舞台装置だった。開店間もない〇七年にはまず大阪支店に、次いで日本橋本店に相次いで新美術部という部署を設けて、常設の展示場で当時の著名画家だった橋本雅邦、川端玉章、下村観山、竹内栖鳳、菱田春草、横山大観、川合玉堂、黒田清輝、岡田三郎助、和田英作らの作品を展示、また一〇年には画壇の協力を得た企画展「半折画会」も開催された。美術品を紹介する施設が上野公園の竹の台陳列館と美術協会の列品館（陳列館）しかなかった当時、百貨店の催事場はそれを代補する役割を担っていたのである。この三越の成功に同業他社も追従し、多くの百貨店の催事場では盛んに美術展が催されるようになった。[1] 日本最大の日本画団体展である院展が現在に至るまで毎春日本橋三越で開催されているのも、当時からの流れである。

日本の美術史のなかでも重要な出来事の多くが、百貨店の美術展を舞台として展開されてきたことは大いに強調されていいだろう。[2] 例えば、戦後間もない時期に北代省三、山口勝弘、武満徹らがインターメディア的な活動をおこなったことで知られる前衛芸術集団・実験工房は一九五一年、東京・日本橋高島屋で開催された「ピカソ」展の前夜祭を契機に結成されたものだし、また五七年の来日時にアンフォルメル旋風を巻き起こしたジョルジュ・マチウの個展とアクション・ペインティングの公開制作は、白木屋日本橋本店（のちの東急百貨店日本橋店）と大丸梅田店を舞台に開催されたものだった。デザインの分野に関しても、開戦前の一時期デザイン指導のためフランスから招かれたシャルロット・ペリアンの作品を紹介した「選択・伝統・創造」展（一九四一年、東京と大阪の髙島屋を巡回）を挙げておきたい。

他方、百貨店の美術展で注目された一人が、「裸の大将」の異名で知られる画家・山下清である。重度の精神障害をもちながら、ちぎり紙細工で多くの作品を残した四十九年の短い生涯は、芦屋雁之助が山下を演じたテレビドラマによっても広く知られている。死後約五十年が経過した現在はアール・ブリュットの観点からも再評価が進みつつあるが、山下の絵画が広く知られるきっかけになったのが、以下に挙げる二つの百貨店での個展だった。

山下が戦後初めて出品した美術展が「全国精神薄弱児作品」展（東急百貨店東横店、一九五四年）である。同展出品に際して、山下には早くも「日本のゴッホ」のキャッチコピーが与えられていた。山下への関心が高まったのが、「放浪の特異画家 山下清作品」展（大丸東京店、一九五六年）である。一カ月に満たない短い会期中に約八十万人の観客を動員し、山下の名は一躍広く知られることになった。この展覧会で中心的な役割を果たし、山下の紹介に大きく貢献したのが、第8章で民芸との関連でも言及した精神科医・式場隆三郎である。

同じく、百貨店の美術展で注目された画家として、田中一村の名も挙げておきたい。中央画壇とは距離を置き、日本の南端鹿児島・奄美大島で長らく創作に取り組んでいた田中は、個展を一度も開催しなかったこともあり、生前はまったく無名の存在だった。ところが、本人の没後しばらく経過した一九八四年にテレビ番組『日曜美術館』で取り上げられたことで一躍有名になり、奄美の景観や動植物に取材した繊細な花鳥画が大きな注目を集めることになった。その際、田中の作品に接するのに大いに貢献したのが、九五年から九六年にかけて、横浜高島屋など各地を巡回した「田中一村の世界」展だった。

三越、大丸、高島屋という江戸時代に創業した呉服商を前身とする老舗がいずれも戦前からの美術展の歴史を有するのに対し、後発の百貨店が活動を活発化させるのは戦後になってからである。

一九六二年に開店した池袋東武（東武百貨店池袋店）がオープン記念に開催したのが「根津美術館」展だった。東武鉄道の創業者・根津嘉一郎は高名な美術のコレクターでもあり、このオープン記念には傘下の根津美術館のPRという狙いもあったものと思われる。また、死後五十以上年経過した現在も三島由紀夫の自決はしばしば話題に上るが、自決当日の一九七〇年十一月二十五日の一週前、十一月十二日から十七日に同店で開催されたのが「三島由紀夫」展だった。「書物」「舞台」「肉体」「行動」の四部構成は、遺作『豊饒の海』[3]を髣髴とさせる。この構成は当然、すでに自刃を決意していた三島本人の意向を強く反映したものにちがいない。

一九六四年に開店した京王新宿（京王百貨店新宿店）はオープン記念に「生誕百年 二葉亭四迷」展を開催した。一九六七年に開店した渋谷東急本店（東急百貨店渋谷本店）は、「五島美術館名品」展、「岡鹿之助」展、「エコール・ド・パリを中心としたフランス近代絵画」展を立て続けに開催し、増築が完成した七〇年には「クロード・モネ」展を開催した。

一九六七年に開店した新宿小田急（小田急百貨店新宿店）は、十一階に常設の文化大催物場を設け、オープン記念に「近代日本の夜明け」展を開催した。この催物場は、七三年には小田急グランドギャラリーと改称された。また六二年に一足早く開館したハルク（旧本館）では「SNS展」（新宿区・中野区・杉並区の美術担当教諭展）などの地域密着の方針を打ち出していただけに、これは大きな方針転換だった。

百貨店で開催された展覧会として、いまなお画期性が高く評価されているのが、松屋銀座で一九六五年十一月に開催された「グラフィックデザイン〈ペルソナ〉」展と翌六六年十一月に開催された「空間から環境へ」展である。前者は日本宣伝美術会（日宣美）に所属する十一人の若手デザイナー（粟津潔、福田繁雄、細谷巖、片山利弘、勝井三雄、木村恒久、永井一正、田中一光、宇野亜喜良、和田誠、横尾忠則）のグループ展である。彼らは当時二十代から三十代の若手だったが、その後いずれも日本を代表するグラフィックデザイナーへと成長したこともあり、その先駆性が注目されることになった。一方、前者の流れを受けるように一年後に同じ会場で開催された後者は、「絵画＋彫刻＋写真＋デザイン＋建築＋音楽の総合展」というサブタイトルのとおり各ジャンルの作家総計三十五人が参加したグループ展である。出品作品はいずれも従来の絵画や彫刻の枠に収まらないインターメディア的な性格が強いもので、当時はまだ若手だった磯崎新と原広司が会場デザインを担当するなど前衛色の強い展示だった。エンバイラメントの会が主催した同展は、現在では日本の環境芸術の先駆的な試みとして評価されている。

以上のように、首都圏に限っても多くの百貨店が競って美術展を開催してきたのだが、一九七三年十一月二十九日に熊本市の大洋デパートで発生した火災によって状況は一変する。死者百四人、負傷者百二十四人にのぼったこの大火災の影響は大きく、翌年一月に文化庁は百貨店などの仮設会場の国宝や重要文化財の展示を事実上禁止する方針を決定、これによって百貨店を会場とした国宝・重文展は開催不可能になった。この方針は他分野の展示にも影響し、海外の美術館やコレクターのなかには百貨店を会場とした美術展への出展を拒否する貸し出し先も現れるようになる。

2　西武美術館——その前史と黎明期

以上のように日本の百貨店の美術展は実に多彩だが、豊かな歴史のなかでもひときわ強い印象を残すのが、池袋の西武百貨店を舞台に活動を展開した西武美術館（一九八九年にセゾン美術館と改称）だろう。一九七五年の開館から九九年の閉館までの、二十世紀最後の四半世紀とそのまま重なるその歩みは、日本の戦後美術や美術館の歴史を考えるうえでも決して看過できない位置を占めている。はたしてその四半世紀はどのようなものだったのか、しばしばほかの文化事業と一括して「セゾングループの文化戦略」とも総称された足跡は、ミュージアムスタディーズの観点からも考察に値する。

西武美術館の開館は一九七五年九月のことだが、当然ながらそれより前にも西武百貨店でも催事場を用いた多くの展覧会が開催されていたという前史が存在する。セゾン美術館最後の館長だった難波英夫によると、そのなかでとりわけ重要な意義をもっていたのは六一年に開催された「パウル・クレー」展ではないかという。(4) 読売新聞社との共催で実施されたこの展覧会は、今泉篤男、土方定一、瀧口修造という三人の美術批評家をコーディネーターに立て、ベルン美術館クレー財団から総計百十点のコレクションを借りて開催された東洋初の本格的な「クレー」展であり、約一カ月の会期中（当時、百貨店の美術展の会期は二週間が通例だった）に約二万五千人の観客を動員するなど、何から何まで異例ずくめの成功を収めた。当時の常識を打ち破る大型の企画展は、この年に代表取締役店長に就任したばかりの堤清二の強い意向を反映したものだった。堤がクレーに目を付けたのは、新興の西武百貨店は三越や髙島屋のような老舗に比べてブランド力が劣り、横山大観や速水御舟といった日本画の大家の展覧会を開催できなかったためであり、またクレー財団は日本の百貨店を文化施設として認識していなかったことから、貸し出し交渉は難航したという。

ともあれ、この成功を機に、以後、池袋西武は「ジャン・コクトーの芸術」展（一九六二年）、「アーシル・ゴーキー素描」展（一九六三年）、「ルノワール」展（一九七一年）などの意欲的な企画展を続々と開催していった。また一九六八年に開店した渋谷店では、開店を記念して「モジリアニ名作」展を開催したほか、七一年には日本初となったアンディ・ウォーホルの個展を開催した。

西武の展覧会企画は、一九七〇年代に入ると「マーサ・ジョンソン・ギャラリー・コレクション」展（一九七一年）、「フィニー」展（一九七二年）、「ジャコメッティ」展（一九七三年）、「アレン・ジョーンズの世界」展（一九七四年）、「ゾンネンシュターン」展（一九七四年）など、およそ百貨店の動員催事とは思えないマニアックなものが多くなっていく。このような一風変わった企画展が次々と立案されたのは、百貨店業界では後発だった西武が老舗との差別化のためいろいろと知恵を絞ったことが大きいようだ。苦心の跡は、スカイホール、スリーエスホール、ファウンテンホールなど催事場が幾度か名を変えたことにも表れている（実は、西武百貨店にも火事で死者を出した前例がある。一九六三年八月二十二日、一万二千六百七十平方メートルを焼失し、七人の死者を出した。消毒業者による火の不始末が原因だったが、実はこの直前まで、池袋店では「アーシル・ゴーキー素描」展が開催されていた。堤はこのころから美術館の構想をもっていたとされるが、ただこの火災のせいか最上部に設置することには抵抗があり、結果的に八階の真上、現在ＬＯＦＴが入っている部分を独立したカルチャーゾーンにすることで落ち着いたという）。加えて辻井喬というペンネームをもつ詩人・著述家でもあった堤が、「クレー」展の成功以来、百貨店の地位向上には文化事業が不可欠と考えていたことも大きな要因だろう。

こうして、多くの展覧会開催実績を残した西武百貨店は、堤の強い意向もあって本格的な美術館の構想に着手し、紆余曲折の末、最終的には一九七五年の店内の大改装に合わせて、最上階の十二階をそっくり美術館にあてることで決着した。この年の九月、西武池袋は五年にわたる増改築を経て、五万四千平方メートルという売り場面積全国一の百貨店になっていたが、展示面積七百十三平方メートルの西武美術館はその十二階のスペースをほとんど占有することになった。一フロア全部を美術館にしてしまうというのは社内の多くの反対を押し切った大英断だったことは想像に難くないが、そこまでしてあえて美術館の開館に踏み切った理由は何だったのか、開館時の挨拶文「時代精神の根拠地」で、堤は以下のようにその核心を述べている。

一九七五年という年に東京に作られるのは、作品収納の施設としての美術館ではなく、植民地の収奪によって蓄積された富を、作品に置き換えて展示する場所でもないはずです。それはまず第一に、時代の精神の拠点として機能するものであることが望ましいとすれば、美術館は、どのような内容をもって、どんな方向に作用する根拠地であったらいいのか（略）美術館であって美術館ではない存在、それを私達は〝街の美術館〟と呼んだり、〝時代精神の根拠地〟と主張したり、また〝創造的美意識の収蔵庫〟等々と呼んだりしているのです。[5]

一九七五年九月、西武美術館は「日本現代美術の展望」展によって開館した。ちなみに同展は現代日本の作家二十七人（そのなかには、すでに海外に拠点を移していた荒川修作や菅井汲も含まれていた）からなるグループ展で、会期は九月五日から十四日の九日間だった。七千百五十八人という観客動員は都心の百貨店の催事としてお世辞にも成功とはいえないが、それは事前に予想されていただろう。「時代精神の根拠地」「創造的美意識の収蔵庫」という言葉に象徴される堤のこだわりは、開館時から早くも発揮されていたのである。

3　三つの方向性——西武美術館の多彩な活動

開館当初は「泰西名画」展（一九七五年）なども開催していた西武美術館だったが、掲げた理念を実践するべく、徐々にその展示は三つの方向性へと収斂していく。第一が「時代精神の具現である現代美術の紹介」、第二が「純粋美術の枠を越え、より生活に密着した、デザイン、建築、写真、文学、音楽などのジャンル、あるいは、その枠を取り払ったオーヴァー・ジャンルな表現活動の紹介」、そして第三が「すでに美術史の中で確固たる評価の定まったものや、人類の文化遺産にあたるものを、今日的視点で回顧するもの[6]」である。

まず一に関しては、四半世紀の活動期間中に内外合わせて四十本以上の現代美術展を開催したという実績で現代美術の紹介者という代名詞になった感があった。海外の現代美術に関しては、「ジャスパー・ジョーンズ回顧」展（一九七八年）、「マルセル・デュシャン」展（一九八一年）、「ヴィクトル・ヴァザルリ」展（一九八一年）、改称後のセゾン美術館でも「アンゼルム・キーファー」展（一九九三年、佐賀町エキジビット・スペースとの同時開催）、「フランチェスコ・クレメンテ」展（一九九四年）、「エンツォ・クッキ」展（一九九六年）などを開催し、一方、日本の現代美術に関しても、オープンの「日本現代美術の展望」展（一九七五年）を皮切りに、荒川修作、菅井汲、横尾忠則、中西夏之、宇佐美圭司、加納光於ら日本人作家の個展を続々と開催した。とりわけ一九七九年の「現代美術の最先端――荒川修作」展は、作家本人が六〇年代初頭に離日して以来、日本で開催された初の個展でもあった。また後述するように七七年、七九年、八〇年の三度にわたって著名な美術評論家をゲスト・キュレーターに招いたグループ展「Art Today」を開催、若手作家の紹介にも取り組んだ。なお、このシリーズは八六年以後には高輪美術館（現セゾン現代美術館）へと舞台を移し、二〇一二年まで継続される。

一方、二に関しては、デザイン系では「マッキントッシュ」展（一九七九年）、「イブ＝サン・ローラン――モードの革新と栄光」展（一九九〇年）、「シェーカー・デザイン」展（一九九二年）、「バウハウス」展（一九九五年）、「デ・ステイル――1917-1932」展（一九九七年）などを開催して、一方、建築系では安藤忠雄の個展（一九九二年）をいちはやく開催したほか、「フランク・ロイド・ライト回顧――生きている建築」展（一九九一年）、「ブルーノ・タウト 1880-1938」展（一九九四年）、「ル・コルビュジエ」展（一九九六年）など、いわゆる巨匠たちの展覧会が目を引いた。美術館の最後を締めくくったのも「アルヴァー・アールト――1898-1976 20世紀モダニズム

写真9-1　「芸術と革命」展、1982年
（出典：『西武美術館・セゾン美術館の活動――1975―1999』セゾン美術館、1999年、139ページ）

の人間主義」展（一九九八年）だった。

三に関しては、「月岡芳年の全貌」展（一九七七年）、「パキスタン・ガンダーラ美術」展（一九八四年）、「オランダ絵画の百年」展（一九八五年）などが挙げられるが、「古代エジプト」展（一九八三年）の会場構成を磯崎新に委託するなど、古い時代を対象にした展覧会であっても一や二の要素を取り入れる試みがなされていた。

これらのラインナップのなかでも、西武美術館のカラーを最も如実に表している企画の一つが一九八二年と八七年の二度にわたって開催された「芸術と革命」展だろう。これは、ロシア・アヴァンギャルドの成果を様々な角度から紹介した企画であり、当時日本ではまだなじみが薄い動向だったことに加え、「資本主義の権化である百貨店で革命展とは……」と言われるような挑発的な企画意図や、さらにはソ連文化庁の協力を得るため、ロシア・アヴァンギャルドとはまったく異質な社会主義リアリズムの作品を多数展示するなど、多くの点で異色の展覧会だった。一方、日本の現代美術に関しては、八七年に開催した「もの派とポストもの派の展開――一九六九年以降の日本の美術」展が、戦後美術の代表的な動向である「もの派」の意欲的な再解釈として大きな反響を呼んだ。

いまでも話題にのぼる企画では、一九八四年に開催した「ヨーゼフ・ボイス」展を忘れるわけにはいかないだろう。同展は神智学などを背景とする独自の「社会彫刻」や「緑の党」の環境運動などでも知られるドイツのアーティスト、ボイスを日本に初めて本格的に紹介した個展であり、フェルトの布、ラード、石などで創った作品が発する寡黙ながらも力強いメッセージは、それまで日本の観客にはまったく未知の新鮮な刺激を伝えるものだった。ちなみに、これとほぼ同時期、上野の東京都美術館では「ナム・ジュン・パイク――ビデオ・アートを中心に」展（一九八四年）を開催していて、そのビデオ・インスタレーションもまた大きな反響を呼んだ。この両者が来日した際に実現したセッションは、当時まだ日本では定着していなかった「パフォーマンス」の火付け役にもなったことでも知られている。このときの様子は、水戸芸術館で開催された「Beuys in Japan ボイスがいた八日間」展（二〇〇九年）で詳しく紹介された。

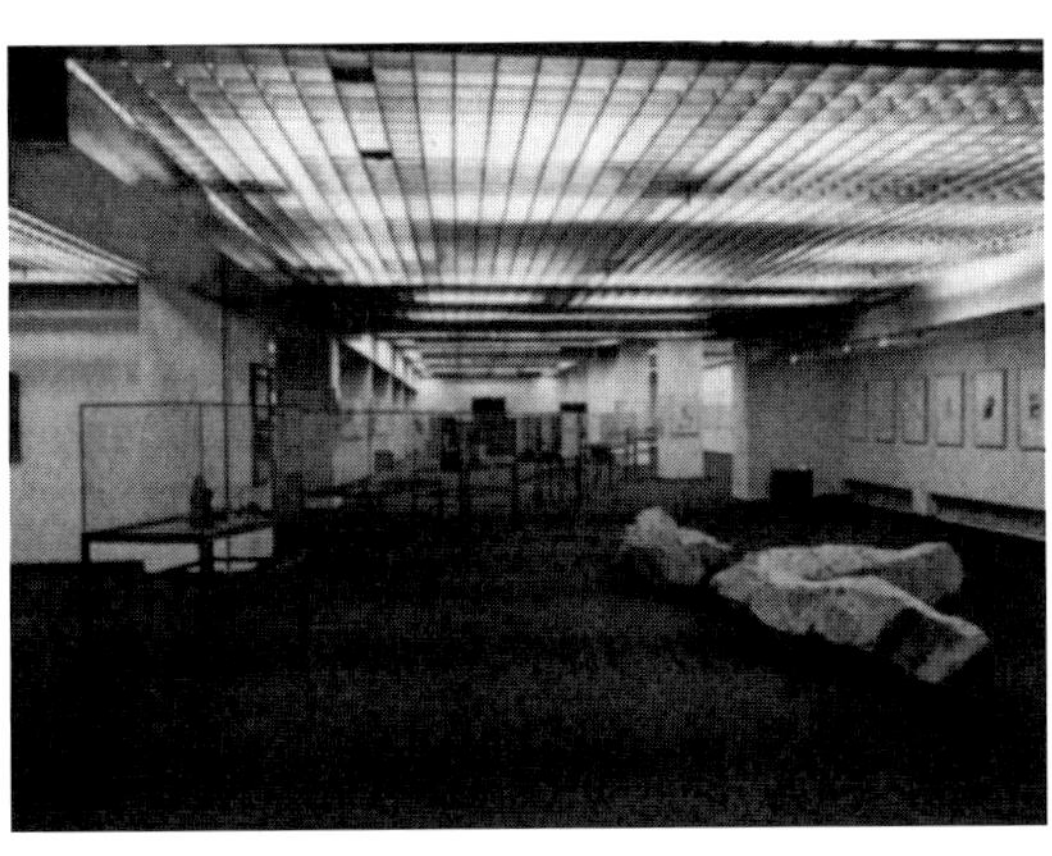
写真9-2 「ヨーゼフ・ボイス」展、1984年
（出典：前掲『西武美術館・セゾン美術館の活動』154ページ）

西武美術館の特徴として、美術展以外のイベントにも積極的に会場を活用したことも付言しておこう。例えば、美術館をコンサートホールに見立て、一柳慧をプロデューサーに迎えて開催された「ミュージック・イン・ミュージアム」や、安倍公房スタジオやSCOT（Suzuki Company of Toga）による演劇公演などがそれにあたる。百貨店の最上階の美術館は天井が低いうえに床面積も十分とはいえない制約の多い空間だった。美術館を名乗っていたとはいえ、実態としては百貨店の催事場を改造したにすぎなかったのだから無理もないが、それでも美術館のスタッフはこのスペースを最大限に活用すべく様々な知恵を絞っていたのである。

4　セゾングループの文化戦略

西武美術館は多彩で刺激的な展覧会を多数開催してきたとはいえ、それは必ずしも動員実績には結び付かなかった。実際動員数という観点で見れば、美術館開館前の「ルノワール」展（一九七一年）の五十五万六千人を上回った展覧会は何一つないし、買い物客の中心だった主婦層になじみが薄い日本の現代美術展などは、おしなべて低調な動員に終始した。そもそも「時代精神の根拠地」「創造的美意識の収蔵庫」という理念からして、動員至上主義とは相いれない。百貨店の催事場は、決まって施設の上階に設けられる。これはもちろん、催事を見終えた客がそのあと下階の売り場に足を延ばして金を落としていくことを期待してのことで、そのような現象を百貨店用語でシャワー効果と呼ぶのだが、西武美術館で開催された多くの展覧会にさしたるシャワー効果を見込めなかったことは明らかだ。にもかかわらず、なぜ西武美術館は、実際の動員実績よりもはるかに大きな社会的影響力をもつことができたのか。それは、この文化施設が一時期しばしば取り沙汰された「セゾングループの文化戦略」の中核に位置付けられていたことによる。セゾングループが手掛けた文化事業は出版、都市開発、広告、音楽、映画演劇など多岐にわたるが、なかでも美術館と特に密接なつながりがあったのが美術洋書店アール・ヴィヴァンだった。[7]

アール・ヴィヴァンが池袋西武の十二階に開店したのは、美術館開館と同じ一九七五年のこと。法人組織こそ別だったものの、この両者は開館当初から一種の運命共同体として位置付けられていた。ここには、アール・ヴィヴァンを単なる売店ではなく、今日でいうミュージアム・ショップとして美術館活動の一環に位置付けたいという堤の強い意向が表れていた。とはいえ、古書ではない美術洋書を積極的に扱う書店が日本橋の丸善と銀座のイエナ書店くらいだった当時、もちろん百貨店で美術洋書を扱うという前例がない発想がたやすく周囲に理解を得られるはずがない。事実テナント入居を打診した丸善にはあえなく断られ、経営を任されていた当時のスタッフは店頭に並べる本の収集、店のレイアウトや什器の選定などもまったく独自に進めていったという。ところが、いかにも無謀と思えたアール・ヴィヴァンの活動は、その後意外にも順調に推移するようになる。東京でも唯一の美術洋書の専門店という場所の特異性は、アール・ヴィヴァンに情報拠点としての性格を与え、また約三百三十平方メートル（約百坪）の店舗に凝らされた様々な工夫や豊富な書籍のラインナップは、美術館の付加価値を高める役割も果たしたのだ。また、七七年にパリで開館したポンピドゥー文化センターの存在は大きかった。同センターは意欲的な展覧会活動によってたちまちその名を世界中に広く知られるようになるが、同センターのショップと取引関係にあったアール・ヴィヴァンには、充実した情報や商品がもたらされるようになったのである[8]。以後アール・ヴィヴァンは徐々に店舗網を拡大すると同時に、七八年には機関誌「アール・ヴィヴァン」を創刊、一方すぐ下階にあった西武ブックセンター（LIBRO）は七九年には美術書売り場をアール・ヴィヴァンへと隣接させ、また八〇年には前々年に倒産した筑摩書房のスタッフを迎えて出版社リブロポートを設立するなど、その活動は美術館だけではなく書店や出版などグループのほかの文化事業とも密接に関連し（前出の難波も、もともとは筑摩書房の社員であった）、「セゾングループの文化戦略」を世に広くアピールする役割を果たしていく。

セゾングループは、このほかにもファッションビル、レコード店、劇場・映画館、オルタナティブスペース、出版、ブランド商品開発など実に多彩な文化事業を手掛けていた。その多彩さたるや、およそ一私企業を土台にしたものとは思えないが、こうした活動が可能だったのは、やはり西武独自の企業風土が大きかったのだろう。堤自身が著名な詩人でもあった西武には、のちに作家や評論家として第一線へと躍り出た車谷長吉、保坂和志、永江朗[9]などの人材を輩出した土壌があり（この豊かな土壌は、開高健や山口瞳を輩出したサントリー宣伝部を髣髴とさせる）、また当時のスタッフにはほかの美術館や大学に転籍して現在もアートの専門職に携わっている有能な人材が多かった。その職場の雰囲気が大いにクリエイティブで活気に満ちていたことは容易に想像できる。

私が一九八〇年代後半の東京で過ごした学生生活は西武セゾン文化との蜜月時代だったといっても過言ではない。時はあたかもバブルの最盛期、表参道では東高現代美術館や馬里邑美術館、あるいはラフォーレ原宿やスパイラルで華やかな現代美術展が開かれ、ウォーターフロント地区でも華やかなイベントが頻繁に催されていた。そんな享楽的な空気のなかで、池袋に出かけたときは、決まって西武百貨店に立ち寄り、最上階へと向かうエスカレーターに飛び乗ったものだ。最上階の美術館やアール・ヴィヴァンはもちろん、すぐ下階のLIBROや八階のスタジオ200など、そこには訪れる場所に事欠かなかった。池袋以外でも、六本木のWAVEや渋谷のSEEDなどでレコードをあさったり映画を観たりする機会がしばしばあり、それぞれの機会に受ける知的な刺激は、大学の退屈な講義よりもはるかにヴィヴィッドで知的な充実感に満ちていた。自宅や職場の書棚に架蔵しているカタログや書籍を手に取れば、まだ若かったころの興奮を鮮明に思い出すことができる。

しばしば指摘されるように、一九八〇年代後半の日本は、ポストモダンの盛期を迎えていた。ポストモダンは本来六八年のパリ五月革命に端を発するラディカルな思想であり、芸術に関しては資本主義の文化矛盾を告発し、モダニズムの旧套打破を目指す挑発的なスタイルとして現れるはずなのだが、なぜか日本では本来の政治的な文脈は希釈され、バブル期特有の消費万能的な雰囲気に対応する先端的なモードと化していた感があった。浅田彰の『構造と力』[10]や中沢新一『チベットのモーツァルト』[11]のような難解な内容の書物がベストセラーとして流通していたことが何よりの証左である（ちなみにLIBROは、これらの本が最も売れた書店の一つだった）。そして八〇年代後半の西武セゾン文化もまた、良くも悪くも日本化されたポストモダニズムの典型だった。ほかでもない私自身、当時西武セゾン文化の洗礼を受けなければ、現代美術に強い関心を抱いていまの仕事に携わることはありえなかったと断言してもいい。

5　セゾン文化の黄昏と人材の流出

だが、隆盛を誇った西武セゾン文化にもやがて黄昏が訪れる。最初のきっかけは一九八九年、池袋西武の店舗リニューアルに伴って西武美術館がセゾン美術館に改称され、最上階から別棟の一階へと移転したときのことだった。スペースが増床されて行き来が便利になったにもかかわらず、閉ざされた空間のなかで美術館とアール・ヴィヴァンが混然一体となって演出していたかつてのムードは明らかに失われていた。セゾン美術館の移転第一弾が「ウィーン世紀末」展（一九八九年）だったことに、私は微妙な違和感を覚えたし、その後の展覧会企画も、かつてのようなカッティングエッジな雰囲気を漂わせるものではなくなっていた。それは同じく下階へと移転した LIBRO の雰囲気についても同様だった。そして九一年にはスタジオ200が閉鎖されて前衛色がさらに退行し、さらに九二年には和田繁明社長（のちのセブン&アイ・ホールディングス会長）が着任、文化戦略を推し進めてきた堤体制を徹底的に批判したことによって、セゾングループの「脱文化」路線は決定的なものになってしまう。ちょうどこの年、医療機器の架空取引によって五人の社員が逮捕される不祥事が発覚し、乱脈経営を正す必要に迫られていたため、文化関連の支出は削減の格好の標的にされたのだろう。以後、文化事業関連の予算は年度ごとに削減、最盛期には全国で十二店舗を展開していたアール・ヴィヴァンも当然のように縮小を余儀なくされ、いつしかセゾン美術館を取り巻く光景もほかの百貨店とさして代わり映えがしないものになってしまっていた[12]。またこのころには、多くの公立美術館で現代美術の展覧会が開催されるようになっていたこともあり、私自身がセゾン美術館への活動に以前ほどの期待を抱かなくなっていた。

セゾングループが文化戦略に力を入れなくなったことや現代美術の認知が高まって大規模な展覧会がほかの美術館でも開催されるなどの影響もあって、セゾン美術館は一九九七年の暮れに閉館が発表され、九九年初頭の「アルヴァー・アールト」展を最後に四半世紀の歴史に幕を下ろした。これは縮小の一途をたどっていたセゾングループの文化活動にとどめを刺すと同時に、東武、伊勢丹、三越などほかの百貨店系美術館がわずか数年のうちに軒並み追従してしまうほどインパクトが大きな出来事だった。その後、多くのスタッフが次々と転職するなか、会社に残った一部のスタッフは新たにセゾン・アートプログラムを結成、拠点を表参道に移して小規模ながらも精力的に展覧会、講演会、出版活動などをおこなって良質な情報を発信していたのだが、こちらも二〇〇三年の春にはのれんを下ろしてしまう。現在、美術館やアール・ヴィヴァンのスタッフはほぼ全員が西武グループの外に去り、かつてセゾン美術館が入居していたスペースは無印良品の店舗になっている。同時にセゾン文化の一翼を担っていた劇場や映画館もすべて閉館し、当時の面影を残すものは軽井沢のセゾン現代美術館などのわずかな関連施設だけになってしまった。月並みな言い方だが、一つの時代の終わりという感慨をどうしても免れることができない。

ちなみに、グループを去って散り散りになったスタッフたちのその後として真っ先に挙げるべきなのがNADiffだろう。これは、アール・ヴィヴァンの開店以来、その中心的存在だった芦野公昭と高橋信也が共同で設立したミュージアム・ショップであり、一風変わった店名は「New Art Diffusion」というコンセプトに由来している。一九九七年にオープンした表参道の本店（のちに恵比寿に移転）をはじめ、現在は東京都現代美術館、東京都写真美術館、東京オペラシティ、Bunkamura、水戸芸術館に支店を構えるほか、一時期は美術館以外にもジュンク堂書店池袋店の美術書フロアにもコーナーを開設するなど、新たなビジネスを展開している。もちろん、マネジメントのノウハウはアール・ヴィヴァンで培ったものだが、洋書店だったアール・ヴィヴァンとは異なり、NADiffは「人とアートとの出会い」をキーコンセプトに掲げたアートショップとして位置付けられ、書籍よりもアーティストグッズを前面に押し出した商品展開を図った。ほかにアール・ヴィヴァンと違うのは、店内にギャラリーが設けられ、小規模ながらも展覧会が開催されるようになったこと、また拝外主義的な傾向を改めて大竹伸朗や奈良美智などの国内の人気アーティストを重視する方針を打ち出したことなどが挙げられるだろう。セゾングループの看板に頼れたアール・ヴィヴァン時代とは異なり、後ろ盾がないインディペンデントな事業展開によって利益を上げるのは難しいと予測されていたが、開店以来二十年以上たった現在も健在であるなど、長年にわたって培われたアール・ヴィヴァンのノウハウは確かな効力を有しているようである。

6 森美術館——新たなメガ・ミュージアムの誕生

本章のタイトルは「セゾン美術館から森美術館へ」と謳っている。これは、両者の連続性のなかにミュージアムの姿を探ってみたいという意図があるのだが、多くの読者にとっては、両者を対比しても差異が際立つばかりで、連続性などおおよそ思い当たらないかもしれない。両者は確かに、ともに厳密な意味でのミュージアムではないし、また派手な広報活動などでは共通しているものの、それ以上に活動期間、拠点、母体などの多くの点で違いがはっきりしている。だが半面、旧アール・ヴィヴァンのスタッフを雇用し、そのマネジメントのノウハウの積極的導入を図るなど、森がかつてのセゾン文化を強く意識していることもまた事実である。私がみるところ、多くの点で対照的な両者を結び付けるのは、最終的にはミュージアムによる都市空間への介入という一点にかかっているように思われる。

セゾン文化が隆盛を誇っていた一九八〇年代、森ビルは賃貸ビルばかり建てて、メセナ事業や都市のインフラ整備には貢献しなかったという先入観をもっている者も少なくない。しかし実際には、森ビルはセゾングループとは異なる独自のアプローチで文化活動をおこなっていて、特に原宿、赤坂、飯倉、六本木の都内各所で展開されていたラフォーレの活動は多彩だった。なかでも八四年六月に赤坂でおこなわれたローリー・アンダーソンの公演は、ほとんど同時期に来日公演をおこなっていた前述のボイス＋パイクと並んで、日本のアートシーンにパフォーマンスという概念を導入するうえで決定的な役割を果したといってもいい[13]。ラフォーレの活動はセゾンに比べて相対的に小規模であり、またミュージアムと名乗っていたが実態はスタジオ200と同様の多目的スペースに近かった。だが小回りが利くだけに、ここでのイベントはかえって都市空間へ広く拡散していくような効果をもっていた。それはまぎれもなく、

写真9-3　森美術館
（出典：「美術手帖」〔https://bijutsutecho.com/museums-galleries/936〕［2022年4月26日アクセス］）

八〇年代のポストモダンな熱狂の一角を担っていたのだ。森ビルが六本木地区の再開発に際して、六本木ヒルズの最上階にメガ・ミュージアムを設けるという「アーテリジェント・シティ」の構想も、当時のラフォーレの活動蓄積があってはじめて生まれたものであることは間違いない。

二〇〇三年の秋、六本木ヒルズの最上階に森美術館が鳴り物入りで開館した。二十一世紀を迎えて、日本列島は時ならぬバブル期の再来を髣髴とさせるようなミュージアムの建設ラッシュに沸き、その意味では同館の開館もその一連の流れのなかに位置付けられるが、しかしその大半は地方の自治体主導で進められたものであり、依然として地価が高い首都圏の一等地を舞台に、一民間企業によって推進された大規模なプロジェクトは、およそほかに類例がなかった。開館の数年前にこのメガ・ミュージアム構想が発表されて以来、日本の美術館としては初の外国人館長であるデヴィッド・エリオットを起用したスタッフ人事や展覧会企画をめぐって巷では様々な憶測が飛び交っていたし、また森ビル側も、開館直後には美術館としては異例のテレビCMをゴールデンタイムの地上波全国放送で流すという力の入れようで、そのかいあってか、オープンの「ハピネス――アートにみる幸福への鍵：モネ、若冲、そしてジェフ・クーンズへ」展（二〇〇三年）は約七十三万人の観客動員を記録し、当時の日本の展覧会史上でも十指に入るブロックバスター（大動員の展覧会）になるなど、順調なスタートを切ったようにみえた。

それから二十年近く経過したが、森美術館は年三本程度の企画展をコンスタントに開催しつづけ、その存在はすっかり東京のアートシーンに定着したようにみえる。森美術館でこれまで開催された展覧会というと、「モダンってなに？」展（二〇〇四年）、「アフリカ・リミックス」展（二〇〇六年）、「アイ・ウェイウェイ」展（二〇〇九年）、「レアンドロ・エルリッヒ」展（二〇一七年）のような海外の現代美術展、「杉本博司」展（二〇〇五年）、「会田誠」展（二〇一二年）、「村上隆の五百羅漢図」展（二〇一五年）のような日本の現代美術展、「アーキラボ」展（二〇〇四年）、「ル・コルビュジエ」展（二〇〇七年）、「メタボリズム」展（二〇一一年）のような建築・デザイン展などが思い浮かぶが、これは前述の西武美術館／セゾン美術館の三つの展示方向性のうちの一の現代美術の紹介と二の美術の枠を超えたジャンル・枠を取り払ったオーバージャンルの紹介に対応するものだ。三年に一度、様々なジャンルの若手アーティストを抜擢して開催される「六本木クロッシング」展は「ART TODAY」を、メインの企画展と同時並行で開催されるMAMプロジェクトの小展示はスタジオ200を髣髴とさせる。欧米ばかりでなく、アジア、アフリカ、中東などの現代美術がラインナップに加わっていることにグローバリズムの広がりは感じられるものの、森美術館もまた現代美術に「時代精神の具現」を見ていることに変わりはないようだ。

もちろん、課題は少なくない。例えば、一連の企画展は、海外からの巡回展を除けば、すべて単独開催である。規模や会場の条件など難しい面はあるだろうが、会期中に東京を訪れる機会がない人々のためにも、首都圏以外の他地域への巡回も検討すべきだろう。また現代美術の専門館を謳いながら、開館後間もなくして下階のスペースを森アートセンターとして分離し、「黒澤明アート」展（二〇〇四年）や「ダ・ヴィンチの草稿」展（二〇〇五年）、さらには企業のショールーム的な展示など、明らかに異質なタイプの展覧会を開催するようになった。バラエティーに富んでいるといえば聞こえはいいが、お世辞にも上階とのバランスがとれているとは言いがたい（私が保有している美術評論家連盟のプレスカードも、上階では使用できるが下階では使用できないチグハグぶりである）。さらには、現在の同館のスタッフは館長以下すべて日本人によって構成されていて、日本初の外国人館長の起用をはじめ、国際性を前面に押し出していた運営も開館時よりは後退した印象を免れない。グローバリズムを強調するなら、この部分も改善していく必要があるだろう。

すでにふれたように、六本木の都市再開発にあたって、森ビルは美術館を中核に位置付けたその構想を「アーテリジェント・シティ」と命名した。周辺で突出した高さを誇る六本木ヒルズの最上階にあって展望所機能が併設され、夜遅くまで開館している森美術館には日中も夜間も多くの来館者が詰めかけている。また近隣の旧防衛庁の跡地に建設された東京ミッドタウンには赤坂見附から移転したサントリー美術館が入居し、二〇〇七年には乃木坂に国立新美術館が開館、森美術館と三館合同で「六本木アート・トライアングル」という連携活動に乗り出すなど、歓楽街だった六本木の都市景観は、美術館の開館を契機にして明らかに変貌しつつある。美術館の運営には課題が山積しているが、アートを媒介にした都市再開発である「アーテリジェント・シティ」構想は目下のところ一定の成果を上げているといってもいいかもしれない。一九八〇年代のラフォーレの蓄積が生かされているゆえんだが、その一方で私には、一度は百貨店の店舗外での美術館建設も真剣に検討されたという西武美術館の逸話に、ミュージアムの都市空間への介入のマトリックスが現れていたようにも思われる。[14] セゾン美術館から森美術館への主役交代？　もちろんそんな単純な話ではないし、検討すべき問題は多々あるだろう。だが二十世紀から二十一世紀へ、池袋から六本木へ、百貨店から都市ディベロッパーへ、ポストモダンからグローバリゼーションへなど、多くの点で対照的な両者の間でなされた移行には、ミュージアムの未来像を考えるうえで多くのヒントが潜んでいるように思われる。

7　近代美術と現代美術

ところで、西武美術館からセゾン美術館への歩みや森美術館への移行は様々な問題をはらんでいるのだが、それらのなかでもやはり現代美術の問題が重要であるように思われる。というのも、西武美術館の軌跡は、同時期の日本の現代美術の軌跡とも重なる部分が大きいからであり、本章を締めくくるにあたって、そのことに少しばかり立ち入って考えてみたい。

いまさらだが、英語で近代美術は Modern Art、現代美術は Contemporary Art といい、前者を対象にする近代美術館は Modern Art Museum、後者を対象にする現代美術館は Contemporary Art Museum という。近代も現代も時代区分を意味する言葉であり、近代美術も現代美術もそれぞれ特定の時代の美術を対象としていると考えることができるが、はたしてそれは具体的にはいつからいつまでを指すのだろうか。とはいえ、近代美術と現代美術の定義そのものの再検討は本書で扱うには、あまりに壮大なテーマであって無理である。ここでは近代美術館と現代美術館の対象範囲に照準を絞ってみよう。すると、国によって状況が様々に異なることがみえてくる。

まずフランスだが、すでに説明したとおり古代から十九世紀前半をルーヴル、十九世後半から第一次世界大戦をオルセー、それ以降をポンピドゥーが対象にするという役割分担が確立されている。その図式を当てはめると、オルセーが近代美術、ポンピドゥーが現代美術を担当するものと考えられる。ただ近年はルーヴルやオルセーでも現代美術の展示機会が増えるなど、この区分は絶対的なものではなくなりつつある。同様に、イギリスならナショナル・ギャラリーが近代美術でテイト・モダンが現代美術を、スペインならプラド美術館が近代美術でソフィア王妃芸術センターが現代美術を担当していると考えて差し支えないだろう。

次にアメリカだが、第4章で検討したように、一九二九年にMoMAが開館したときにその五十年前をMETとのコレクションの分岐点と定めた経緯があるため、一八八〇年前後を近代美術の始点と考えることができる。ただすでにふれたように、この分岐点はその後コレクションの拡充やホイットニーやグッゲンハイムといったほかの有力館との競合などの事情で後方修正されている。いまのところ現代美術の対象範囲はとりあえず第二次世界大戦以後と考えられるが、終戦からすでに八十年近く経過していることもあり、今後のこの対象範囲も変動していくことになるだろう。近年イスタンブールやエスキシェヒルに現代美術館が開館したトルコや上海に複数の現代美術館が開館した中国など、今後は非西洋圏の美術館でも同様の区分が進むことになるだろう。

では日本の場合どうだろうか。日本の場合、近代美術は国立近代美術館、それ以前の美術は国立博物館という役割分担がなされている。東京国立近代美術館では、その常設コレクションの起点を第一回文展（現日展）が開催された一九〇七年と定めていて、とりあえずそこが近代以前と以後の分岐点だということができる。

だが、それだけで話は終わらない。のちに竹橋へと移転した東京国立近代美術館が京橋で開館したのは一九五二年のことだが、実は同館は日本初の近代美術館ではない。日本初の近代美術館はその一年前に開館した神奈川県立近代美術館であり、カマキンの愛称で知られてきた同館の展示を日本の近代美術のスタンダードとみなす意見も少なくないからだ。ちなみに同館は高橋由一ら明治初期の洋画や同時期の日本画や彫刻なども所蔵していて、明治初期を起点にするそのコレクションは明治初期を近代国家の起点とみなす一般的な歴史解釈とほぼ同一のものといっていい。

ともあれ、カマキンを嚆矢とする日本の近代美術館の歴史はその後一九六〇年代から七〇年代にかけてピークを迎え、全国各地に近代美術館が建設されることになるが、八一年の埼玉県立近代美術館や八四年の滋賀県立近代美術館（現滋賀県立美術館）を区切りに建設ラッシュは一区切りを迎える。

一方、公立初の現代美術館である広島市現代美術館の開館は一九八九年で、これに一九九〇年開館の水戸芸術館、九五年の東京都現代美術館などが続く。「日本のポンピドゥー」を目指した川崎市市民ミュージアムの開館も八八年とほぼ同時期のことだ。その後、二〇〇四年開館の金沢21世紀美術館を筆頭に、現代美術館の開館ラッシュは地方にも波及し、一方で富山や滋賀では「近代美術館」から「美術館」と名称変更されるなど、既存館の再編も進められていく。このように、近代美術館の打ち止めと現代美術館の開館の時期がほぼ重なることから（一九九三年に新潟県長岡市に開館した新潟県立近代美術館のような例外はあるが）、美術館の名称を基準に考えた場合、日本の近代美術と現代美術の分岐点を一九八〇年代半ば前後に設定することができる。とはいえ、現代美術とみなしうる動向はそれ以前から存在した。古くは五〇年代の具体美術協会や実験工房にまでさかのぼることが可能だが、若手作家が中心になったその活動は国公立の美術館とは長らく疎遠で、もっぱら都市部の画廊や「反芸術」の代名詞だった「読売アンデパンダン」展（一九四九―六三年）に代表される一部の団体展、それに百貨店の催事場や一部の私立美術館を舞台に展開されてきたのである。

8　現代美術館の誕生と西武美術館

日本初の現代美術館は、一九六四年に新潟県長岡市に開館した長岡現代美術館である。同館の館長・駒形重吉は大光相互銀行（現大光銀行）の社長だった実業家だが、彼は東京画廊の重要な顧客であり、そのアドバイスによって充実したコレクションを構築した。銀行が建設した文化施設を流用した美術館には、ピカソ、フェルナン・レジェ、カンディンスキー、ヴォルス、フリーデンスライヒ・フンデルトヴァッサー、ジュゼッペ・カポグロッシ、タジリシンキチ、岡本太郎、前田常作、元永定正、川端実、高間惣七、桂ゆき、オノサト・トシノブ、白髪一雄、田中田鶴子らの作品を展示していた。これらの多くは半世紀以上経過した現在も現代美術館で違和感なく展示できるもので、その先見性には大いに驚かされる。七八年に母体である大光相互銀行の乱脈融資が表面化した結果、同館は翌年に閉館に追い込まれるが、現代美術館に先鞭を付けた同館の意義は大きい。また一時期散逸した同館のコレクションの約半分は、同じ長岡市に開館した前述の新潟県立近代美術館に引き継がれた。「現代」から「近代」という逆転現象が日本の地方都市で発生したのである。

長岡現代美術館の閉館と入れ替わるように、一九七九年に開館したのが原美術館である。同館は実業家の原俊夫が渡辺仁設計の私邸を改装した美術館だが、英語表記はHara museum of contemporary artといい、現代美術の専門館として認識されている。同館は若手の登竜門として知られるハラ・アニュアルをはじめとする多くの現代美術展を開催し、二〇二一年に姉妹館の原美術館ＡＲＣに統合される形で閉館するまで、長らく日本の現代美術を牽引する役割を担ってきた。そして、原美術館と並走してその役割を担ってきたのが、一足早く七五年に開館した西武美術館だった[15]。

もちろん、新興百貨店の催事施設だった西武美術館に、開館当初から現代美術に精通したスタッフが在籍していたわけではない。第3節に挙げた「Art Today」は、東野芳明、中原佑介、藤枝晃雄といった当時の第一線の美術評論家をゲスト・キュレーターとして招聘し、展覧会の企画や出品作家の人選を一任することによって成立していた。彼らの名前は、ほかの展覧会の企画者、カタログや機関誌の寄稿者としてもしばしば登場し（例えば前述の「芸術と革命」展は中原の発案がきっかけで企画・開催されたものである）、美術館との蜜月がうかがわれる。まだ海外旅行に気軽に行ける時代でもなく、海外の美術雑誌も容易に入手できなかったから、海外の現代美術についての情報は事実上少数の美術評論家の独占状態だった。美術館にしてみれば、彼らがもつ情報やノウハウは展覧会の開催に必要不可欠だったし、経済的基盤が脆弱だった評論家にとっても、大手百貨店が後ろ盾になっている西武美術館の登場は大いにありがたかったにちがいない。両者の間には典型的な共依存の関係が成立していた。

だが、本来はインディペンデントな存在であるはずの美術評論家が美術館への依存を強めたことは、美術評論という言説が退潮する前触れでもあった。海外に安く行けるようになると、現代美術に強い関心を抱く者は自ら海外まで作品を見に出かけたり留学したりするようになり、そうしたなかからやがて現代美術を専攻し、学芸員のポストを得る者が現れるようになった。彼らが第一線で活躍するようになると、もはや評論家の需要などなくなってしまう。一九八〇年代後半以降の公立現代美術館の開館ラッシュは、まさにそうした人材の輩出と軌を一にするものだった。学芸員がキュレーターと呼ばれるようになり、従来の地味で堅実なイメージが一新されて展覧会の仕掛人としての華やかな側面が強調されるようになるのもこのころのことだ。多くの若者が憧れる「キュレーターの時代」の到来は、一方で居場所を侵食された美術評論家の受難の始まりでもあった。そうしたなかにあって、西武美術館／セゾン美術館は、自館で現代美術を専門とするスタッフを抱えるようになってからも従来のスタンスを堅持したものの、美術評論家との共依存関係も九九年の閉館によって終焉を迎える（代わって出現した森美術館が、その活動にあたって美術評論家に依存する必要がまったくなかったことはいうまでもない）。

以上の経緯は、私自身の現状とも密接に関わっている。私が美術評論を書こうと思ったのは学生時代に現代美術に強い関心を抱いたことが原因だったが、そのころの私に何らかの展望や戦略があったわけではなく、ただ見よう見まねで前述の評論家諸氏のような仕事をすればそのうちなんとかなるだろうという程度にしか考えていなかった。幸いにしてデビューの機会こそ得たものの、たちまちもくろみの甘さを思い知らされる。すでに多くの現代美術館が開館していた当時、執筆、翻訳、展覧会企画など、かつては評論家の領分だった仕事の担い手はことごとくキュレーターに取って代わられていて、実績がない名ばかりの新人評論家の出る幕などはなかったからだ。一向になんともならない現実に直面し、私は否応なしに発想の転換を迫られることになった。
　それから三十年近く経過した現在も、私はどうにか現役の物書きとして活動を継続している。ただ現代美術について書く機会はめっきり減って、デザインや建築、あるいは本書のような美術館論や万博論が著述の中心になっていて、大学ではもっぱらデザインについて講義している。これは自分なりの生存戦略によってめぐってきた出版や就職の機会にありついた結果であり、その選択は正しかったと思っている。だが私は、セゾン文化の洗礼を受けた当時のことを片時も忘れたことはない。そのときの記憶は、確実に現在の私にもつながっている。

注

（1）このあたりの経緯は、初田亨『百貨店の誕生』（〔ちくま学芸文庫〕、筑摩書房、一九九九年）に詳しい。
（2）戦後の百貨店の美術史に関しては、おもに志賀健二郎『百貨店の展覧会――昭和のみせもの1945-1988』（筑摩書房、二〇一八年）を参照した。
（3）三島由紀夫『豊饒の海』新潮社、一九六九―七一年
（4）難波英夫「創立者の精神」、セゾン美術館編『西武美術館・セゾン美術館の活動――1975-1999』所収、セゾン美術館、一九九九年、六ページ。なお、西武美術館・セゾン美術館関連のデータや数値はすべて同書と「特集 新しいミュゼオロジーを探る」（西武美術館／朝日新聞社編「アール・ヴィヴァン」第三十五・三十六号、西武美術館、一九八九年）に基づく。
（5）前掲『西武美術館・セゾン美術館の活動』八ページ
（6）同書八ページ
（7）アール・ヴィヴァンと西武ブックセンター（LIBRO）の活動に関しては、田口久美子『書店風雲録』（本の雑誌社、二〇〇三年）を参照のこと。
（8）両者の関係は、開館を間際に控えたポンピドゥーが開店して間もないアール・ヴィヴァンに対して取り引きを丁重

に申し入れてきたことにはじまる。なお両者を仲介したのは、当時晩年を迎えていた批評家・瀧口修造だった。

（9）永江朗『セゾン文化は何を夢みた』（朝日新聞出版、二〇一〇年）は、セゾングループの内情を知る当事者の貴重な証言であり、本書でも適宜参照した。

（10）浅田彰『構造と力――記号論を超えて』勁草書房、一九八三年

（11）中沢新一『チベットのモーツァルト』せりか書房、一九八四年

（12）北田暁大は、セゾングループの文化戦略とその「失調」を映画『トゥルーマン・ショー』（監督：ピーター・ウィアー、一九九八年）の展開になぞらえ、「幽霊化」「スーパー・ソフト・セル」「都市のシーヘブン化」などの言葉を用いて説明している。北田暁大『広告都市・東京――その誕生と死』（廣済堂ライブラリー）、廣済堂出版、二〇〇二年、四五―四九ページ

（13）ラフォーレの活動全般に関しては、大久保博則編『FILE OF LAFORET MUSEUM――1982-1993』（ラフォーレ原宿、一九九四年）を参照した。

（14）北田暁大は、「西武は新しい街、街を歩くと美術館がある。公園がある。広場がある」「すれちがう人が美しい――渋谷＝公園通り」などのコピーを例にとって、一九八〇年代に花開いた西武グループの文化戦略が「街」という空間的メタファー、キーワードへのこだわりによってもたらされたことを指摘している。前掲『広告都市・東京』六三―六四ページ

（15）前掲『百貨店の展覧会』や前掲『セゾン文化は何を夢みた』にも同様の指摘がある。

第10章　グローバリゼーションとＩＣＯＭ博物館定義
――ミュージアムスタディーズの観点から

1　グローバリゼーションの趨勢

さて、そろそろ本書を締めくくらないといけないようだが、最後にあらためてその意図を確認しておこう。本書は国内外のいくつかのミュージアムを例に検討を重ねたミュージアムスタディーズの試みである。序章でも述べたとおり、これは博物館学とは異なる立場であり、本書のこれまでの議論も両者の違いを強く意識して展開してきたつもりだが、どの程度の効果があったかは読者各位の判断に委ねたい。

本書の冒頭で日本の博物館法の定義を紹介した。日本では博物館＝ミュージアムという図式が成立する以上、この定義は少なくとも間違いではないのだが、ミュージアムがはらむ様々な問題を捉えるうえではいろいろと不足している部分がある。もちろん、ミュージアムの定義は不変ではなく、時代や社会状況とともに変動する流動的なものである。そのうえで、近年のミュージアムの動向を考えるにあたって重要なのが、グローバリゼーションに対する考察である。

写真10-1　ビルバオ・グッゲンハイム美術館

グローバリゼーションとは人・モノ・金・情報などが国境線を越えて活発に行き来する、ポスト冷戦期の資本主義の展開を示す現象だが、ミュージアムもこの潮流とは無縁ではない。グローバリゼーションの趨勢のなかで、ミュージアムは国内外の観光客を受け入れるだけの受動的な存在ではなく、自らも積極的に情報を発信して、規模を拡張していく必要に迫られるようになったのである。イーライ・ブロードやフランソワ・アンリ・ピノーのような世界的コレクターが、自らの発信拠点としての美術館を開館したのもグローバリゼーションの一環といえるだろう。

世界の大型ミュージアムのなかでも、グローバリゼーションの趨勢に対していちはやく対応したのがグッゲンハイム美術館だろう。グッゲンハイム美術館は鉱山王として知られたソロモン・グッゲンハイムの私的コレクションをもとに一九三七年にニューヨークに開館し、五九年以降はフランク・ロイド・ライト設計の施設を拠点として活動してきた。国際的にも有名な大型美術館だが、同じ都市により大規模なMETやMoMAが君臨することもあって、相対的に地味な印象は否めなかった。それが、八八年に館長に就任したトマス・クレンズは、九二年にソーホー地区に分館を設けた（二〇〇一年閉館）のを皮切りに、ペギー・グッゲンハイム・コレクション（ベネチア、一九九七年開館）、グッゲンハイム・ベルリン（一九九七―二〇一三年）、グッゲンハイム・ラスベガス（二〇〇一―〇三年）、グッゲンハイム・エルミタージュ（二〇〇一―〇七年。エルミタージュ美術館との共同事業）などを続々と開館、館の拡張政策を矢継ぎ早に展開していく。なかでも、九七年にスペイン・バスク地方のビルバオにフランク・Ｏ・ゲーリー設計の美術館が開館したことは、奇矯な建築施設の強烈なインパクトも手伝って大きな話題になった。

ファストフード店のフランチャイズ展開のようなクレンズの手法は、しばしば「ミュージアムのマクドナルド」と揶揄された。彼の手法が歓迎されなかったのは、従来のミュージアム界の常識から遠くかけ離れていたことに加え、元ＮＢＡ所属のバスケットボール選手という美術館の館長としては異色のキャリアに対する反発もあったかもしれない。しかしほかのミュージアムものちにグッゲンハイムの方針に追従したことから考えると、クレンズに先見の明があったことは確かだろう。

2　ルーヴルとポンピドゥーの海外展開

そうした動向に追随したのは、ルーヴルやポンピドゥーも同様である。国内の分館についてはすでに検討したので、ここでは海外展開に注目してみよう。

ルーヴルが海外に設けた初の分館が二〇一七年に開館したルーヴル＝アブダビである。この構想は〇六年にルノー・ドヌディュー・ドゥ・ヴァブル文化省、アンリ・ロワレット館長、フランシーヌ・マリアニ＝デュクレフランス美術館総局長の三人がアラブ首長国連邦（ＵＡＥ）のアブダビを訪問したことに始まる。当時アブダビは「ユニヴァーサル・ミュージアム・プロジェクト」を推進していて、翌年三月、両国政府は、四億ユーロ（約五

写真10-2　ルーヴル＝アブダビ

百三十億円）の支払いを条件に、アブダビに新設されるミュージアムに三十年間ルーヴルの名の使用を認めること、独自のコレクションがそろうまではルーヴルのコレクションから三百点の作品を寄託することで合意した。以上の説明からもわかるように、このプロジェクトは正確には分館建設とは異なるのだが、極秘裏に進められていたこともあってか、表面化した際には「文化政策の堕落」「オイルマネーで魂を売ったルーヴル」など国内外メディアから大いに批判されることになった。一〇年に購入された展示予定作品のなかには、ジョヴァンニ・ベッリーニ『聖母子』、ムリーリョ『ヤコブの夢』、モネ『ボヘミアン』、ドミニク・アングル『デオン・ペドロ・デトレド』といった著名な作品が含まれていた。さらに一七年十一月には、代理人を介してダ・ヴィンチの『サルバトール・ムンディ』を当時の史上最高価格である四億五千三十一万二千五百ドル（約五百八億円）で落札し、UAE政府の本気度をうかがわせた。

美術館の建設にあたっては、設計者のコンペはおこなわず、指名を受けたジャン・ヌーヴェルが担当することになった。彼がまだ無名の若手だったころに設計したアラブ世界研究所は、実はミッテラン大統領とジャック・

ラングが手掛けた最初の大規模な文化プロジェクトだった。その縁もあって、彼の名はグラン・ルーヴル・プロジェクトの候補者として浮上したことがあったのだが、今回は正真正銘ルーヴルの設計者としての抜擢である。竣工した建物はドーム状の低層の施設であり、海岸線のすぐ近くという立地を生かしたランドスケープデザインを試みている。また一見するとネットのように見える屋根は、格子状の素材を八層にわたって重ね合わせ、自然光が内部に差し込むように調整されていて、直径百八十メートルのドームは内観のほうがより巨大に見える。ロビーに設置されているジュゼッペ・ペノーネの『光の葉・樹木』は、この空間に設置することを意図して制作された作品である。

常設作品は総計六百点。前述の購入作品やルーヴルの寄託作品のほか、オルセー美術館など他館からの寄託作品も取り交ぜた構成になっていて、日本地図と世界地図が描かれた十七世期末の屏風やウラジーミル・タトリンの「第三インターナショナル記念塔」を模した艾未未（アイ・ウェイウェイ）の「光の泉」など、ルーヴルの守備範囲外の東洋美術や現代美術の作品も散見される。

国内外の分館建設というルーヴルがおこなった大きな変化は、「経営」という言葉で説明することができるだろう。序章でもふれたように、ミュージアムとは近代市民社会の要請によって出現した啓蒙的・教養主義的な空間である。フランス革命を契機に誕生したルーヴルはその典型だが、現在世界の巨大ミュージアムは世界資本主義の競争原理のなかで集客重視の娯楽施設・観光施設へと大きく様変わりしようとする潮流へと否応なしに巻き込まれていて、ルーヴルとてその影響から無縁ではいられない。アブダビ別館の開館は「ミュージアム・マーケティング」「ミュージアム・ブランディング」の一例として説明できるだろう。だが、その拡張の範囲が国境線を越えて欧米以外の地域にまで及ぶことには別の側面があることを指摘しておかなければならない。これまたルーヴルが典型だが、ヨーロッパの巨大ミュージアムは帝国主義時代の植民地政策によって収集されたコレクションを基盤としている。ところが、分館が新たに建設されるアジアや中東はかつて西欧の植民地であったなど支配の対象だった地域であり、その地域の人々に対してコレクションを見せることがどのような意味をもてるのか、もともとはその地域にあった作品や資料をルーヴルが所持しつづけることが適切なのか、否応なしに考えざるをえなくなるからだ。グローバリゼーションと呼ばれる世界規模の資本主義の潮流は、否応なしに西欧に生まれたミュージアムという装置の役割を問い直すこともはらんでいる。以下のジャック・ラングの言葉には、そうした現実に対してルーヴルが抱く問題意識と危機感が強くにじんでいる。

ショービジネスや経済活動が世界を席巻し、そのなかで我々は日々進化している。したがって文化政策にたいして決裂を生み出すのではなく、グローバリゼーションのいま、（美術館の）使命や来館者が拡大するとき、普遍的な美術館はどうあるべきかを自問することが大切なのである。もし我々がこの現実を拒んだら、そのときは世界のほかの国が我々に取って代わってその国の文化的・学術的基盤を急いで高めることであろう。（略）ルーヴルが提案していることは、私の見解では国民から託された本来の使命と伝統のなかに組み込まれている。「ルーヴル」というブランドを作り出すことは、既に存在しているという事実を公式に認めさせただけのことである。ずっと以前から、この名称は、芸術や文化の世界において普遍的な基準なのである。それゆえにこの名は世界のほとんどの美術館の規範となっているのである。(1)

一方、ポンピドゥーは現在までに海外で二館、スペインと中国に分館を設けているが、ここでは後者に注目してみたい。ポンピドゥーは二〇〇三年に「それなら、中国？」展を開催するなど中国のアートシーンに注目していて、分館建設もその延長線上で構想されたものだろう。一九年十一月、上海の西岸地区（west-bund）にポンピドゥー文化センターのポップアップが開館した。二四年までの五年限定の美術館だという（その後にはコロナウイルスの感染拡大による長期休館を余儀なくされたため、今後は契約期間の延長が見込まれる）。

西岸地区はもともと工業地帯だったエリアだが、近年の再開発では、龍美術館、余徳耀美術館、上海撮影芸術中心、上海油罐芸術中心（TANK Shanghai）などが続々オープンするなど、上海きっての美術館密集地帯になっている。日本の有力ギャラリーも進出しているこのエリアにポンピドゥーが分館建設を決定したのは、目玉施設を欲していた上海側と新たな展開を模索するポンポドゥー側の思惑の一致によるものだった。同地区の再開発を担うウエストバンドグループは二〇一七年にポンピドゥーと協定書を締結、ロンドン出身の建築家デヴィッド・チッパーフィールドに施設の設計を依頼して、開館準備を進めてきた。同館の総床面積は二万五千平方メートルとかなり大規模なもので、立方体をいくつか重ねたようなシンプルなデザインに特徴がある。当然、工業地帯だった時代の雰囲気が強く残る周囲の景観に溶け込むことも意図したにちがいない。

開館の「The Shape of Time」展（二〇一九年）は十万点を優に超えるポンピドゥーのコレクションから約百点を精選した展示であり、クレー、コンスタンティン・ブランクーシ、ジャコメッティ、ピカソなどの二十世紀の巨匠からヘスス・ラファエル・ソト、クリスチャン・ボルタンスキー、ダニエル・ビュレンという現代アートのスターが並ぶ豪華な布陣になっている。新たな展開を目指すポンピドゥーの力の入れ方がわかろうというものだ。

ポンピドゥー文化センター館長のセルジュ・ラヴィーニュも、「ポンピドゥー・センターは、つねに中国の芸術シーンの魅力と価値を紹介することに尽力してきました。今後五年間でこの関係がさらに強化され、東西の芸術家と文化機関との対話がさらに促進されると信じています[2]」とコメントしている。なお同館のウェブサイトは、部分的にフランス語が用いられているとはいえ、中国語と英語の二カ国語言語を基本にするなど、自国のメンツよりも国際的な発信を優先したものになっていて、ここにもまた本気度をみることができる。

ルーヴル同様、このポンピドゥーの国内外の分館建設も経営やグローバリゼーションの観点から説明できるだろう。特に今回は中国が舞台になっていることもあり、五年間という限定された期間のなかで、かつては支配－被支配の関係にあった西洋と東洋が新たな関係を築く試みでどのように変化していくのかにも注目する必要があるだろう。

3　博物館法とＩＣＯＭ博物館定義

もちろん、新たなミュージアムの動向はグローバリゼーションだけに集約されるわけではない。冒頭で日本の博物館法とＩＣＯＭ博物館定義の条文を引用し、両者の定義にはほとんど差異がなく、ミュージアムを多くの作品や資料を収集し、展覧会をおこなうイベント会場であると同時に、研究や教育普及をおこなうための施設とみなす認識が国内外で深く浸透していることを確認したが、実は当のＩＣＯＭ内でこの定義を変更しようという機運が高まっている。

この定義変更の機運は二〇一五年に国連が採択した「持続的な開発目標」やユネスコが発表した「ミュージアムとコレクションの保存活用、その多様性と社会における役割に関する勧告」が端緒になっていて、ミュージアムに社会的な問題の解決を求める風潮が定義改定の背景になっていることがうかがわれる。内部のワーキンググループで検討を重ねた新定義案は、当初は一九年九月上旬に京都で開催された第二十五回ＩＣＯＭ総会で採択される予定だった。私は当時ＩＣＯＭの会員ではなかったが、全七日間の総会の日程中最初の二日間に参加して議論の一端に接し、また公式ガイドブック[3]を通読して今回の議論の背景についてあれこれと考える機会があった。本章を通じて、ミュージアムの定義変更の意義について一考し、また新たな定義に即したミュージアムの一例として「アイヌ民族博物館――ウポポイ」を取り上げ、その活動を通じて今回の定義変更に関するささやかな考察を加えてみたい。

4　ＩＣＯＭ博物館定義の変遷

ミュージアムの定義と同義といっていいＩＣＯＭ博物館定義だが、決して永劫不変というわけではなく、一九四六年に制定されたとき（当時は憲章）の条文は、

ここにいう博物館とは、公開することを目的とする芸術、科学、技術、歴史および考古学資料のすべての収集品と、動物園、植物園を含むものとする。ただし、常時の展観室を備えていない図書館を除く

というものであり、それが以後七回にわたって改定されてきた。その変遷を要約すると、およそ以下のとおりである。(4)

一九五一年
博物館の目的に、「公衆の娯楽と教育に資するための公開」を追加。
一九六一年
博物館の目的として、「研究」「教育」「楽しみ」を併記。あわせて、その目的を実現するための博物館機能として「保管」と「展示」を位置付ける。
一九七四年
博物館の目的に、「社会とその発展に貢献するため」を追加。機能として「収集」「保管」「調査研究」「コミュニケーション」と「展示」を並列で追加。

一九八九年
別条項となっていた博物館の目的と機能を一つの条文に統合。「博物館の定義は、各機関の管理機構の性格、地域の特性、機能構造、または収集品の傾向によって制限されない」ことを追記。
一九九五年
博物館とみなす対象に、「博物館および博物館学に関する保存、研究、教育、研修、ドキュメンテーションその他の活動を行う非営利の機関または団体」または「国際単位、国単位、地域単位または地方単位の博物館団体、博物館を所管する省庁または公的機関」を追加。
二〇〇一年
博物館とみなす対象として、「図書館および公文書センターが常時維持する資料保存施設および展示ギャラリー」を「非営利の美術展示ギャラリー」に変更。新たに「有形または無形の遺産資源（生きた遺産およびデジタルの創造活動）を保存、存続および管理する文化センターその他の施設」を追加。
二〇〇七年
規約を全体的に簡略化。以下のように、博物館とみなす対象を逐一列挙せず、博物館の定義だけの規定とした。

第三章　定義

第一条　博物館

博物館とは、社会とその発展に貢献するため、有形、無形の人類学の遺産とその環境を、教育、研究、楽しみを目的として収集、保存、調査研究、普及、展示する公衆に開かれた非営利の常設機関である。

七十余年に七回ということで、改定のペースはおよそ十年に一度といえるだろうか。また改定の内容に目を向けると、もともとミュージアムは文化財の収集・展示施設という位置付けだったのが、教育や研究といった様々な機能が付与されてきたことがわかる。二〇〇七年の改定から十年以上経過した現在、八回目の改定が俎上に載せられてきたことは、時代の流れの速さを考えれば、必然性があると容易に理解できる。焦点は、一九七四年以来約半世紀ぶりの大型改定だった今回の内容である。

ＩＣＯＭは四万人以上の個人会員と三千以上の団体会員を擁し、また三十二の国際委員会を抱える大所帯だが、今回の定義変更に関しては多くの委員会から意見が寄せられていたという。ところで、八回目の改定ははたしてどのような経緯で発案され、また何を目指すものなのだろうか。改定の是非を考えるにあたっては、公式ガイドブックにまとめられている前提を知っておく必要がある。

5　定義変更に向けての議論

二〇一五年から一六年にかけて、ＩＣＯＭの約二十五人のワーキンググループで改定を目指す意見が提起され、改定に向けての動きが顕在化した。定義変更への取り組みを本格化させたＩＣＯＭは一六年七月にミラノで開催された第二十四回総会で Committee on Museum Definition, Prospects and Potentials（ＭＤＰＰ：ミュージアムの定義、展望、可能性に関する委員会）を発足させた。メンバーは委員長のジェット・サンダール（デンマーク）をはじめ、ジョージ・アブング（ケニア）、マーガレット・アンダーソン（オーストラリア）、ローラン・ボニラ゠メルシャヴ（コスタリカ）、デヴィッド・フレミング（イギリス）、アルベルト・ガーランディーニ（イタリア）、ケンソン・クウォク（シンガポール）、フランソア・メイレス（フランス）、リチャード・ウェスト（アメリカ）、アフシン・アルタイリル（ＩＣＯＭ事務局、トルコ）の各国から選抜された計十人だった。ＭＤＰＰはＩＣＯＭの各種委員会との折衝を重ね、パートナーシップ、地政学、グローバル・トレンドなどの観点からリサーチを繰り返し、一八年十二月末に「定義改正に関する勧告・報告」をＩＣＯＭ本部に提出した。またそれと並行して、ＭＤＰＰは各国の会員を対象にミュージアムの定義についてのオンライン調査を実施した。六十九カ国から二十五言語による二百六十九の提言がなされたというから、多様な意見が寄せられたことがわかる。

ICOM執行委員会が、それらの意見を集約した新定義案を公表したのは、総会の開催をひと月半後に控えた二〇一九年七月二十二日のことだった。この新定義案は第二十五回京都総会で様々な賛否両論を呼び起こすことになるのだが、まずはその内容を確認しておこう。

博物館は、過去と未来についての批判的な対話のための、民主化を促し、包摂的で、様々な声に耳を傾ける空間である。博物館は、現在の紛争や課題を認識しそれらに対処しつつ、社会に託された人類が作った物や標本を保管し、未来の世代のために多様な記憶を保護するとともに、すべての人々に遺産に対する平等な権利と平等な利用を保証する。

博物館は営利を目的としない。博物館は開かれた公明正大な存在であり、人間の尊厳と社会正義、世界全体の平等と地球全体の幸福に寄与することを目的として、多様な共同体と手を携えて収集、保管、研究、解説、展示の活動、ならびに世界についての理解を高めるための活動を行うものである。(5)

二〇〇七年版の定義と比べて分量がほぼ倍増していることに加え、また「民主化」「包摂」「人間の尊厳」「社会正義」「多様性」「幸福」など、従来は博物館が担うべきとは考えられていなかった要素への言及が少なくない。これは、収集、保管、調査、研究、展示、教育といった従来の「役割」に加えて、これからの博物館が担うべき「使命」が書き加えられたことを示している。このような提言が生まれてきた背景としては、アジア・アフリカ地域を中心にする脱植民地化や文化財返還の動き、さらには世界的な規模でのSDGsへの関心の高まりなどを挙げることができるだろう。ICOM執行委員会は当初、京都総会でこの案を徹底的に討議して最終日に採択することを目指していた。

従来の博物館の定義に慣れている者にとっては違和感を覚える新定義案だが、公式ガイドブックに掲載されているサンダール委員長の巻頭論文を通読すると、このような新定義案が提起された経緯がよくわかる。一連の議論は、二〇〇三年から〇四年にＩＣＯＭで博物館の定義が議論された時点までさかのぼることができるのだが、〇七年に定義が一部改定されたことによって、そのときの改定ムードはいったん収束する。その後一五年に国連が採択した「持続可能な開発目標（ＳＤＧｓ）」やユネスコが発表した「ミュージアムとコレクションの保存活用、その多様性と社会における役割に関する勧告」などがきっかけになって、定義改定の機運が再燃する。これを受けて設立されたＭＤＰＰでは、まず①定義を現状のままにする、②一部改定する、③大きく改定する、の三つの選択肢を設け、そのなかから③を選択した。その後、新しい定義の作成に向けて七カ条のガイドラインを作成し、それに沿うように各国の会員・非会員からの提言を公に受け付けて議論を進め、前述の新定義案の発表へと漕ぎ着けた。

とはいえ、最初の反応は否定的なものだったようだ。従来の定義からは大きく異なっていた新定義案に戸惑った会員も少なくなかったことは容易に想像がつく。新定義案の発表から二十日ほど経過した二〇一九年八月十二日、以前から新定義案に慎重ないしは懐疑的な見解を示していたフランス、イタリア、スペイン、ドイツ、カナダ、ロシアを含めた二十四の国内委員会と五つの国際委員会が、新定義案の採択可否の投票を延期するように執行委員会に要請した。すでに京都総会まで一カ月を切っていたが、この時点では執行委員会は総会での投票を決行する姿勢を崩さず、この要請には応じなかった。

6　第二十五回ＩＣＯＭ京都総会

二〇一九年九月一日、会場の京都国際会館で第二十五回ＩＣＯＭ総会の前夜祭がおこなわれ、翌二日午前から本会議がスタートした。ロンドンやダンディーでの調査を終えて一日の夜に関西国際空港に到着した私はその日のうちに京都へと移動し、二日と翌三日の総会へと足を運んだ。まず総会二日目の九月二日午前にプレナリー・セッション「ICOM博物館定義の再考（The Museum Definition-The Backbone of ICOM）」が開催された。大会プログラムでは「近年、博物館の目的、方針、活動は、時代に合わせて変化し再編されてきました。そのため、ICOMの博物館定義ではもはや、博物館の抱える課題や多様なビジョン、責任を十分伝えることができなくなっています。本セッションでは、博物館定義が変わる必要性や、新たな定義に向けた可能性を、有識者を交えて議論します」とその開催趣旨が説明された。冒頭でスアイ・アクソイ会長（当時／トルコ）が博物館定義の見直しをおこない、地球市民として次世代に対して問題を解決できるような役割を博物館定義に与えることが使命であると述べたことに象徴されるとおり、このセッションは定義改正の必要性を訴える執行委員会の意図に即し

写真10-3　第25回 ICOM 京都総会会場の風景（筆者撮影）

たものだった。

新定義の採択を目指す執行委員会の意向は、MDPP委員が多くを占めていたセッション登壇者の顔ぶれによっても確認できる。しかし、登壇者の意見も決して一枚岩ではなかった。セッション終盤になって、ICOFOM（博物館学国際委員会）のブルーノ・ソアレス（ブラジル）が、新定義案の採択可否の投票を延期すべきだと発言した。ソアレスによると、少なくとも二十六の国内委員会と八の国際委員会が延期の必要性について賛同して

いたという。この数値は投票延期の意見が表面化した八月十二日時点のそれを上回っていて、総会前の約二十日の間に、各国の多くのメンバーの間に新定義への懸念が広がっていたことがうかがわれる。

午後のラウンドテーブルでは多くの分科会が開かれ、新定義案に対する様々な議論が百出した。私が直接見聞したのは一部にすぎないが、後述のリポートをもとに、賛成／反対の両面から主立ったものをいくつかピックアップしておきたい。

［賛成］

・この新定義は、社会的課題により積極的にコミットしていく博物館のビジョンを示したものだ。
・すでに多くの館が新定義案が打ち出す理念に沿った活動を展開していて、その意味で実情に即している。
・いま定義を改正しないと、再び長期間改正できない恐れがある。
・今回の新定義についての議論は十分に尽くされ、公平性も担保されている。
・そもそも途上国の多くの館は現行の定義の条件を十分に満たしていない。定義を改定したほうがそれらの館の活動をより活発なものにすることができる。

［反対］

・新定義案はイデオロギー色が強く、ミッション・ステートメントや政治的マニフェストに近い。これは博物館の定義というより理念ではないか。
・改定案からは現行の定義にある「教育」「常設機関」「無形の人類の遺産」などが含まれていない。これらの言葉が削除されると、博物館が長い歴史を通じて果たしてきた重要なミッションまで失われてしまう。
・人間の尊厳や社会正義などへの寄与を目指すのは博物館だけではなく、明記する必要があるのか疑問だ。
・文章が曖昧で不明瞭だ。
・新定義案は大多数の小規模で伝統的な博物館を切り捨ててしまう恐れがある。

・ICOM博物館定義は様々な国の博物館の法的定義で参照されているが、そうした国のなかには、政治社会的な制約のために新定義案の内容をとても受け入れられないものもある。
・伝統的な博物館のイメージを抱く政治家や官僚が多いなか、新定義案に示されているような活動をすると、博物館に対する政府予算の減少につながりかねない。新定義案が承認されたら、ICOMから脱退する国が出てくる恐れがある。
・新定義案が公表されてから約六週間しか時間がなく、各委員会でその内容が十分に議論されたとはとてもいえない。

サンダールの論考では、中世から近世にかけて王侯貴族のコレクションだった「驚異の部屋 Wunder-Kammer」がどのようにして近代的なミュージアムへと発展してきたのか、その歴史的な必然性が強調されている。先に確認したこの七十年を通じてのICOMの定義の変更も、およその流れに沿ったものといっていい。そのプロセスは、例えばキャロル・ダンカンが「神殿(テンプル)から舞台(フォーラム)へ」と評したものに相当する。[6]とはいえ、博物館の定義から教育という文言が消え、逆に問題解決の議論の場としての役割が前面に押し出された今回の定義変更には、先端的な表現を多数扱う現代美術の専門館の関係者にとってはさほどの違和感はなかったかもしれない半面、文化財を活動の基盤とする博物館にとっては、大いに当惑を誘うものだったことは想像に難くない。議論で意見が分かれたのは各メンバーの賛否の判断、自らが所属する施設の専門領域などでも大きく左右されたのではないだろうか。いずれにしても、賛成/反対いずれの見解にも相応の理があることは間違いなく、どちらにくみするか容易に決められないことは確かだろう。

7　保留された新定義案

最終日である九月七日の臨時総会で、いよいよ新定義案の最終審議がおこなわれた。賛否いずれの立場からも積極的に意見が出て審議は白熱し、当初予定されていた時間を大幅に超過したという。残念ながら私は最終日の臨時総会には出席しておらず、審議を直接見聞きしていないため、事後のリポートによって確認した必要最小限のアウトラインを記しておこう(7)。

最初に結論から述べるなら、長い議論のあと、新定義案の採択可否を決定することは見送られ、その前の段階、すなわち採択可否の決定を延長するかどうかについて投票をおこなうことが決定された。そして投票の結果、賛成七〇・四一パーセント、反対二七・九九パーセント、棄権〇・三六パーセント、白票一・二五パーセントになって、新定義案の採択可否の投票延期が確定した。新定義案を問うこと自体に異存はないが、現時点での可否は時期尚早であり、もっと時間をかけて慎重に議論したあとでいい、というのが多くのメンバーの総意だったといえるだろうか。

ここで、改定案が浮上した背景や考案したＭＤＰＰの構成メンバーにも注意を払っておきたい。サンダールはプレナリー・セッションの冒頭、二項対立で物事を考える西欧のやり方では対応できなくなってきたと述べているが、ＭＤＰＰの委員十人の出身地域をみると欧米六、アフリカ一、中東一、アジア一、オセアニア一になっていて、欧米偏重の印象は否めない。西欧がミュージアム発祥の地であり、現在に至るまで中心的立場であることは疑う余地がない事実だし、またＭＤＰＰが可能なかぎり多様な意見を集約しようとした努力も否定するものではない。だが、グローバル化が進んだ現代の国際的機関であるならば、各地域の状況やＩＣＯＭの価値観をどこに立脚させ、どう実践させていくのかを再考する必要があると思われる。この新定義案の根拠としてしばしば強調されるSDGsにしても、持続的な発展という目的が、あくまで欧米主導によって展開されているという現実には注意が必要である（例えば全地球規模の二酸化炭素の排出問題にしても、早くから開発を進めてきた欧米諸国の長年にわたる大量排出が現在の危機的水準をもたらしたという事実を無視して、これから開発を進めようとするアジア・アフリカ諸国に厳しい規制を課すのは不公平だという見解は当然成り立つだろう）。

またこれも報道による情報だが、閉会後の会見で佐々木丞平京都大会組織委員長が、今回の博物館定義が採択されていれば、日本の博物館法の見直しにつながる可能性があったことに言及していたという。現行の博物館法がICOM博物館定義（憲章）に強く規制されていることは序章ですでに確認したとおりであり、その定義の変更は当然ながら現行の博物館法の規定にも大きく影響を及ぼすことになるだろう。私見にすぎないが、現行の博物館法が新定義案に盛り込まれる予定の各種の「使命」に十分に対応できるようには思えない。新定義案が承認された場合、それがどのように条文に反映されるのかも気になるところである。

結局MDPPの改定案は京都の総会では承認に至らず、二〇二二年八月にチェコのプラハで開催が予定されている第二十六回総会へと先送りされることになった。二〇年以降、新型コロナウイルスの世界的感染拡大など状況が急変したことを受け、会場とオンラインのハイブリッド形式で開催されることになった総会で、いかなる法律が採択されるのか注目される。(8)

最後に、今回の総会について、ごく手短に総括しておきたい。

今回の総会では、博物館の定義をめぐって様々な議論が百出した。定義変更をめぐる様々な立場からの賛否はすでに挙げたとおりだが、議論が白熱するあまり、「ICOMは博物館に関する国際会議ではなく、博物館学に関する国際会議だ」という冗談もまことしやかに語られたという。とはいえ、定義変更に反対もしくは慎重なメンバーが、その理由として挙げているのは「イデオロギーが強すぎる」「時期尚早」といったものが大半で、新定義案を「間違っている」と正面から否定する意見はほとんど聞かれなかった。これは、メンバーの間に様々なグラデーションがあっても、現代社会が抱える様々な課題——多文化共生、移民、ジェンダー、LGBT、貧困、犯罪、戦争や紛争、環境破壊や気候変動など――への積極的な関与を是とするＭＤＰＰの新定義案がおおむね正しいものとして共有されていることを示している。今後のさらなる議論が待たれるところだ。

8　国立アイヌ民族博物館の開館とその経緯

ＩＣＯＭの定義改定は、もちろん日本国内の数多くのミュージアムのあり方についても強く問いかけるものでもある。今回の総会が日本の京都開催だったことも一因だが、もちろんそれだけに帰着するわけでもない。とりわけ今回の新定義案との関連で注目すべきミュージアムを一つ挙げろといわれたら、私は躊躇なく「国立アイヌ民族博物館――ウポポイ」というだろう。

少年時代以来、私にとってアイヌは近くて遠い存在だった。

「近い」というのは、私が義務教育期間を北海道で過ごしたことに起因する。通り一遍とはいえ、小・中学校の社会科の授業ではアイヌの歴史について学ぶ機会があったし、家族旅行で訪れた観光地でアイヌ文化に接する機会もあった。少なくとも、同じ年代をほかの地域で過ごした人間よりも相対的により多くのアイヌ情報にふれる機会があったことは間違いない。

一方、「遠い」というのは実感の乏しさに起因する。少年時代の私にアイヌの友人や知人は一人もいなかったし、アイヌを自称する者に会った記憶もまったくない。アイヌがアイヌ語で「人」を意味すること、現代のアイヌは倭人（日本人）と同じ生活様式で暮らしていること、北海道旧土人保護法（一九九七年廃止）などの差別的な扱いやウタリ協会（現アイヌ協会）のような権利団体について知ったこともずいぶんあとの話だ。私にとって、アイヌは長らく教科書と観光地でしか出会ったことがない「幻の民」であり、そのためアイヌ文化の詳細な描写が高く評価され、大英博物館の「マンガ」展（二〇一九年）でも大々的に紹介された長篇マンガ『ゴールデンカ

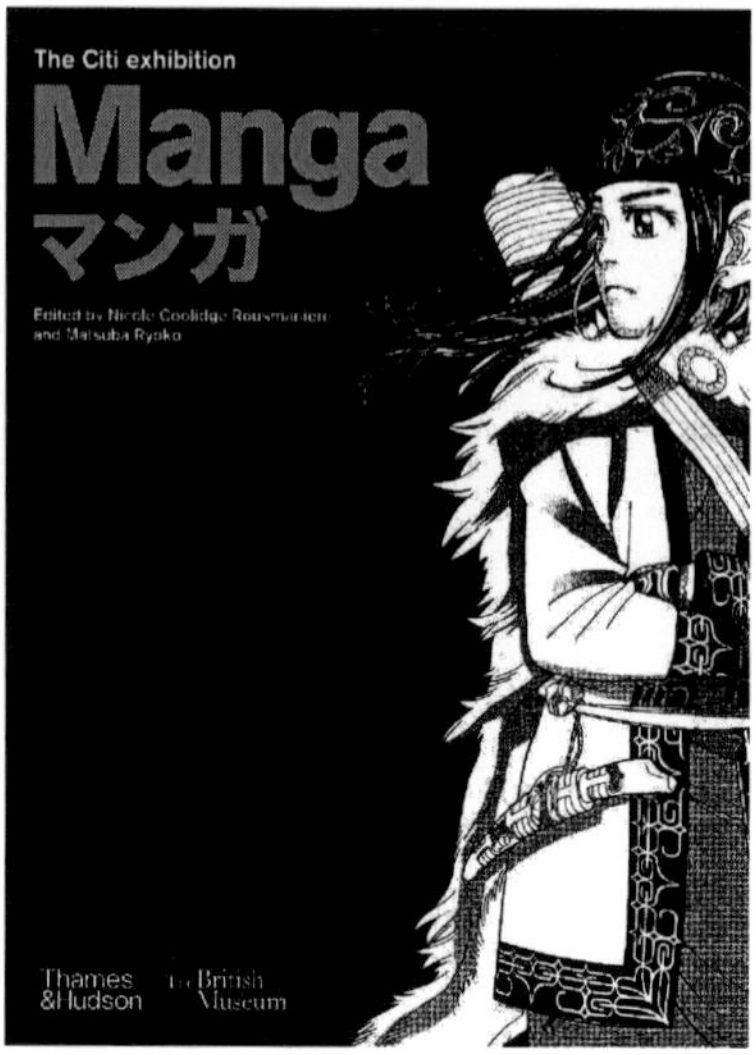

図10-1　大英博物館「マンガ展」図録
（出典：British Museum, *Manga*, Nicole Coolidge Rousmaniere, Matsuba Ryoko eds., Thames & Hudson, 2019.）

ムイ[9]』を通読したときには、懐かしさと新鮮さを同時に感じることにもなった。

私がアイヌ文化をテーマにした国立博物館が北海道の白老町に開館すると耳にしたのは数年前のことだっただろうか。国立としては、国立文化財機構に属している東京・京都・奈良、九州の四館と、国立科学博物館、国立民族学博物館、国立歴史民俗博物館に次ぐ八番目の博物館ということになる。ICOM総会の期間中、会場の京都国際会館の一角には多くのミュージアムが特設ブースを構えてPR活動にいそしんでいたが、そのなかでも国立アイヌ民族博物館の設立準備室のブースに強く引かれてパンフレットを手に取った私は、この博物館が民俗共生空間「ウポポイ」の中核をなす施設であることを知った。

国立アイヌ民族博物館の開館には複数の伏線がある。白老町は苫小牧市と登別市のほぼ中間に位置する人口約一万六千人の小さな町だが、一九六七年に開館した白老民俗資料館では当時存命中だったアイヌ文化の継承者による伝承活動が活発に展開され、それを引き継ぐように八四年にはアイヌ民族博物館が開館、北海道大学から寄託された約三千点の歴史資料を展示してきた。国立としては初めてになる新たなアイヌ博物館の建設地を白老が推されたのは、こうした従前の活動が評価されてのことと推測できる。

北海道には、ほかにも川村カ子トアイヌ記念館（旭川市）、萱野茂二風谷アイヌ資料館、二風谷アイヌ文化博物館（平取町）などの施設がアイヌ文化に関連する資料を収集・展示してきた歴史があり、また東京国立博物館には、一八七三年のウィーン万博事務局から引き継いだ資料や寄贈された資料などが数多く保管されていて、一九九二年にはそれをもとにした「アイヌ民族資料」の目録が編纂されている。この新たな博物館にはそうした研究成果も統合されることになる。

一方、この博物館の建設が正式に決定されたのは二〇一四年六月に閣議決定された「アイヌ文化の復興などを促進するための「民族共生の象徴となる空間」の整備及び管理運営に関する基本方針」によってだが、この閣議決定は〇八年六月に衆参両院で全会一致で採択された「アイヌ民族を先住民族とすることを求める決議」を踏まえたものであり、さらにその決議は〇七年九月十三日に国連で採択された「先住民族の権利に関する国際連合宣言」を踏まえたものである。海外に目を向ければ、先住民族の歴史や文化を対象にした国立博物館には、アメリカのアメリカ・インディアン博物館（一九八九年開館）、オーストラリアのオーストラリア国立博物館（二〇〇一年開館）、ニュージーランドのニュージーランド国立博物館テ・パパ・トンガレワ（一九九八年開館）などの例がある。遅ればせながら、先住民族の歴史や権利を尊重することを趣旨とする国際的な潮流（いうまでもなく、ＩＣＯＭの博物館の定義改定もこの潮流に沿う方向で議論されてきた）の下で、日本でも不可避的に浮上してきた開館構想だったわけだ。「この博物館は、先住民族であるアイヌの尊厳を尊重し、国内外にアイヌの歴史・文化などに関する正しい認識と理解を促進するとともに、新たなアイヌ文化の創造及び発展に寄与する」という設立理念も、それに対応したものになっている。

この流れのなかで、「民俗共生の象徴となる空間」という方向性が定められたわけだが、それを決定づけたのが二〇〇八年の決議を受けて結成された「アイヌ政策のあり方に関する有識者懇談会」での議論である。〇九年七月、八人の有識者からなる懇談会は、「一　今に至る歴史的経緯」「二　アイヌの人々の現状とアイヌの人々をめぐる最近の動き」「三　今後のアイヌ政策のあり方」の三点について議論を交わし、その結果として「国立アイヌ民族博物館」「国立民族共生公園」「慰霊施設」の機能を併せ持つ複合施設の必要性を提言した。その複合施設としての民族共生象徴空間が「ウポポイ」と名付けられ、そのなかに民族共生公園などが設けられることになった。当初二〇年四月二十四日に予定されていた開園は、コロナウイルスの感染拡大の影響で二度にわたって延期された結果七月十二日へとずれ込む。私が同所を訪れたのはそれから数カ月後のある週末の日、季節は秋になっていた。本書はミュージアム論を展開するものであるから、以降、複合施設のなかでももっぱら国立アイヌ民族博物館に焦点を合わせてみてみよう。

9　国立アイヌ民族博物館の展示

民族博物館はシアター、基本展示室、特別展示室の三つのコーナーからなり、共生空間のやや奥まった場所に位置している。設計は久米設計、展示ディスプレーは丹青社が担当した。二階から共生空間全体を見渡せる「パノラミックロビー」は、多くの展示品と並ぶ同館最大の見どころの一つである。

基本展示は一般の美術館・博物館の常設展示に相当する。「パノラミックロビー」からのアプローチは「イアㇱケウㇰ　導入展示」になっていて、壁に上映されたヒグマのCGが観客を基本展示室へと誘う趣向である。

基本展示室の中央は「アエキルシ　プラザ展示」になっていて、多くの展示品を納めたガラスケースが円形に配置されている。展示品はいずれもアイヌの文化や歴史にちなんだもので、定まった順路もないため、観客は自在に逍遥して展示品に接することができるようになっている。延床面積八千六百平方メートル、基本展示室千三百平方メートル、特別展示室千平方メートルという建物は国内の博物館としてはスタンダードな規模だが、約十万平方メートルという公園全体の面積からすれば比較的コンパクトなものといえる。所蔵資料は約一万点で、基本展示室にはそのなかから精選された約八百点が展示してある。

中央のプラザ展示を取り巻くのが、「イタㇰ　私たちのことば」「イノミ　私たちの世界」「ウレㇱパ　私たちのくらし」「ウパㇱクマ　私たちの歴史」「ネㇷ゚キ　私たちのしごと」「ウコアㇷ゚カㇱ　私たちの交流」の六部構成からなるテーマ別展示である（ほかに、残念ながら私が訪れた当日はコロナウイルス対策の一環として立ち入りを禁じられていたが、「イケレウシ　テンパテンパ　探求展示」というコーナーも設けられていた。テンパテンパとは「触ること」を意味するアイヌ語であり、ハンズオン型の体験展示になっていることがわかる)。当然のこととして、この主語の「私たち」はアイヌを意味していて、この展示の主体があくまでもアイヌであることが強調されている。もちろん、私もこの方針に異論はない。多くの展示品は観る者の感受性を刺激してやまないが、なかでも多くのことを感じさせたのが「私たちの言葉」と「私たちの歴史」の展示だった。

「私たちの言葉」では、アイヌ語の地名や物語などが紹介されている。北海道の地名の多くがアイヌ語に由来することは子どものころから知っていたが、展示で紹介されているその実例の豊富さは想像をはるかに上回るものだった。そもそも同館の「第一言語」はアイヌ語とされ、日本語は「第二言語」とされている(とはいえ、アイヌ語はもともと無文字言語のため、日本語のカタカナに由来する文字で表記している。アイヌ語を第一言語とした博物館はおそらく世界唯一であり、その点は画期的である)。そのため、展示品の解説やキャプションも、まず先頭にアイヌ語で表記されていて、館名もアヌココロ アイヌ イコロマケンルというアイヌ語表記が先行している。アイヌは北海道アイヌ、樺太アイヌ、千島アイヌの三つに大別され、またそれぞれのコタン(集落)ごとに独自の方言があったが、博物館の展示に付された解説では「それぞれの執筆者の方言や表記法でアイヌ語を表示」する方針が採用されたという。立地の関係で、展示の中心を占めるのは北海道アイヌの言語である。また後世にアイヌ語を伝える試みも重要だが、それは歴史展示の役割に分類されていた。

他方、「私たちの歴史」は、アイヌの歴史を「一、史跡から見た私たちの歴史」「二、交易圏の拡大と縮小」「三、私たちの生活が大きく変わる」「四、現在に続く、私たちの歩み」の四部で紹介していた。歴史展示らしく、コーナーの一角には歴史年表を設置してあったが、約三万年前から始まるその記述は至って詳細であり、「一四五七年 コシャマインの戦い」「一六六九年 シャクシャインの戦い」「一七八九年 クナシリ・メナシの戦い」などの事象はかすかに記憶していたこともあり、思わず小・中学生時の社会科の授業を思い出した。だが、なんともいえず複雑な気分になったのは、「一八六九年 明治政府が北海道全体を日本の領土に編入し開拓使を設置して本格的な統治を開始」「一八七一年 開拓使が伝統的習慣を禁止し、日本語の習得を奨励 政府が戸籍法を施行し、のちにアイヌ民族にも適用」といった近代以降の歴史記述である。端的にいって、これは当時の明治新政府がアイヌに対して実施した植民地政策と同化政策以外の何物でもないし、その主体もまた日本人＝和人でしかありえない。展示に示す「私たち」がアイヌであるという前提を踏まえるなら、この歴史記述は大幅な変更が必要なのではないか。

同様に気になったのが、なぜかこのコーナーに展示されていたアイヌ語研究や伝承の試みである。日本のアイヌ語研究は、金田一京助やその弟子である久保寺逸彦、また自らがアイヌだった知里幸恵・真志保姉弟、萱野茂らによって担われてきた。彼らの努力がなければ、無文字言語だったアイヌ語の伝承が文字に残されることも、辞書が編纂されることもなかっただろう。だが現在アイヌ語がユネスコによって「きわめて深刻な消滅の危機」にあり、きわめて近い将来アイヌ語を母語とする話者が確実にいなくなるという事態については、会場内のどこにも表示されていなかった。十九歳で夭逝した『アイヌ神謡集』[10]の編者・知里幸恵が死のわずか四日前に両親に宛ててしたためたという手紙についても、もっと詳細な解説がほしいところである。

もちろん、数万年前の土器から比較的最近まで用いられていた道具類に至るまで、個々の展示品の多くは美しく魅力的だったし、「私たちの交流」のコーナーでは、アイヌとほかの少数民族の交流なども詳しく紹介していた（例えば、樺太でアイヌと棲み分け、わずかながら日本にも移住した少数民族ウイルタとの交流の軌跡は興味深かった）。とはいえ、この展示の主体である「私たち」が誰なのかという問いに対しては、いまのいままで最適解を見つけられずにいる。

10 理念と現実の乖離

さて、この国立アイヌ民族博物館の活動を先ほど紹介したＩＣＯＭの新定義案と対照すると、両者の理念の一

写真10-4　国立アイヌ民族博物館のコタン（筆者撮影）

致に大いに驚かされる。「過去と未来についての批判的な対話のための、民主化を促し、包摂的で、様々な声に耳を傾ける空間」「現在の紛争や課題を認識しそれらに対処しつつ、社会に託された人類が作った物や標本を保管し、未来の世代のために多様な記憶を保護する」「人間の尊厳と社会正義、世界全体の平等と地球全体の幸福に寄与することを目的として、多様な共同体と手を携えて収集、保管、研究、解説、展示の活動、ならびに世界についての理解を高めるための活動を行う[11]」などの文言は、いずれも国立アイヌ民族博物館の理念を体現しているようではないか。

もともとＩＣＯＭで新定義案が浮上してきたのは、一連の議論をリードしていた西欧や北米のミュージアムで、先住民族の歴史や権利に配慮し、多文化共生の理念を打ち出す必要に迫られたことが大きな理由の一つだった。となれば、日本の先住民族問題の象徴である国立アイヌ民族博物館が、この新定義案と親和性が高いのは当然のことといえるだろう。一方で国立アイヌ民族博物館には、アイヌの文化に関わる多くのモノが多数収集・展示されていて、それをベースに教育・研究活動を展開しようという従来の博物館の姿もしっかりと担保されていた。国立アイヌ民族博物館が体現していたのは、ある意味では新旧のミュージアムの相克だったのかもしれない。

もっとも、理念から大いに乖離している現実が存在することも現時点では否定できない。ウポポイを訪れた当日、私は博物館の展示を見たあと、共生公園の一角に設置されているコタンの再現現場を見ようと、順番待ちの行列に並んでいた。そのさなかにたまたま自分の前で並んでいた壮年の男性客と、行列客の整理をしていた女性スタッフがやりとりしていたのだが、ここは様々な民族が共生するための空間ですよとウポポイの理念を説明するスタッフに対して、男性客は「あなたは何人なの?」と質問し、戸惑いの表情を浮かべたスタッフが「それを聞いてどうなさるんですか」と切り返す場面を目にしたのである。男性客はその切り返しには答えず、苦笑いを浮かべて黙り込んでしまったため、両者のやりとりはそれ以上続かなかったのだが、この男性客がウポポイの理念への自覚や共感を欠いていたことは明らかだった。すぐ後ろに並んでいた私は、スタッフの切り返しを至極もっともと思うと同時に、「民族共生」という理念がまだまだ現実味に乏しいことを実感した。

おわりに

京都総会では承認が先延ばしになったICOMのミュージアムの定義変更が次回総会で可決されるかどうか、現状では不明である[12]。二〇二〇年以降の新型コロナウイルスの感染拡大が世界各地のミュージアムにもたらしたインパクトは絶大であるため、それが前述の新定義案にも反映され、次回総会までには本書で検討した条文が書き換えられる可能性も十分にあるだろう。ただ次回総会で仮に新定義案が可決されたとしても、日本を含めた世界各国のミュージアムの実態がすぐさま大きく変わることはないだろう。私自身、多くの使命を上書きした今回の新定義案が決して間違いとは思っていないし、定義の変更が浮上してきた背景もそれなりに理解しているつもりだが、半面、教育や研究といった従来の役割も引き続き重視すべきと考えている一人である。各種の問題解決が期待される新たなミュージアム像の確立には、今後も長い時間を要することになるだろう。

注

（1）前掲『ルーヴル美術館の闘い』三一六―三一七ページ

（2）「ポンピドゥー・センターの上海ポップアップがついに開館。５年間限定の美術館を見逃すな」「ウェブ美術手帖」二〇一九年（https://bijutsutecho.com/magazine/news/report/20858）［二〇二〇年三月十日アクセス］

（3）"The Museum Definition: the Backbone of Museums," *Museum International*, ICOM, 2019.

（4）ミュージアムの定義の変遷に関しては、François Mairess, "The Difinition of the Museum: History and Issues," *Museum International*, 2019, pp. 152-159 を参照のこと。各条文の日本語訳は、前掲「イコム職業倫理規程 2004年10月改訂」のほか、同ウェブサイト内の「博物館の原則 博物館関係者の行動規範」（https://icomjapan.org/wp/wpcontent/uploads/2020/03/e8f3d72f8ea7f1b211b614b3925964fb.pdf）［二〇二一年八月三十一日アクセス］、「ＩＣＯＭ日本委員会規程」（〔https://icomjapan.org/wp/wp-content/uploads/2020/03/f34b43d1716327f122cdb31c9057573b.pdf〕［二〇二一年八月三十一日アクセス］）を合わせて参照のこと。

（5）松田陽「ＩＣＯＭ博物館定義の再考」「ＩＣＯＭ」二〇二〇年（https://icomjapan.org/journal/2020/09/03/p-1315/）［二〇二一年二月一日アクセス］

（6）Duncan, *op. cit.*,（前掲『美術館という幻想』）

（7）今回の総会の比較的詳しい報道の一つとして、芦田彩葵「「ＩＣＯＭ博物館定義の再考」が示すもの――第25回ＩＣＯＭ（国際博物館会議）京都大会2019」「artscape」二〇一九年（〔https://artscape.jp/report/topics/10157593_4278.html〕［二〇一九年十一月一日アクセス］）が挙げられる。ＩＣＯＭ内のレポートとしては、吉田憲司「ＩＣＯＭ京都大会を振り返る――成果と課題」「ＩＣＯＭ」二〇二〇年（〔https://icomjapan.org/journal/2020/09/14/p-1379/〕［二〇二〇年十二月一日アクセス］）や栗原祐司「ＩＣＯＭ京都大会と今後の我が国の博物館」「ＩＣＯＭ」二〇二〇年（〔https://icomjapan.org/journal/2020/09/07/p-1266/〕［二〇二〇年十二月一日アクセス］）を参照した。

（8）博物館の使命に対する肯定的な問題提起として、例えば小川義和／五月女賢司編著『発信する博物館――持続可能な社会に向けて』（ジダイ社、二〇二一年）が挙げられる。

(9) 野田サトル『ゴールデンカムイ』集英社、二〇一五―二二年
(10) 知里幸恵編訳『アイヌ神謡集』(岩波文庫)、岩波書店、一九七八年
(11) 前掲「ICOM博物館定義の再考」を参照。
(12) 二〇二二年八月二十四日、チェコのプラハで開催された第二十六回ICOM総会で以前からの懸案だったミュージアムの新定義が採択された。ICOM日本委員会によるその日本語訳は以下のとおりである。
博物館は、有形及び無形の遺産を研究、収集、保存、解釈、展示する、社会のための非営利の常設機関である。博物館は一般に公開され、誰もが利用でき、包摂的であって、多様性と持続可能性を育む。倫理的かつ専門性をもってコミュニケーションを図り、コミュニティの参加とともに博物館は活動し、教育、愉しみ、省察と知識共有のための様々な経験を提供する。

参考文献一覧

邦文の書籍

青木茂編『高橋由一油画史料』中央公論美術出版、一九八四年
浅田孝『環境開発論』(SD選書)、鹿島研究所出版会、一九六九年
アドルノ、テオドール・W『プリズメン——文化批判と社会』渡辺祐邦/三原弟平訳(ちくま学芸文庫)、筑摩書房、一九九六年
アンダーソン、ベネディクト『想像の共同体——ナショナリズムの起源と流行』白石隆/白石さや訳(社会科学の冒険)、リブロポート、一九八七年
伊藤俊治『トランス・シティ・ファイル』(「INAX叢書」第七巻)、INAX、一九九三年
今福龍太『ここではない場所——イマージュの回廊へ』岩波書店、二〇〇一年
ヴェブレン、ソースティン『有閑階級の理論——制度の進化に関する経済学的研究』高哲男訳(ちくま学芸文庫)、筑摩書房、一九九八年
梅棹忠夫『知的生産の技術』(岩波新書)、岩波書店、一九六九年
——『メディアとしての博物館』平凡社、一九八七年
大久保博則編『FILE OF LAFORET MUSEUM——1982-1993』ラフォーレ原宿、一九九四年
大坪健二『アルフレッド・バーとニューヨーク近代美術館の誕生——アメリカ二〇世紀美術の一研究』三元社、二〇一二年
岡部あおみ『ポンピドゥー・センター物語』紀伊國屋書店、一九九七年
岡本太郎、山下裕二/椹木野衣/平野暁臣編『岡本太郎の宇宙1 対極と爆発』(ちくま学芸文庫)、筑摩書房、二〇一一年
小川義和/五月女賢司編著『発信する博物館——持続可能な社会に向けて』ジダイ社、二〇二一年
小熊英二『〈日本人〉の境界——沖縄・アイヌ・台湾・朝鮮植民地支配から復帰運動まで』新曜社、一九九八年
金子淳『博物館の政治学』(青弓社ライブラリー)、青弓社、二〇〇一年
川口幸也「戦後日本が夢見た世界——万国博美術展、原始美術、太陽の塔」、佐野真由子編『万国博覧会と人間の歴史』所収、思文閣出版、二〇一五年
川添登『今和次郎——その考現学』(ちくま学芸文庫)、筑摩書房、二〇〇四年
北澤憲昭『眼の神殿——「美術」受容史ノート』(ちくま学芸文庫)、筑摩書房、二〇二〇年
北田暁大『広告都市・東京——その誕生と死』(廣済堂ライブラリー)、廣済堂出版、二〇〇二年
木下直之「上野戦争の記憶と表象」、矢野敬一/木下直之/野上元/福田珠己/阿部安成『浮遊する「記憶」』(青弓社ライブラリー)、青弓社、二〇〇五年

暮沢剛巳『美術館はどこへ?――ミュージアムの過去・現在・未来』(廣済堂ライブラリー)、廣済堂出版、二〇〇二年
――『美術館の政治学』(青弓社ライブラリー)、青弓社、二〇〇七年
――『ル・コルビュジエ――近代建築を公報した男』(朝日選書)、朝日新聞出版、二〇〇九年
――『世界のデザインミュージアム』大和書房、二〇一四年
――「幻の紀元二千六百年記念万博――開催計画の概要とその背景」、暮沢剛巳/江藤光紀/鯖江秀樹/寺本敬子『幻の万博――紀元二千六百年をめぐる博覧会のポリティクス』所収、青弓社、二〇一八年
――『拡張するキュレーション――価値を生み出す技術』(集英社新書)、集英社、二〇二一年
暮沢剛巳/清水知子監修『「多元主義」を理解するための30冊――多様化する世界を読み解き、生き抜くために 新版』エコシスラボ、二〇二一年
コロミーナ、ビアトリス『マスメディアとしての近代建築――アドルフ・ロースとル・コルビュジエ』松畑強訳、鹿島出版会、一九九六年
佐藤道信『美術のアイデンティティー――誰のために、何のために』(シリーズ近代美術のゆくえ)、吉川弘文館、二〇〇七年
椹木野衣『戦争と万博』美術出版社、二〇〇五年
志賀健二郎『百貨店の展覧会――昭和のみせもの1945-1988』筑摩書房、二〇一八年
式場隆三郎『民芸の意味――道具・衣食住・地方性』書肆心水、二〇二〇年
シュペーア、アルベルト『第三帝国の神殿にて――ナチス軍需相の証言』上、品田豊治訳(中公文庫)、中央公論新社、二〇〇一年
ジョージ、エイドリアン『THE CURATOR'S HANDBOOK――美術館、ギャラリー、インディペンデント・スペースでの展覧会のつくり方』河野晴子訳、フィルムアート社、二〇一五年
関秀夫『博物館の誕生――町田久成と東京帝室博物館』(岩波新書)、岩波書店、二〇〇五年
セゾン美術館編『西武美術館・セゾン美術館の活動――1975―1999』セゾン美術館、一九九九年
高橋明也『美術館の舞台裏――魅せる展覧会を作るには』(ちくま新書)、筑摩書房、二〇一五年
――『新生オルセー美術館』(とんぼの本)、新潮社、二〇一七年
高橋裕行『コミュニケーションのデザイン史――人類の根源から未来を学ぶ』フィルムアート社、二〇一五年
高橋雄造『博物館の歴史』法政大学出版局、二〇〇八年
田口久美子『書店風雲録』本の雑誌社、二〇〇三年
辻泰岳『鈍色の戦後――芸術運動と展示空間の歴史』水声社、二〇二一年
鶴見俊輔編『柳宗悦集』(「近代日本思想大系」第二十四巻)、筑摩書房、一九七五年
東京国立博物館編『目でみる一二〇年』東京国立博物館、一九九二年
長井誠『経営者柳宗悦』水声社、二〇二二年
永江朗『セゾン文化は何を夢みた』朝日新聞出版、二〇一〇年

長田謙一「「美の国」NIPPONとその実現の夢——民芸運動と「新体制」」、長田謙一／樋田豊郎／森仁史編『近代日本デザイン史』〔美学叢書〕所収、美学出版、二〇〇六年
中見真理『柳宗悦——時代と思想』東京大学出版会、二〇〇三年
——『柳宗悦——「複合の美」の思想』（岩波新書）、岩波書店、二〇一三年
根本彰『アーカイブの思想——言葉を知に変える仕組み』みすず書房、二〇二一年
長谷川祐子編『ジャパノラマ——1970年代以降の日本の現代アート』水声社、二〇二一年
初田亨『百貨店の誕生』（ちくま学芸文庫）、筑摩書房、一九九九年
ビショップ、クレア『ラディカル・ミュゼオロジー——つまり、現代美術館の「現代」ってなに？：ダン・ペルジョヴスキによるドローイングとともに』村田大輔訳、月曜社、二〇二〇年
ヒッチコック、ヘンリー・ラッセル／ジョンソン、フィリップ『インターナショナル・スタイル』武沢秀一訳（SD選書）、鹿島出版会、一九七八年
プラーツ、マリオ『ムネモシュネ——文学と視覚芸術との間の平行現象』高山宏訳、ありな書房、一九九九年
ベンヤミン、ヴァルター『都市の遊歩者』今村仁司／大貫敦子／高橋順一／塚原史／三島憲一／村岡晋一／山本尤／横張誠／與謝野文子訳（「パサージュ論」第三巻）、岩波書店、一九九四年
ポミアン、クシシトフ『コレクション——趣味と好奇心の歴史人類学』吉田城／吉田典子訳、平凡社、一九九二年
——『ヨーロッパとは何か——分裂と統合の1500年 増補』松村剛訳（平凡社ライブラリー）、平凡社、二〇〇二年
松宮秀治『ミュージアムの思想 新装版』白水社、二〇〇九年
水尾比呂志『評伝 柳宗悦』筑摩書房、一九九二年
三宅理一『秋葉原は今』芸術新聞社、二〇一〇年
村田麻里子『思想としてのミュージアム——ものと空間のメディア論』人文書院、二〇一四年
D・H・メドウズ／D・L・メドウズ／J・ランダース／W・W・ベアランズ三世『成長の限界——ローマ・クラブ「人類の危機」レポート』大来佐武郎監訳、ダイヤモンド社、一九七二年
森脇善明『アンドレ・マルロー美術史論研究——「空想の美術館」光と影』晃洋書房、二〇一二年
柳宗悦『科学と人生』籾山書店、一九一一年
——『民藝の趣旨』柳宗悦、一九三三年
——『柳宗悦全集』第十巻、筑摩書房、一九八一年
——『柳宗悦全集』第十六巻、筑摩書房、一九八一年
柳宗理「柳宗悦の民藝運動と今後の展開」『柳宗理 エッセイ』所収、平凡社、二〇〇三年

山崎敬一／ビュールク・トーヴェ／陳海茵／陳怡禎編『観客と共創する芸術Ⅱ』（埼玉大学教養学部リベラル・アーツ叢書）、埼玉大学教養学部・人文社会科学研究科、二〇二二年

吉田憲司『文化の「発見」――驚異の部屋からヴァーチャル・ミュージアムまで』（現代人類学の射程）、岩波書店、一九九九年

吉田憲司編著『博物館概論 改訂新版』（放送大学教材）、放送大学教育振興会、二〇一一年

吉田光邦編『万国博覧会の研究』思文閣出版、一九八六年

吉見俊哉『万博幻想――戦後政治の呪縛』（ちくま新書）、筑摩書房、二〇〇五年

――『博覧会の政治学――まなざしの近代』（講談社学術文庫）、二〇一〇年、講談社

ラムスター、マーク、横手義洋監修『評伝フィリップ・ジョンソン――20世紀建築の黒幕』松井健太訳、左右社、二〇二〇年

ラング、ジャック『ルーヴル美術館の闘い――グラン・ルーヴル誕生をめぐる攻防』塩谷敬訳、未来社、二〇一三年

邦文の雑誌・新聞・ウェブサイト

「ＩＣＯＭ日本委員会規程」（https://icomjapan.org/wp/wp-content/uploads/2020/03/f34b43d1716327f122cdb31c9057573b.pdf）

「愛される民藝のかたち」「朝日新聞」二〇一五年四月十五日付夕刊

「月刊民藝」一九四〇年五月号、日本民藝協会

「現代建築」創刊号、現代建築社、一九三九年

「ジスカールデスタン元大統領の名を追加 オルセー美術館」「毎日新聞デジタル」二〇二一年三月三十日

「昭和二十六年法律第二百八十五号 博物館法」「e-Gov 法令検索」（https://elaws.e-gov.go.jp/document?lawid=326AC1000000285）

「特集 新しいミュゼオロジーを探る」「アール・ヴィヴァン」第三十五・三十六号西武美術館、一九八九年

「特集 EXPO'70と大阪日本民芸館」、「民藝」編集委員会編「民藝」二〇二〇年四月号、日本民藝協会

「特集 デザインミュージアムの正解」「AXIS」二〇二〇年六月号、アクシス

「博物館の原則 博物館関係者の行動規範」（https://icomjapan.org/wp/wpcontent/uploads/2020/03/e8f3d72f8ea7f1b211b614b3925964fb.pdf）

「ビブリオテカ・アレクサンドリア（ＢＡ）」プロジェクト

マクドナウ、トマス「漂流とシチュアシオニストのパリ」暮沢剛巳訳、「10+1」第二十四号、ＩＮＡＸ出版、二〇〇一年

芦田彩葵「「ＩＣＯＭ博物館定義の再考」が示すもの――第25回ＩＣＯＭ（国際博物館会議）京都大会2019」「artscape」二〇一九年（https://artscape.jp/report/topics/10157593_4278.html）

川崎市「新たな博物館、美術館に関する基本的な考え方（案）」川崎市、二〇二一年八月（https://www.city.kawasaki.jp/templates/pubcom/cmsfiles/contents/0000131/131403/aratanahakubutukanbizyutukanikansurukihontekinakangaekata.pdf）

栗原祐司「ＩＣＯＭ京都大会と今後の我が国の博物館」「ＩＣＯＭ」二〇二〇年（https://icomjapan.org/journal/2020/09/07/p-1266/）

暮沢剛巳「「メディアとしての建築」という問題提起」「建築雑誌」二〇一四年十二月号、日本建築学会

国際博物館会議「イコム職業倫理規程 2004年10月改訂」「ICOM JAPAN」（https://icomjapan.org/wp/wp-content/uploads/2020/03/ICOM_code_of-ethics_JP.pdf）、英語原文は「ICOM Code of Ethics for Museums」（https://icomjapan.org/wp/wp-content/uploads/2020/03/ICOM_code_of-ethics.pdf）

鈴木勇一郎「川崎市の文化政策と市民ミュージアムの誕生」、川崎市市民ミュージアム編「川崎市市民ミュージアム紀要」第三十三集、川崎市市民ミュージアム、二〇二一年

田中昭臣／中谷礼仁「「螺旋展画閣」の内部空間に関する一考察」、日本建築学会編「学術講演梗概集 二〇〇二年度大会」日本建築学会、二〇〇二年

デジタル版「渋沢栄一伝記資料」第四十七巻（DK470119K） https://eiichi.shibusawa.or.jp/denkishiryo/digital/main/index.php?DK470119k_text

松田陽「ＩＣＯＭ博物館定義の再考」「ＩＣＯＭ」二〇二〇年（https://icomjapan.org/journal/2020/09/03/p-1315/）

吉田憲司「ＩＣＯＭ京都大会を振り返る——成果と課題」「ＩＣＯＭ」二〇二〇年（https://icomjapan.org/journal/2020/09/14/p-1379/）

欧文の書籍

"The Museum Definition: the Backbone of Museums," *Museum International*, ICOM, 2019.

Histoire de L'art du Japon: Ouvrage Publié Par La Commission Impériale Du Japon À l'Exposition Universelle de Paris, 1900, Forgotten Books, 2018.

MoMA Highlights 350 works from the Museum of Modern Art New York, MoMA, 2004.

Barr, Alfred Hamilton, "A New Art Museum" in Alfred Hamilton Barr, Irving Sandler and Amy Newman, *Defining Modern Art: Selected Writings of Alfred H. Barr. Jr.*, Harry N Abrams Inc, 1986.

Baudrillard, Jean, *Simulacres et simulation*, Galilée, 1981.（ボードリヤール、ジャン『シミュラークルとシミュレーション』竹原あき子訳〔叢書・ウニベルシタス〕、法政大学出版局、一九八四年、八五ページ）

Clifford, James, *The Predicament of Culture: Twentieth-Century Ethnography, Literature, and Art*, Harvard University Press, 1988.

Damisch, Hubert, *L'Origine de la Perspective*, Flammarion, 1993.

Duncan, Carol, *Civilizing Rituals: inside public art museums*, Routledge, 1995.（ダンカン、キャロル『美術館という幻想——儀礼と権力』川口幸也訳、水声社、二〇一一年）

Foucault, Michel, *Les Mots et les choses: Une archéologie des sciences humaines*, Gallimard, 1966.（フーコー、ミシェル『言葉と物——人文科学の考古学』渡辺一民／佐々木明訳、新潮社、一九七四年）

——, *Surveiller et punir, naissance de la prison*, Gallimard, 1975.（フーコー、ミシェル『監獄の誕生——監視と処罰』田村俶訳、新潮社、一九七

七年)
Guillbaut, Serge, *Comment New York Vola L'Idée d'Art Moderne,* Editions Jacqueline Chambon, 1993.
Kantor, Sybil Gordon, *Alfred H. Barr, Jr. and the Intellectual Origins of the Museum of Modern Art,* The MIT Press, 2002.
Malraux, André, *Le Musée Imaginaire,* Psychologie de l'Art 1, Albert Skira, 1948.
Noyes, Eliot F., *Organic Design in Home Furnishing,* MoMA, 1941.
Schulze, Franz, *Philip Johnson: Life and Work,* University of Chicago Press, 1996.
Silverstone, Roger, "The medium is the museum: on objects and logics in times and spaces," in Roger Miles and Lauro Zavala eds., *Toward the Museum of the Future: New European Perspectives,* Routledge, 1994.

あとがき

本書は著者が以前出版した『美術館はどこへ?——ミュージアムの過去・現在・未来』(〔廣済堂ライブラリー〕、廣済堂出版、二〇〇二年)と『美術館の政治学』(〔青弓社ライブラリー〕、青弓社、二〇〇七年)の二冊を統合し、いくつか新章を加え、一書として再構成したものである。各章の初出は以下のとおり。統合にあたっては、誤りの訂正はもとより、前者の刊行から二十年、後者の刊行からも十五年が経過したことを踏まえ、諸事情の経年変化を考慮した大幅な加筆・修正を施した。

はじめに　書き下ろし
序章　書き下ろし
第1章　『美術館はどこへ?』第一章
第2章　『美術館はどこへ?』第二章
第3章　『美術館はどこへ?』第三章／『美術館の政治学』第一章
第4章　『美術館はどこへ?』第五章
第5章　『美術館はどこへ?』第六章
第6章　書き下ろし
第7章　『美術館の政治学』第三章
第8章　『美術館の政治学』第二章
第9章　『美術館の政治学』第五章

第10章「ICOM博物館定義とアイヌ民族博物館」、山崎敬一／ビュールク・トーヴェ／陳海茵／陳怡禎編『観客と共創する芸術II』（埼玉大学教養学部リベラル・アーツ叢書）所収、埼玉大学教養学部・人文社会科学研究科、二〇二二年

本書の統合が我流のミュージアムスタディーズの知見に基づいていることはすでに「はじめに」で述べたとおりである。それはまた、二冊の既刊からなぜ当該の章を選び、改稿したうえで本書に再録したかの説明ともなっているはずだ。となれば、ここでまず述べるべきはそれ以外の箇所、すなわち新たに書き加えた第6章「デザインミュージアムとは何か」と第10章「グローバリゼーションとICOM博物館定義――ミュージアムスタディーズの観点から」ということになるだろうか。

デザインミュージアムについて論じた第6章は、当然ながら私自身の現在の関心に対応している。第9章「セゾン美術館から森美術館へ――〈文化〉の転換と美術館」の終わりでも少しふれたように、二十代の終わりに美術評論家として批評活動を開始した私は、長らく現代美術を取材や執筆の対象としてきたが、いつしかデザインとも向き合う機会が多くなり、二〇一〇年に現職に着任して以降は、明らかにデザインが自分の関心や仕事の中心を占めるようになった。このスタンスの変化は、職業上の要請でもあり自分自身の関心の変化の帰結でもあると言っておけば、それ以上の説明は不要だろう。

ともあれ、内面でデザインの比重が高まった以上、それ以前に二冊のミュージアム論を執筆していた私の関心がデザインミュージアムへと向かうことは半ば必然だった。あくまでも一般論だが、美術とデザインの間には、前者がもっぱら主観的で自己表現を志向するものである（とされる）のに対し、後者は客観的で表現と機能や目的の両立を目指す側面があること、前者が問題を提起するものであるのに対し、後者は問題を解決するものであるといった違いがしばしば強調される。となれば、そうした美術とデザインの違いは、ミュージアムの展示やコレクションにはどのような形で反映されるのか、そもそも複製や量産の工業製品は絵画や彫刻と同様の展示やコ

レクションの対象足りうるのか。そうした疑問に対する自分なりの回答を見いだすべく、私は海外のデザインミュージアムを訪ねて回るようになり、その成果の一部は『世界のデザイン・ミュージアム』(大和書房、二〇一四年)としてまとめた。同書はもっぱら欧米諸国のデザインミュージアムを取材したものだが、その後台湾や香港、シンガポールなどアジア諸国でもデザインミュージアムが開館する一方で、日本では依然としてデザインミュージアムが存在しない旧態依然とした現状に強い不満を抱くようになり、近年は日本のデザインミュージアムの設立を目指す運動にも少しばかり関わるようになった。第6章はそうした危機感を背景に書いたものだが、書物としての統一性を意識し、執筆にあたっては、歴史的な視点を重視して、世界初のデザインミュージアムとされるヴィクトリア・アンド・アルバート博物館(V&A)にさかのぼり、デザインミュージアムの必要性という問題をあらためて提起すべく認めた次第である。

同様の問題意識は、第10章にも通底している。英語では等しくmuseumと呼称されるこの文化施設が、日本語ではなぜ「博物館」と「美術館」に区別されるのか。私自身、このことは以前から気になっていたものの、深く掘り下げて考えたことはなかった。だが、本文でも何度か参照した松宮秀治の『ミュージアムの思想』(白水社、二〇〇九年)を通読し、またデザインミュージアムという「博物館」とも「美術館」とも異なる呼称の施設について論じたことが機縁にもなり、私はそのマトリックスともいうべきICOM博物館定義について考察してみようと思い立った。その意味では、ICOM総会が二〇一九年夏に京都で開催され、一部の討議を見聞きする機会を得られたことはうれしい偶然だった。ミュージアムの定義が「役割」だけではなく「使命」をも含んだものへと拡張されようとしている現実にはさすがに驚き、本書の構想も大きな方向転換を迫られたが、これもまたSDGsがクローズアップされる昨今の趨勢のなせるわざなのかもしれない。本書の出版を機に、私はICOMに入会することにした。プラハで開催される今夏の総会に参加するのは難しそうだが、今後は内側からもその議論を見守りたいと思っている。

本書の出版は二〇一九年の夏に決定し、私は早々に二冊の自著を読み返して構想を練り始めた。おおよその章立てはすぐさま決定して、九月初旬には早速ICOM総会を取材するなど、幸先のいいスタートを切ったと思っていたところ、翌年初頭に状況は一変してしまった。言うまでもなく、世界全域を覆ったコロナ禍のためだ。私が住む東京では二度にわたって新型コロナウイルス感染症緊急事態宣言が発令され、大学の授業や会議はすべてリモートになるなど、外出は必要最小限にとどめざるをえなくなった。当然ながら近隣のミュージアムもすべて休館になり、数カ月も展覧会を見る機会がない日々を過ごすことになった。制限が多少緩和された現在でも依然として不自由な状態は続いていて、海外のミュージアムにはもう二年以上まったく足を運べていない。事前予約による入場規制やオンラインによる鑑賞体験など、各地のミュージアムでは様々な実験が試みられている。遠からず今回のパンデミックをテーマにした展覧会も開催されるだろうが、自らの体験に基づいて語りうるポスト・コロナのミュージアム像がきわめて限定されていることは何とも残念だ。長期間の在宅を強いられたぶん、当初想定していたよりも多くの時間を本書の執筆にあてることができたのは不幸中の幸いだったが、現地を訪れての取材がなかなかできないなか、繰り返しミュージアムの「役割」や「使命」を自問自答しつづけた本書の試みにはたしてどれだけの意義があったのだろうか。その成否の判断は、本書を手に取られた読者諸氏に委ねたい。

最初に述べたように、本書は二冊の既刊を大幅にリニューアルすることによって成り立っている。二冊の出版に際して当時お世話になった方々に、この場であらためて感謝したい。また新たに加えた第10章は、埼玉大学で実施された領域開拓プログラム「観客と共創する芸術——光・音・身体の共振の社会学的・芸術学的・工学的研究」の成果報告論集である前掲『観客と共創する芸術Ⅱ』に掲載された論考を一部改稿して転載したものである。埼玉大学の所属ではない私をプログラムへと誘っていただき、また叢書への執筆の機会を与えてくれた山崎敬一・井口壽乃の両氏と研究会や編集の実務でお世話になった陳海茵さんと陳怡禎さんに感謝したい。

お世話になった方々の名を挙げる紙幅の余裕がないのが残念だが、それでもやはりどうしても名を挙げなくてはならない人が二人いる。一人は故・柏木博氏である。柏木氏は、本書の前身であり私にとって最初の単著でもあった『美術館はどこへ？』の出版のきっかけを作ってくれた恩人であり、また二〇〇〇年代後半にはある小規模なＮＰＯの活動を通じて、私のデザインミュージアムへの関心を大いに刺激してくれた水先案内人でもあった。直接お目にかかる機会は決して多くはなかったが、それでもデザイン評論の第一人者だった柏木氏からは数々の著作を通じて実に多くのことを学ばせていただいたし、二〇二一年末の早すぎる訃報は何とも残念だった。本書の出版をもって、せめてもの謝意と弔意を表したい。

もう一人は高山宏氏である。『美術館の政治学』は「朝日新聞」に書評が掲載されるなど（二〇〇七年五月二十日付、評者：斎藤美奈子氏）、幸いにして好評をもって迎えられたが、そのなかでも刊行から約一年後に、「書評空間」に発表された高山氏の書評（https://booklog.kinokuniya.co.jp/takayama/archives/2008/03/post_61.html、その後改稿のうえ『見て読んで書いて、死ぬ』〔青土社、二〇一六年〕に所収）は、たまたま私的な事情で気落ちしていた時期に接したこともあり、涙が出るほどうれしく、失っていた自信を回復するきっかけにもなった。実は私は、学生時代にごく短期間だがアルバイトをしていたある出版社で高山氏の翻訳書のゲラチェックをしたことがあり、その精緻な仕事ぶりに驚嘆したささやかな思い出がある。高山氏とはいまに至るまで一度もお目にかかったことがないのだが、おそらく当時どこかの喫茶店や書店でニアミスしていたのだろう。「学魔」とも呼ばれるその圧倒的な博識には及ぶべくもないが、せめて足下くらいにはたどり着きたいものである。

最後になるが、青弓社の矢野未知生氏に感謝したい。矢野氏とは『美術館の政治学』以来の付き合いで、その後数冊の編著や共著でもお世話になったが、久々の単著になる本書もまた、大幅なリニューアルを求める私の希望を聞き入れてくれたばかりか、いつもながらの丁寧な仕事ぶりで拙稿の様々な問題点を指摘し、原稿の質を着実に高めてくれた。本書の書名に関しても、当初は別の案を申し出ていたのだが、現場の評判がよかったとのことで、矢野氏の進言を受け入れて『ミュージアムの教科書』とさせていただくことにした。酒席での打ち上げは依然として難しい状況だが、本書に寄せられる反響によって矢野氏をねぎらうことができれば幸いである。

二〇二二年四月二十日

暮沢剛巳

［著者略歴］
暮沢剛巳（くれさわ たけみ）
1966年、青森県生まれ
評論家として、美術・建築・デザインなどを対象に執筆や翻訳活動をおこなう。東京工科大学デザイン学部教授
著書に『拡張するキュレーション——価値を生み出す技術』（集英社）、『オリンピックと万博——巨大イベントのデザイン史』（筑摩書房）、『美術館の政治学』（青弓社）、『美術館はどこへ？——ミュージアムの過去・現在・未来』（廣済堂出版）、共著に『視覚文化とデザイン——メディア、リソース、アーカイヴズ』（水声社）、『幻の万博——紀元二千六百年をめぐる博覧会のポリティクス』（青弓社）、*History of Japanese Art After 1945*（Leuven University Press）など

ミュージアムの教科書（きょうかしょ）　深化する博物館と美術館

発行——2022年5月27日　第1刷
2023年11月15日　第2刷

定価——2400円＋税

著者——暮沢剛巳

発行者——矢野未知生

発行所——株式会社青弓社
〒162-0801 東京都新宿区山吹町337
電話 03-3268-0381（代）
http://www.seikyusha.co.jp

印刷所——大村紙業

製本所——大村紙業

ISBN978-4-7872-7445-8　C0070

暮沢剛巳／江藤光紀／鯖江秀樹／寺本敬子

幻の万博

紀元二千六百年をめぐる博覧会のポリティクス

1940年、東京オリンピックと同時開催で総合芸術の一大イベントをもくろんだ紀元二千六百年記念万国博覧会。その内実を多様な資料から掘り起こし、戦争と緊密な関係性にあった「幻の芸術の祭典」の実態に迫る。　定価3000円＋税

難波祐子

現代美術キュレーター・ハンドブック

魅力的な展覧会を企画して、時代の新たな感性を提案するキュレーターという仕事の醍醐味を紹介しながら、仕事の実際の姿を実務的な展覧会の企画から実施までの流れに沿って具体的に解説する充実の手引書。　定価2000円＋税

難波祐子

現代美術キュレーターという仕事

展覧会を企画・運営するキュレーター。「学芸員」からグローバルで今日的な「キュレーター」へという1950年代から現在までの日本での変遷を追い、時代の新たな価値観を創造するその魅力を明らかにする。　定価2000円＋税

桂 英史

表現のエチカ

芸術の社会的な実践を考えるために

芸術家は、なぜ自らの表現を発表することで社会に何かを伝えようとするのか。「行為の芸術」としてのインターメディアを出発点として、同時代芸術で発揮されている多様な表現の実践を倫理の観点から論じる。　定価2600円＋税

山崎明子／藤木直実／菅 実花／小林美香 ほか

〈妊婦〉アート論

孕む身体を奪取する

孕む身体と接続したアートや表象――妊娠するラブドール、マタニティ・フォト、妊娠小説、日本美術や西洋美術で描かれた妊婦――を読み解き、妊娠という女性の経験を社会的な規範から解き放つ挑発的な試み。　定価2400円＋税